흥미진진한 미국사

History of the United States

흥미진진한 미국사

History of the United States

발 행 | 2024년 2월 19일
저 자 | 박종필
펴낸이 | 한건희
펴낸곳 | 주식회사 부크크
출판사등록 | 2014.07.15.(제2014-16호)
주 소 | 서울특별시 금천구 가산디지털1로 119 SK트윈타워
    A동 305호
전 화 | 1670-8316
이메일 | info@bookk.co.kr

ISBN | 979-11-410-7205-6

www.bookk.co.kr
ⓒ 박종필 2024

흥미진진한 미국사
History of the United States

박 종 필 지음

▣ 저자 소개

1) 약력

◆ 한양대학교 법학과 졸업 ◆ (前)(주)한국외환은행 법무팀 차장

◆ (前) (주)하나은행 법무팀 팀장 ◆ (現) 한국금융연수원 강사

2) 저서

◆ 2007. 직원을 위한 민사소송실무매뉴얼 ((주)한국외환은행)
  (공동집필)

◆ 2020. 독서하는 마라토너의 여행과 자전거 타기 ((주)부크크)

◆ 2020. 위대한 도전의 시작, 몽블랑 ((주)부크크)

◆ 2020. 프랑스 대혁명과 나폴레옹 ((주)부크크)

◆ 2020. 한국금융연수원 통신연수 교재 『수신법률기초 제3권』
  (한국금융연수원)

◆ 2023. 제2차 세계대전 ((주)부크크)

◆ 2023. 북미·유럽·동아시아 견문록 ((주)부크크)

3) 병역 · 수상 · 취미

◆ 공군 중위 전역(1995년)

◆ 부총리 겸 재정경제부장관 표창 수상(2003년)

◆ 22년 동안 42.195km 95회 완주

  (블로그·유튜브 : 네이버 검색어 "독서하는 마라토너")

목차

프롤로그

미국의 역사 또는 미국사(美國史/History of the United States)는 영국으로부터 건너온 이주민들로부터 그 역사가 시작되었다. 1607년과 1609년에는 남부의 버지니아에, 1620년에는 북부의 보스턴에 각각 영국인들이 이주하기 시작하여 차츰 세력 범위를 넓혀 영국은 1732년까지 100여 년 동안 13개 식민지를 대서양 연안에 개척하였다. 그러나 이들 식민지 이주민들의 이민 동기가 남북 간에 크게 달랐다. 북부의 보스턴은 영국의 청교도들이 영국의 종교박해를 피해 종교의 자유를 찾아 떠나왔고, 남부의 버지니아는 경제적인 부를 쫓아온 투자 이민이 다수를 이루었다.

유럽의 7년 전쟁(1756~1763년)에서 프랑스를 이긴 영국이 조세 정책 등을 통해 아메리카 식민지에 대한 통제를 강화하자 13개 식민지가 조지 워싱턴(미국의 초대 대통령)을 중심으로 결속하여 영국을 상대로 독립전쟁(1775~1783년)을 하여 프랑스의 지원 등에 힘입어 1783년 영국으로부터 독립을 승인받았다. 이어서 1787년에 『미합중국 헌법』이 반포되고, 1789년에는 초대 대통령 조지 워싱턴의 지도 아래 세계 최초의 대통령제를 시행하는 연방국가가 출범하였다.

미국은 1783년 영국으로부터의 독립 후에 프랑스·에스파냐 등으로부터 영토를 획득하였고, 미국과 멕시코 사이의 전쟁

(1846~1848년)이 미국의 승리로 끝나 멕시코로부터 캘리포니아, 애리조나 등 미국 대륙의 남서부 지역을 획득한 1848년에는 거의 현재의 영토 규모로까지 발전하였다. 이와 같은 서쪽으로의 개척 과정은 프론티어 운동으로 알려져 있는데, 이 과정에서 수많은 아메리칸 인디언들이 개척자들로부터 박해를 받았다. 이렇게 발전한 신세계의 내부에서는 식민지 건설 당시부터 싹터온 남북의 대립이 급속히 확대되었다. 미국의 남부와 북부는 식민지 초기 시대부터 종교나 경제 체제를 달리하고 있었는데, 그 후 이 차이는 양립할 수 없을 정도로 확대되고, 노예제 문제 등으로 갈등이 깊어진 미국은 남북전쟁(1861~1865년)이라는 내전을 치르게 된다.

남북전쟁은 제16대 대통령 에이브러햄 링컨(미국인들이 가장 존경하는 역대 대통령 랭킹 1위)의 영도하에 1865년에 북부의 승리로 끝났는데, 이것은 북부의 생산력, 특히 공업력이 남부의 농업에 대하여 거둔 승리(초기에는 남부가 우세하였으나 중반 이후에는 유럽 국가들의 지원을 받은 북부가 우세해졌다)이기도 하였다.

미국의 산업혁명은 19세기 중엽에 끝나고, 남북전쟁(1861~1865년) 이후에는 국내 자원의 개발과 교통기관의 발달(1869년 미국 최초의 대륙횡단철도 개통/캘리포니아주의 새크라멘토에서 네브래스카주의 오마하까지 2,826km) 등에 힘입어 미국의 산업자본주의는 약진을 이룩하였으며, 급속히 독점화되는 경향을 보였다. 산업이 발달한 결과 각지에 공업도시가 발달하였으며, 현저한 빈부의 격차, 슬럼가와 범죄의 발생이 사회문제로 떠오르고 노동운동이 거세어졌다.

제1차 세계대전(1914~1918년) 때는 미국·멕시코 전쟁 (1846~1848년)으로 획득한 영토를 빼앗길 위험에 처하자(*치머만 전보 사건/1917년 1월 16일 독일의 외무장관인 아르투어 치머 만<Arthur Zimmermann>이 멕시코에게 보낸 비밀 전보로, 미 국이 독일과의 전쟁을 개시할 경우를 대비해 멕시코의 참전을 부탁하면서 그 대가로 뉴멕시코, 텍사스, 애리조나 등 미국·멕시 코 전쟁의 패배로 멕시코가 상실한 지역들을 되찾아주겠다는 것 을 골자로 한다*) 1917년 4월 6일 독일 등에 선전포고를 하고 제 1차 세계대전에 참전하여 전승국이 되었다.

제1차 세계대전의 결과 세계 최고의 부를 축적한 미국은 20세기 초 번영을 유지하였으나, 공업의 번영에 비하여 농촌은 불황으로 허덕였으며, 유럽 여러 나라의 전후 불황과 더불어 1929년에는 세계대공황이 발생하였다. 1933년에 미국의 제32대 대통령에 취 임한 프랭클린 루스벨트(재임기간: 1933~1945년/미국 헌정사상 유일한 4선 대통령)는 경기를 회복하기 위하여 국고금을 대량 사 용하는 뉴딜 정책을 채택하여 불황으로부터 탈출하는 데 성공하 였다. 그리고 이들 새로운 정책을 통해서 연방정부의 권한은 크 게 확대되고, 미국의 자본주의는 차츰 변질하기에 이르렀다. 1941년 12월 7일 하와이 진주만에 대한 일본의 기습공격(태평양 전쟁 발발)을 계기로 미국은 제2차 세계대전(1939~1945년)에 참 전하여 제1차 세계대전(1914~1918년)에 이어 또다시 전승국이 되었다.

두 차례의 세계대전에서 모두 승리한 미국의 국력은 세계 최강 대국이 되었고, 제2차 세계대전 후에는 제2차 세계대전에서 폐허가 된 서구세계가 공산화되는 것을 막기 위해 1947년에 발표된 트루먼 독트린과 마셜 플랜(미국의 제33대 대통령 해리 트루먼과 국무장관 조지 마셜의 유럽 부흥 계획)을 통해 서방국가들의 부흥에 적극적으로 지원하였다. 이후 소련과의 냉전 체제에서 급부상한 미국은 서방 자본주의 진영을 이끈다. 미국은 베트남 전쟁에 개입(1964년~1973년)하여 미국의 전쟁 역사상 유일하게 패배하는 치욕을 기록하기도 했지만, 1990년대~2000년대에는 이라크, 아프가니스탄 등과 전쟁을 하여 승리하였다.

2001년에는 이슬람 테러리스트들에 의해 세계무역센터 등이 테러를 당해 테러와의 전쟁을 시작하였고, 2009년에는 미국 헌정사상 최초의 흑인 대통령인 제44대 대통령 버락 오바마가 취임했다. 2024.11.5.에는 미국 헌정사상 최고령 대통령인 현식 내통령 조 바이든(제46대 대통령)과 미국 헌정사상 최고의 부자 대통령인 전직 대통령 도널드 트럼프(제45대 대통령)가 미국 대통령 선거에서 치열한 접전을 벌일 것으로 예상된다.

이 책에는 『흥미진진한 미국사』라는 책 제목처럼 이상에서 살펴본 세계 최강대국 미국의 역사에서 펼쳐진 매우 흥미로운 31개의 이야기가 소개되어 있다. 미국의 역사에 관한 수많은 책을 탐독하고 터득한 미국사에 관한 저자의 해박한 지식과 미국을 세 차례 여행하고 체험한 미국의 국력에 관한 저자의 생생한 경험이 융합된 이 책이 독자들께 세계 최강대국 미국의 역사를 이해하는 데 큰 도움을 드릴 것으로 기대한다.

1. 미국 역사의 시작(1620년)과 영국으로부터의 독립 (1783년)

미국의 국기인 성조기(Flag of the United States, 星條旗)는 별이 빛나는 국기(The Star-Spangled Banner)라는 뜻을 담고 있다. 하얀색과 빨간색의 13개 가로 스트라이프(줄무늬)는 영국이 아메리카 대륙 식민지에 처음 세운 13개 주를 상징한다. 좌측 상단의 박스에는 원래 영국 국기가 새겨져 있었으나 처절한 독립전쟁을 거친 이후 각 주를 상징하는 별을 새겨넣게 되었다. 13개의 별로 시작했던 성조기는 영토가 넓어지면서 별의 숫자도 점점 늘어났고, 1959년에 알래스카와 하와이가 각각 49번째, 50번째 주로 편입되면서 현재의 성조기가 완성되었다.

15~16세기 당시 유럽 열강들은 적극적으로 아메리카 대륙에 진출하여 식민지 건설 경쟁을 벌였다. 영국은 상대적으로 경쟁국들의 손길이 닿지않은 북아메리카에 주목했다. 하지만 시작은 순탄하지 않았다. 정착민과 원주민의 갈등, 질병 유행 등 현지 적응의 한계로 인하여 식민지 건설정책은 실패로 끝나는 듯했다.

1620년 영국 플리머스항에서 출항한 메이플라워호는 사실상 미국 역사의 본격적인 시작이 되었다. 이 배에 탑승했던 인물들은 주로 청교도(Puritan)들이었다. 성경 중심 신앙과 금욕주의, 반가톨릭적 개혁 노선을 강조한 개신교 일파인 청교들은, 성공회를 국교로 하는 영국에서 탄압을 피하여 북아메리카로 이주하면서 오늘날 미국의 기원이 되었다.

이주민들이 장기간의 항해 동안 벌어진 내부 갈등을 봉합하는 과정에서 맺어진 '메이플라워 서약'은 자치적이고 평등한 성격을 추구하는 내용들이 포함되어 오늘날에도 미국 최초의 자치 헌법으로 평가받는다.

험난한 항해를 거쳐 신대륙(현재의 메사추세츠주 보스턴)에 무사히 도착한 청교도들은 불과 53명, 이들은 언덕위의 도시(City upon a hill)이라는 슬로건을 만들어냈다. 모두가 우러러보는 유토피아를 만들기 위하여 식민지로 부름받은 사람들이라는 신념과 자부심을 드러낸 것이 미국 건국 정신의 기원이 되었다.

초기에 많은 어려움을 겪던 정착민들은 차츰 자신들의 공동체를 구축하고 땅을 개척하여 확대해나가면서 자리를 잡아갔다. 하지만 이 과정에서 원주민(아메리칸 인디언)들과의 갈등은 피할 수 없었다. 초기 청교도들은 원주민들로부터 도움을 받거나 동맹을 맺으면서 우호적으로 교류하기도 했지만, 세력이 커지면서 충돌을 피할 수 없었다.

청교도가 중심이 된 이주민들은 주로 원주민들을 개종시키려고 했지만, 원주민들은 자신들만의 언어, 문화, 전통을 포기할 수 없었다. 토지에 대한 개념도 전혀 달랐다. 유럽 정착민들에게 땅이 삶의 터전이자 소유물이라면, 원주민들에게 땅은 소유할 수 없고 자연에서 빌려 사용한다는 개념에 가까웠다. 이는 결국 정착민들과 원주민들 사이의 피비린내나는 전쟁의 서막이 되었다.

전쟁으로 원주민을 몰아낸 영국 이주민들은 북아메리카에 13개의 완성형 식민지를 건설했다. 초기에 본국인 영국은 지역마다 총독을 파견하기는 했지만 적극적으로 간섭하지 않고 직선 의회를 통한 자치를 보장했다. 뉴욕, 펜실베니아 등 유명한 미국의 지명들은 모두 영국 귀족들의 이름에서 유래했다.

영국은 아메리카에서 식민지 건설 경쟁을 벌이던 네덜란드, 스페인, 프랑스 등과 충돌할 수밖에 없었고, 식민지인들은 어쩔 수 없는 전쟁에 휘말려야 했다. 당시 원주민인 인디언은 정착과 농지 확보가 주목표였던 영국에 비하여 교역을 중시한 프랑스와 더 우호적인 관계를 형성했다. 유럽에서 시작된 열강들의 전쟁은 북아메리카 대륙까지 번졌고 영국과 프랑스·인디언 동맹 사이의 '7년 전쟁(1756년~1763년)'으로 이어졌다. 이 전쟁에서 승리한 영국은 광활한 영토를 손에 넣게 되었다.

하지만 전쟁에서 막대한 비용을 소모한 영국은 그 부담을 메우기 위하여 아메리카 식민지에 눈을 돌리게 되었고, 설탕법, 인지세법, 타운센드법 등을 둘러싼 영국과 식민지 사이의 세금 갈등은 미국 독립운동의 중요한 계기가 되었다. 영국의 불합리한 행동에 식민지들의 불만을 점점 고조되어갔고 저항운동으로 번졌다. 아메리카는 '대표없이 과세없다'는 슬로건을 제시하여 식민지 대표자가 없는 영국 의회에서 세금을 부과하는 데 이의를 제기했다.

영국과 아메리카 식민지의 계속된 갈등은 결국 1773년 '보스턴 차(茶)' 사건을 계기로 폭발했다. 인디언 복장으로 위장한 식민지 상인들이 차(茶) 세법에 항의하여 영국 본토로부터의 차 수입을 저지하기 위하여 보스턴 항구에 정박한 영국 선박을 습격, 당시 사치품이었던 차(茶) 상자들을 바다에 폐기한 사건이다. 큰 충격을 받은 영국 의회는 보복으로 강제법을 도입하여 보스턴 지역을 다른 식민지로부터 고립시키는 강경책에 나섰다.

하지만 자유가 박탈당할 수 있다는 위기의식을 느낀 식민지인들은 오히려 보스턴과 연대하여 영국 정부에 저항했다. 식민지인들은 협의회를 통하여 선출된 13개 식민지 대표 55인으로 대륙회의를 개최하고 식민지의 자치권 보장과 강제법 철회 등을 요구했다. 당시 대표로 참석한 조지 워싱턴(초대 대통령), 존 애덤스(2대 대통령) 등은 훗날 미국의 대통령이 되며 '건국의 아버지'로 추앙받게 되었다.

영국은 대륙회의의 요구를 반란으로 받아들였고, 식민지는 결국 피할 수 없는 독립전쟁을 시작했다. 1775년 4월 19일 렉싱턴에서 벌어진 식민지 민병대(미니트맨)와 영국 정규군 사이의 전투로 독립전쟁의 막이 올랐다. 민병대는 영국군에 비하여 전투경험과 훈련에서 열세였지만 지형지물을 활용한 게릴라전으로 영국군에 막대한 피해를 입혔다.

식민지인들은 1775년 5월 2차 대륙회의를 열고 체계적인 독립군을 창설하고 조지 워싱턴(초대 대통령)을 사령관으로 선출했다.

당시 식민지 내부에서도 독립파와 독립 반대파로 의견이 갈렸다. 독립 반대파들은 영국의 보호 없이 주변 강대국이나 인디언들의 위협에 버틸 수 있겠냐는 두려움을 내세웠다.

1774년 영국에서 미국으로 이주해온 정치이론가이자 작가였던 토머스 페인이 1776년 1월 50쪽 분량의 소책자 《상식》을 출간했다. 이 책은 석 달 사이에 무려 10만 부나 팔렸는데, 이 책에서 토머스 페인은 세습군주제를 공격하면서 한 사람의 정직한 시민이 『왕관을 쓴 지금까지의 모든 무법자들을 모두 합한 것』보다 사회에 훨씬 유익한 존재라고 선언했다. 그리고 그는 양자택일을 할 때가 되었다고 주장했다. 전제군주와 낡아빠진 정부에 계속 굴복하고 살 것인가, 아니면 자주적인 독립공화국으로 자유와 행복을 누릴 것인가. 이런 근본적인 문제 제기를 통해서 《상식》은 미국 식민지 전역에 분리 독립의 이념을 선명하게 드러냈다.

토머스 페인은 《상식》에서 영국 왕 조지 3세를 짐승으로 비유하며 군주정의 폐해와 한계를 지적했다. "계몽주의 사상에 입각한 자유와 평등이라는 시대적 요구에 따라 완전한 미국의 독립이 곧 상식이다"는 토머스 페인의 파격적인 주장은, 불안한 미래에 고뇌하던 미국인들에게 독립에 대한 분명한 논리와 확신을 심어 주었다.

1776년 7월 4일 필라델피아에 식민지 대표들이 모여서 역사적인 독립선언문을 발표했다. 미국 독립의 중요한 슬로건은 생명·자유·행복의 추구였고 그중에서도 핵심은 자유였다. 미국인 타일러는 "별개의 주라는 인식이 강했던 13개 주가 독립선언문을 기반으로 하나의 국가로서 공동체 의식을 가지게 되었다는 것이 엄청난 의미가 있다"고 설명했다.

토머스 제퍼슨(3대 대통령)이 작성한 독립선언문에서 행복은 원래 자산(Property)이었지만, 하층민들의 반발과 오해를 우려하여 포괄적인 의미의 행복으로 바꿨다는 뒷이야기도 있다. 내 재산을 힘있는 사람들에게 빼앗기지 않고 지키는 것이야말로 행복을 추구할 권리에 포함된다는 것이다. 미국의 독립선언문에 담고 있는 가치가 이념과 현실, 실용과 경제적인 의미까지 아우르고 있다는 것을 보여주는 대목이다.

미국은 독립전쟁에서 막강한 영국군을 상대로 초반에 어려움을 겪었지만 차츰 전세를 역전시켜나갔다. 독립군은 1777년 9월과 10월 세러토가 전투(Battles of Saratoga)에서 숲지대라는 지형과 저격수들을 활용하여 영국군 지휘관들을 집중 겨냥하는 전술로 대승을 거두었고 전쟁의 승기를 잡았다. 이 싸움을 계기로 독립군의 사기가 올라 전세(戰勢)가 역전되었고, 또 관망 태도를 취하던 프랑스가 이 승전에 자극되어 참전을 결의하게 되었다.

당시 미국이 프랑스로부터 지원받은 규모는 약 13억 리브르, 현대로 환산하면 7조 6300억 원에 이른다. 아이러니하게도 프랑스의 대규모 지원이 자국의 재정 고갈로 인한 과도한 세금징수로 인하여 민심 이반을 부르며 1789년 프랑스 대혁명의 도화선으로 이어졌고, 프랑스의 지원을 받았던 미국은 1789년 독립전쟁의 영웅이었던 조지 워싱턴이 초대 대통령에 취임하면서 세계 최초로 대통령제를 시행하였다.

미국과 프랑스의 연합군은 영국군을 상대로 요크타운 전투(Siege of Yorktown/1781년 9월 28일 ~ 10월 19일)에서 승리하며 영국군의 항복을 받아냈다. 승산이 없다고 판단한 영국은 결국 평화 협상에 돌입했고 1783년 9월 3일 프랑스 파리에서 마침내 미국의 독립을 인정하는 강화조약을 체결했다. 미국이 비로소 하나의 국가로서 정식으로 인정받는 순간이었다.

프랑스는 이후로도 미국과 우호적인 관계를 유지했고 미국 독립 100주년을 기념하여 자유의 여신상(Statue of Liberty)을 제작하여 미국 독립 110주년이었던 1886년에 미국에 선물하였고, 이 자유의 여신상은 미국 뉴욕의 허드슨강에 세워졌다. 7개의 대양과 대륙을 상징하는 왕관을 쓰고, 오른손에는 자유의 횃불을, 왼손에는 독립선언문을 들고 있는 자유의 여신상의 모습은 미국 뉴욕을 가장 대표하는 랜드마크이자 미국 '아메리칸 드림'의 상징이 되었다.

2. 1626년 네덜란드인들이 아메리칸 인디언들로부터 24달러에 매입 후 1664년 영국에 점령당한 세계 경제의 중심 뉴욕 맨해튼(인류 최초의 현대 대도시)

미국의 제1의 도시이자 세계 경제의 중심 뉴욕의 역사를 살펴보면, 뉴욕에 정착지라 할 만한 본거지를 조성한 것은, 1624년 맨해튼 남쪽 지역에 도착한 네덜란드 선박의 선원들이 그 지형이 암스테르담과 비슷하다 하여 처음 뉴암스테르담으로 칭했으며, 1626년 네덜란드인들이 맨해튼 섬을 원주민들로부터 24달러에 매입하면서 문서상에 '뉴암스테르담'으로 표기했다. 이후 1664년 영국이 이 지역을 점령 후 지명을 뉴암스테르담에서 뉴욕(당시 영국 국왕 찰스 2세의 동생이자 훗날 제임스 2세가 되는 요크

공작의 작위명에서 유래)으로 변경하여 오늘날의 명칭이 되었고, 네덜란드의 서인도회사가 식민지를 원주민과 영국인으로부터 지키기 위해 세웠던 성벽(wall)의 잔해 위에 설치한 포장도로는 세계에서 가장 유명한 거리, 월스트리트(Wall Street)가 되었다.

현재, 인구 약 8.5백만 명의 뉴욕은 미국의 제1의 도시이자 세계에서 가장 유명한 도시이며 세계 경제, 문화, 패션의 중심지다. 미국의 수도는 워싱턴 D.C.이지만, 뉴욕은 그 강력한 영향력으로 미국을 넘어 세계의 수도라고 불리기도 한다. UN 본부가 뉴욕에 있고, 뉴욕 맨해튼의 월스트리트와 브로드웨이는 각각 세계 금융과 문화의 중심지로 여겨진다. 미국 4대 지상파 방송국 중 3곳의 본사가 뉴욕에 있고(NBC, CBS, FOX. 나머지 한 곳인 ABC의 본사는 모회사인 월트 디즈니 컴퍼니를 따라 LA 근교의 버뱅크에 있으나 ABC 역시 뉴스 보도국은 뉴욕에 두고 있다). 런던, 밀리노, 파리와 함께 세계 4대 패션 위크(Fashion Week)가 열리는 곳이다. 또 세계 3대 도시인 뉴욕, 런던, 도쿄 중에서 뉴욕만이 유일하게 수도가 아니고, 대륙에 있으며(물론 중심인 맨해튼은 섬이다), 공화제 국가이고, 차량이 우측통행을 한다. 나머지 두 도시(런던, 도쿄)는 수도, 섬나라, 군주제, 좌측통행이라는 4가지 공통점을 공유한다.

3. 아이비리그(미국 북동부의 명문 8개 사립대학교) 중 세계 최고의 대학교 하버드대학교(1636년 개교)

명실공히 세계 최고의 대학교인 하버드대학교는 미국 매사추세츠주 케임브리지(찰스강을 사이에 두고 보스턴과 마주보고 있음)에 있으며, 아이비 리그(Ivy League) 소속 대학교[*미국 북동부 명문 8개 사립대학교, ①브라운대(Brown University/로드아일랜드주 프로비던스/1764년 개교), ②컬럼비아대(Columbia University/뉴욕주 뉴욕시/1754년 개교), ③코넬대(Cornell University/뉴욕주 이타카/1865년 개교), ④다트머스대(Dartmouth University/뉴햄프셔주 하노버/1769년 개교), ⑤하버드대(Harvard University/매사추세츠주 케임브리지/1636년*

개교), ⑥펜실베이니아대(University of Pennsylvania/펜실베니아주 필라델피아/1755년 개교), ⑦프린스턴대(Princeton University/뉴저지주 프린스턴/1746년 개교), ⑧예일대(Yale University/코네티컷주 뉴헤이븐/1701년 개교)》 중에서도 최고의 대학교이다. '아이비 리그(Ivy League)'라는 말의 유래는 위 8개 대학교가 1954년부터 미식축구 리그를 결성하여 미식축구 리그전을 펼치면서 우의를 돈독히 하였는데, 위 8개 대학교 중 코넬대학교만 미국의 독립선언(1776.7.4) 후인 1865년에 개교하였고, 나머지 7개 대학교는 미국의 독립선언(1776.7.4) 전에 개교했을 정도로 위 8개 대학교는 오랜 역사를 가진 대학교들이기 때문에 캠퍼스의 건물들이 오래되어 건물 외벽이 담쟁이(Ivy) 덩굴로 덮여 있는 경우가 많아 담쟁이(Ivy) 덩굴로 덮인 8개 대학교가 미식축구 리그전을 펼친다고 하여 이들 8개 대학교를 '아이비 리그(Ivy League)' 소속 대학교라고 한다.

하버드대학교는 영국 케임브리지대학교를 졸업한 '존 하버드'의 최초 기부에 의해 1636년에 세워져 388년의 역사를 자랑하는 미국에서 가장 오래된 대학이며 자타공인 미국을 대표하는 최고 명문 대학이자 전 세계 수재들의 집결지로 손꼽힌다. 국제적인 권위를 지니는 카네기 분류에 따라 전미 최상위 연구중심 대학 R1 그룹에 속해 있고, 2022년 기준 전 세계에서 미국 대통령, 억만장자, 국제기구 수장, 노벨상 수상자 등을 가장 많이 배출한 대학이고, 미국뿐만 아니라 전 세계 각 국가의 정계, 법조계, 재계, 문화계, 언론계, 학계 등의 최고 위치에 포진되어 있는 압도적인 동문 인맥을 자랑한다. 또한 전 세계 대학교 중에서 가장 큰 영향력을 발휘하고, 네임 밸류나 대학 브랜드 평판이 가장 높으며 재단의 기금이 가장 많은 대학이기도 하다.

하버드대학교는 미국의 독립선언(1776년 7월 4일) 전에 세워진 9개의 콜로니얼 칼리지(Colonial College) 중 하나로, 영국 식민지에 세워진 최초의 고등교육기관이자 세계 최초의 현대적인 의미의 사립대학교이다. 매사추세츠에 17,000여 명의 청교도가 살게 되자 성직자 수요가 늘어날 것에 대비하여 『매사추세츠 식민지 일반 의회(the Great and General Court of the Massachusetts Bay Colony)』에 의해 1636년 New College라는 이름으로 세워졌다. 당시 설립을 주도한 매사추세츠의 지도층이 대부분 당시 청교도 신학의 중심지였던 케임브리지대학교의 엠마누엘 컬리지 출신이었으므로 엠마누엘 컬리지를 참고해 조직되었다. 설립을 주도한 인물들 중 한 명이자 엠마누엘 컬리지 출신의 청교도 성직자인 존 하버드 목사가 1638년에 유산(776 파운드 스털링의 돈과 책 400권)을 본교에 기증하자 1639년에 현재 본교의 학부 이름인 하버드 칼리지(Harvard College)로 개명되었다. 사립대학법인으로서 하버드대학교의 재단은 1650년 인가되었고, 하버드대학교의 뒤를 이어 1693년 윌리엄 & 메리 대학교(버지니아주), 1701년 예일 대학교(코네티컷주), 1746년 프린스턴 대학교(뉴저지주) 등 신대륙에 여러 대학들이 설립되고 인가받기 시작했다.

미국의 독립전쟁(1775년~1783년) 당시 대학본부가 불타서 존 하버드의 책들도 한 권을 제외하고는 모두 소실되었고, 1775년에는 독립군이 하버드대학교 교정에 주둔하였으며, 1776년에는 8

명의 하버드대학교 졸업생이 미국의 독립선언서에 서명하였다. 독립전쟁 당시 군수물자를 만들기 위한 원재료로 사용한 하버드 칼리지 건물의 금속제 지붕을 신생 연방정부가 보상해야 한다는 판결이 미국 연방대법원의 첫 재판에서 나왔다. 1782년 의학전 문대학원이 설립됨에 따라 드디어 종합대학교인 하버드대학교 (Harvard University)가 되었다. 1816년에는 신학대학이, 1817 년에는 로스쿨이, 1839년에는 천문대가 세워지면서 하버드대학 교는 성장을 거듭하였다.

초기의 하버드대학교는 개신교(특히 청교도) 성직자를 양성하는 종교대학이었다. 하지만 17, 18세기를 거치며 세속화되다가 19 세기에 이르러서는 상류층을 위한 종합대학으로 변모했다. 이로 인해 보수적인 성향이었던 6대 총장 인크리스 매더(1681~1701 년 재임) 및 그의 일가는 하버드 졸업생들이 세운 예일 대학교를 지원하기 시작했다. 또 18세기 초부터는 미국에서 제1차 대각성 운동(The First Great Awakening)이라는 복음주의, 경건주의 운동이 일어나게 되는데, 하버드와 예일이 이 운동에 반대하자 실망한 하버드 출신 뉴저지 총독 조내선 벨처는 예일과 에든버 러 대학교 졸업생들이 세운 프린스턴 대학교를 지원하고, 1754 년에는 프린스턴의 설립과 성장을 계기로 컬럼비아 대학교가 세 워져 예일 출신 새뮤얼 존슨이 초대 총장으로 재임했다. 영국의 케임브리지 대학교가 1209년 옥스퍼드 대학교(1096년 개교)로부 터 이탈한 신학자들에 의해 설립되었음을 생각해 보면 영미권 명문대의 계보는 옥스퍼드→케임브리지→하버드→예일→프린스턴 →컬럼비아로 이어지는 셈이다. 한편 신학과 무관한 계기로 설립 된 첫 콜로니얼 칼리지(Colonial College)는 1755년 벤저민 프랭클린(독립선언서의 공동 기초자이자 미국 달러 지폐 중 100달러의 초상화 주인공)에 의해 세워진 펜실베이니아 대학교 (UPenn)다.

1824년 매사추세츠에서 연방당이 대패한 후 민주공화당에 의해 대학이 사립화되기 시작했다. 갈수록 하버드대학교 이사회에서 정치인과 성직자의 입지가 줄고, 뉴잉글랜드의 상류층이 된 하버드의 동문들과 그들의 기부금이 늘었다. 이에 따라 1815년~1855년 사이에 재단이 급성장하여 예일대학교의 3배, 애머스트 칼리지와 윌리엄스 칼리지를 합한 것의 5배에 이르렀다. 이는 현재까지도 이어져 하버드대학교 재단의 발전기금은 507억 달러(2023년 기준)로 세계에서 가장 돈이 많은 대학 재단이다.

1865년 남북전쟁 종전 후 초교파 성향의 찰스 윌리엄 엘리엇 총장이 재임하던 1869~1909년에는 교육 과정에서 개신교 색이 빠지고 자기주도학습이 강조되기 시작하였다. 이를 통해 하버드대학교는 현대적인 연구 중심 대학으로 거듭났고, 1879년에는 여자대학 학부인 래드클리프 칼리지(Radcliffe College)가 세워졌다. 제2차 세계대전 동안에 래드클리프 칼리지 학생들도 하버드 칼리지 학생들과 수업을 함께 듣게 되었고, 1945년~1960년에는 입시 체계가 개선되어 뉴잉글랜드 사립기숙학교 출신 개신교인 외에 유대인과 가톨릭 신자를 받기 시작했으며, 1979년 래드클리프 칼리지와 하버드 칼리지가 통합됨과 동시에 래드클리프 칼리지의 자리에 래드클리프 고등연구소(Radcliffe Institute for Advanced Studies)가 세워졌다.

하버드대학교의 교정에서 가장 유명한 곳은 1636년 하버드대학교의 설립 당시 최초 기부자인 '존 하버드'를 기리는 '존 하버드 동상'이다. 좌상 형태의 이 동상의 왼발 발등을 문지르면 자신 또는 자신의 자녀가 하버드대학교에 입학할 수 있다는 속설 때문에 이 동상에서 기념사진을 촬영하기 위해서 줄을 기다리는 사람들이 많다.

하버드대학교의 교정에서 '존 하버드 동상' 다음으로 유명한 곳은 미국 연방의회도서관에 이어 세계 2위 규모의 도서관인 '와이드너 도서관'이다. 영화, 드라마, 소설 등에서 하버드대학교 졸업생들이 졸업식 직후 학사모를 공중에 던지면서 졸업의 기쁨을 만끽하는 장소가 바로 '와이드너 도서관' 앞 계단이다. '와이드너'는 하버드대 졸업생의 이름인데, 도서관 명칭에 하버드대 졸업생의 이름이 들어간 사연은 다음과 같다.

하버드대 졸업생인 '와이드너'는 도서 수집광으로 '구텐베르크 성서' 등 귀중서 3,500여 권을 수집하였고, 1912년 봄 유럽여행 때 영국의 철학자 프랜시스 베이컨의 '수상록(1625년 출간)' 제2판을 영국에서 구입 후 세계 최고 호화 유람선 타이타닉호에 탑승했는데, 1912년 4월 15일 새벽 타이타닉호가 침몰(①사고 일시 : 1912년 4월 14일 오후 11시 40분 ~ 4월 15일 오전 2시 20분, ②탑승 인원 2,224명 중 사망 1,514명, 생존 710명)하면서 사망하였고, 그의 어머니 '엘리너'가 하버드대에 아들 '와이드너'가 평생 수집한 도서와 현금 200만 달러를 기부하여 도서관를 건립하여 1915년 6월 24일 '와이드너 도서관'이 개관되었다.

4. 미국의 국부(國父) 초대 대통령 조지 워싱턴(1789 ~1797년 재임)과 역대 미국 대통령들의 인기 순위

2021년 미국의 수도 워싱턴 D.C.에 본사가 있는 미국의 케이블 방송인 C-SPAN(Cable-Satellite Public Affairs Network, 미국의 비영리 공공방송이자 1979년 시작된 케이블 텔레비전 네트워크. 미국 연방 정부의 많은 절차와 기타 공보 프로그램을 방송)에서 역사학자, 대학교수 등 학계 전문가들의 의견을 바탕으로 미국의 역대 대통령들(초대 대통령 조지 워싱턴 ~ 46대 대통령 조 바이든)에 대한 점수를 매기고 순위를 조사한 『Presidential Historians Survey 2021』를 발표했는데, 대통령 리더십의 10가지 항목(①대중 설득, ②위기 리더십, ③경제 관리, ④도덕적 권위, ⑤국제 관계, ⑥행정 기술, ⑦의회와의 관계, ⑧비전/의제 설정, ⑨모두를 위한 평등한 정의 추구, ⑩시대적 맥락 내에서의 성과)에 대해 영향력 점수를 1부터 10까지 매기는 방식으로 진행되었다.

■ 상위권 대통령 10인

순위	성명	점수
1	16대 대통령 에이브러햄 링컨	897
2	초대 대통령 조지 워싱턴	851
3	32대 대통령 프랭클린 루스벨트	841

4	26대 대통령 시어도어 루스벨트	785
5	34대 대통령 드와이트 아이젠하워	734
6	35대 대통령 해리 트루먼	713
7	3대 대통령 토머스 제퍼슨	704
8	35대 대통령 존 에프 케네디	699
9	40대 대통령 로널드 레이건	681
10	44대 대통령 버락 오바마	664

■ 하위권 대통령 10인

순위	성명	점수
1	15대 대통령 제임스 뷰캐넌	227
2	17대 대통령 앤드루 존슨	230
3	14대 대통령 프랭클린 피어스	312
3	45대 대통령 도널드 트럼프	312
5	9대 대통령 윌리엄 헨리 해리슨	354
5	10대 대통령 존 타일러	354
7	13대 대통령 밀러드 필모어	378
8	29대 대통령 워런 하딩	388
9	31대 대통령 허버트 후버	396
10	12대 대통령 재커리 테일러	449

한편, 미국의 사우스다코타주 러시모어산 국립공원에는 미국의
역대 대통령 4명(왼쪽부터 초대 대통령 조지 워싱턴, 제3대 대통
령 토머스 제퍼슨, 제26대 대통령 시어도어 루스벨트, 제16대
대통령 에이브러햄 링컨)의 거대한 두상이 조각되어 있다.

또한, 미국 달러 7가지 권종 지폐의 초상화 주인공은 다음과 같
은데, '알렉산더 해밀턴'과 '벤저민 프랭클린'을 제외한 나머지 5

명은 미국의 대통령을 역임한 인물들이다.

◆ 1달러 : 초대 대통령 '조지 워싱턴'

◆ 2달러 : 제3대 대통령 '토머스 제퍼슨'

◆ 5달러 : 제16대 대통령 '에이브러햄 링컨'

◆ 10달러 : 초대 재무장관 '알렉산더 해밀턴'

◆ 20달러 : 제7대 대통령 '앤드루 잭슨'

◆ 50달러 : 제18대 대통령 '율리시스 그랜트'

◆ 100달러 : 독립선언서 공동 기초자 '벤저민 프랭클린'

이상에서 살펴본 바와 같이 미국의 국부(國父)로 추앙받는 미국의 초대 대통령 조지 워싱턴은 미국의 역대 대통령 인기도 순위 2위이며, 러시모어산 국립공원에 위대한 대통령으로 두상이 조각되어 있으며, 1달러 지폐의 초상화 주인공일 뿐만 아니라 그의 이름은 미국의 수도(워싱턴 D.C.)와 주(워싱턴주)의 이름이 되어 그는 영원히 미국의 역사에 살아 숨 쉬고 있다.

미국의 수도 워싱턴 D.C.의 중심에는 미국 독립전쟁(1775년~1783년)의 영웅으로서 미국을 건국한 초대 대통령 '조지 워싱턴'의 위업을 기리기 위해 워싱턴 기념탑(Washington Monument)이 세워져 있는데, 이 기념탑은 백악관 남쪽, 내셔널몰(스미스소니언재단 소속 10여 개의 박물관 단지) 서쪽 끝 지점에 위치한다. 높이는 169m이며 세계에서 가장 높은 오벨리스크(고대 이집트 왕조에서 태양신을 기리며 세운 방첨탑) 형태로 지어져 워싱턴 D.C.의 시내 대부분 지역에서 조망할 수 있다. 연방의회에 경의를 표하기 위해 워싱턴 D.C.에서는 연방의회의사당보다 높은 건물이 들어설 수 없도록 제한한 법규가 있는데, 이 법규의 시행 전에 건축된 이 기념탑은 워싱턴 D.C.에서 연방의 회의사당보다 높은 유일한 건축물이다. 미국의 수도임에도 불구하고 워싱턴 D.C.에 고층 빌딩이 보기 드문 이유다. 프랑스가 이집트로부터 선물로 받아 프랑스대혁명의 광장인 콩코르드광장에 세운 오벨리스크(높이 23m)보다 훨씬 높다.

이 기념탑은 건축가 로버트 밀스(Robert Mills)의 설계로 1848년 건설되기 시작했는데, 원래는 도리스식 주랑 위에 오벨리스크와 조지 워싱턴의 조각상이 세워질 예정이었지만 결국 오벨리스크만 남았다. 이 기념탑 건설에는 화강암과 대리석이 사용되었는데 무려 37년에 걸쳐 세웠기 때문에 하단과 상단의 돌 색깔이 확연히 다르다. 착공한 지 30여 년이 훌쩍 지나도록 완공이 늦어진 것은 자금 부족과 1861년~1865년에 진행된 남북전쟁으로 인해 공사가 여러 번 중단되었기 때문이다. 우여곡절 끝에 1885년 2일 21일 완공되었는데, 당시에는 세계 최고 높이의 경이로운 건축물이었으나 1889년 3월 31일 이 기념탑보다 훨씬 높은 파리 에펠탑(에펠탑의 건축 높이는 300m이며 훗날 안테나 30m가 추가 설치되었지만, 이를 건축물 자체의 높이로 보기에는 어려움이 있다는 것이 중론이다)이 완공되었다.

이 기념탑은 1888년 10월 9일부터 일반 관람객에게 내부가 공개되었는데, 초고속 엘리베이터를 타면 불과 70초 만에 153m 지점에 위치한 전망대까지 올라갈 수 있다. 이 기념탑의 전망대에서는 동쪽으로는 연방의회의사당, 서쪽으로는 링컨 메모리얼(링컨 기념관)과 알링턴 국립묘지, 북쪽으로는 백악관까지 시내 전체를 한눈에 내려다볼 수 있다.

5. 미국의 영토 확장 과정

미국이 영국으로부터 독립을 선언한 것은 1776년 7월 4일이었으나, 실제로 미국이 영국으로부터 독립한 때는 미국의 독립전쟁(1775년 4월 19일 ~ 1783년 9월 3일)을 종결시킨 파리조약이 체결된 1783년 9월 3일이다. 그리고 미국의 독립전쟁은 영국과 영국의 식민지였던 아메리카 이주민들 사이의 전쟁을 넘어 프랑

스, 스페인, 네덜란드, 독일 용병들까지 합세한 국제전이었다. 이는 세계 제국을 꿈꾸던 영국의 움직임에 불안해하던 다른 국가들이 식민지군을 지원하고, 이에 영국군은 4만 명이 넘는 정규군과 3만 명 정도의 독일 용병으로 맞서는 형태로 진행되었다. 미국의 독립전쟁 초기에는 영국의 우세로 이어졌으나 시간이 갈수록 식민지군의 반격이 거세져 결국은 영국의 패배로 끝나고 말았다.

1776년 7월 4일 독립선언서에 서명한 13개 주는 뉴햄프셔, 매사추세츠(메인), 로드아일랜드, 코네티컷, 뉴욕(버몬트), 뉴저지, 펜실베이니아, 델라웨어, 메릴랜드, 버지니아(켄터키, 웨스트버지니아), 노스캐롤라이나(테네시), 사우스캐롤라이나, 조지아 등이다(괄호 안은 앞의 주에 속해 있다가 훗날 독립한 주들이다). 미국의 독립이 인정된 파리조약 체결(1783년) 전의 미국 영토는 이싱의 13개 수가 위치한 애팔래치아 산맥 동쪽 지역에 한정되어 있었는데, 1783년 독립 당시 애팔래치아 산맥과 미시시피강 사이의 지역을 영국으로부터 할양받아 기존의 영토를 2배로 확장하였다.

한편, 미국의 3대 대통령 토머스 제퍼슨은 1803년 프랑스의 나폴레옹 보나파르트(1804.12.2. 프랑스제국의 황제로 즉위)로부터 1500만 달러에 루이지애나(현재의 미국 대륙의 중부)를 매입하여 기존의 영토를 2배로 확장하였다. 처음에 미국이 프랑스로부터 매입하고자 하는 지역은 미국 남부의 뉴올리언스만을 희망하였으나, 프랑스는 루이지애나(현재의 미국 대륙의 중부) 전체를 매각하겠다고 미국에게 제안하였고, 이 소식을 보고받은 토머스 제퍼슨 대통령은 처음에는 주저하였으나 결국은 루이지애나 전체를 매입함으로써 기존의 영토를 2배로 확장하였고, 매입한 광활한 미개척지야말로 미국의 발전에 결정적인 요인이 되었다. 토머스 제퍼슨 대통령은 루이스와 클라크를 보내 새로운 영토를 탐사하게 했고, 그들이 가져온 정보가 서부개척에 결정적인 계기가 되었다.

한편, 미국 본토에서 면적이 가장 넓은 주(州)인 텍사스는 프랑스, 스페인 등의 역사를 거쳤고, 텍사스 개척의 아버지라고 불리는 스티븐 오스틴(현재 텍사스주의 州都)의 주도 아래 미국인들도 텍사스에 정착하기 시작했다. 첫 이주 때는 300여 가구밖에 되지 않았으나 1830년에는 텍사스 지역의 꾸준한 발전으로 인해 미국인이 2만 명 이상, 노예는 2000명 정도 거주하게 되었다. 곧 텍사스 내에서 미국인의 수는 멕시코인의 수를 앞지르게 되었으며 1834년 오스틴은 멕시코 당국에 텍사스 공화국을 멕시코로부터 분리해달라고 요청했다.

당시 멕시코 대통령 산타 안나는 텍사스를 포함한 멕시코 전체 영토를 포괄하는 헌법을 공포했는데, 텍사스의 미국인들은 멕시코에서 탈퇴하기로 결정하고, 텍사스 공화국(1836년~1845년)으로 독립을 선언했다. 이에 산타 안나 멕시코 대통령은 6000여 명의 병력을 동원해 전쟁이 일어나게 되었다. 그중 유명한 일화는 3000여 명 정도의 멕시코군 병력이 진군할 때 텍사스군의 윌리엄 트래비스 대령의 지휘 아래 제임스 부이, 데이비드 크로켓을 비롯한 186명의 병사들이 알라모 미션의 담을 등지고 멕시코군에 맞서 13일 동안 싸우다가 1836년 3월 6일에 전멸하게 된 알라모 전투이다. 이 알라모 전투는 미국에서 매우 유명하기 때문에 알라모란 단어는 '마지막 보루'를 뜻하는 대명사가 되었다. 지금도 많은 미국인들이 어떤 힘든 상황에 처해있지만 마지막까지 버텨야 할 때 "This is my Alamo!(여기가 내 알라모다!)"라고 외치곤 한다.

이렇게 텍사스에 거주하고 있던 미국인들의 전쟁이 시작되었다. 1836년 4월 21일 양군은 마침내 샌 재신토에서 큰 전투가 벌어지게 되었고 텍사스군은 알라모에서 전멸한 이들을 기리며 '알라모를 기억하라'라는 구호와 함께 게릴라전투를 벌였다. 전투 끝에 멕시코군은 많은 피해를 입었으나 텍사스군의 사망자는 9명에 불과했다. 많은 멕시코군 포로가 잡혔으며 그중에는 멕시코 대통령 산타 안나도 있었고 살아남은 멕시코군은 리오그란데 강 너머로 퇴각했다.

이후 당시 텍사스군 사령관이던 샘 휴스턴(현재 텍사스주의 최대 도시)은 포로가 된 산타 안나 멕시코 대통령에게 텍사스의 독립을 인정해주면 풀어주겠다고 제안했으며, 이에 1836년 5월 14일에 체결된 벨라스코 조약으로 인해 텍사스 공화국(1836년~1845년)으로 완전히 독립했고 샘 휴스턴을 새로운 공화국의 대통령으로 선출했다. 텍사스 공화국이 독립을 달성하고 나서 텍사스인들의 기쁨도 컸지만 텍사스가 미합중국과 합병할 것인지에 관한 중요한 이슈를 두고 많은 사람들이 갑론을박을 거친 기간이 길게 이어졌다. 이런 역사적 배경을 통해 텍사스인들의 주에 대한 자부심과 주를 상징하는 깃발에 대한 사랑은 지금까지도 매우

크다. 특히 텍사스 공화국 시절부터 사용되었던 주 깃발의 의미
는 미국과는 다른 또 다른 별이 되고자 텍사스 깃발에 큰 별 하
나를 그려넣은 형태를 가지고 있다. 그래서 텍사스 공화국의 별
명 중 하나는 'Lone Star Republic' 이었다.

텍사스는 미합중국과의 합병 여부를 두고 10년이라는 기간 동안
여러 의견이 오고 갔으나 결국 미합중국에 가입하는 것으로 결
론이 내려지게 되었고, 1845년 12월 29일 텍사스 공화국은 미국
의 28번째 주로 가입하게 되었다. 19세기 중반이 지나면서 미국
은 넓은 영토를 확장하는 과정에서 뉴멕시코 준주를 편성했는데
텍사스는 미국이 획득한 영토 중 많은 부분의 영유권을 놓고 미
국 연방 정부 및 뉴멕시코 준주와 회담이 오고 가게 되었고,
1850년 타협을 통해 북위 36도 30분, 서경 103도 선으로 현재
의 텍사스주 북서쪽과 뉴멕시코주의 경계가 확정되었다.

한편, 1846년 미국과 영국이 오리건 조약(Oregon Treaty)을 체
결하여 현재의 미국의 북서부와 캐나다의 남서부의 국경을 북위
49도를 기준으로 확정하였다. 밴쿠버를 비롯한 브리티시 컬럼비
아 지역은 영국령이 되었고, 미국은 오리건, 워싱턴, 아이다호,
몬태나 등을 차지했다.

한편, 1848년에는 미국·멕시코 전쟁(1846년~1848년)에서 승리한
미국이 멕시코에게 1,500만 달러를 지급하고 캘리포니아주, 뉴멕
시코주, 유타주, 네바다주, 애리조나주 등등 현재의 미국 대륙의
남서부 지역을 매입하였는데, 헐값에 매입했으므로 사실상 약탈
한 셈이어서 이를 비판하는 여론이 상당하였다.

1846년 4월 25일에 시작된 미국·멕시코 전쟁(1846년~1848년)은 일사천리로 진행되어 파죽지세로 멕시코에 밀고 들어간 미국군이 1847년 9월에는 멕시코의 수도까지 점령했고, 1848년 2월 2일 양국 사이에 과달루페 이달고 조약이 체결되었다. 이 강화조약을 통해 멕시코는 텍사스의 미 연방 합류를 인정했으며, 미국과 멕시코의 국경을 미국의 주장대로 리오그란데강으로 하는 것에 동의했다. 또한, 멕시코는 미국에 현재의 캘리포니아주, 유타주, 네바다주 전체와 뉴멕시코주, 애리조나주의 대부분, 콜로라도주의 절반 이상과 와이오밍주 남서부 지역, 캔자스주, 오클라호마주, 텍사스주의 일부에 달하는 거대한 영토를 겨우 1,500만 달러에 강제로 팔아야만 했다.

한편, 1867년에는 러시아로부터 알래스카(현재 미국의 50개 주 중에서 면적이 가장 넓은 주)를 매입하였는데, 이때 지불한 금액이 에이커당 2센트로 총 720만 달러였다. 알래스카 전체 면적이 1,723,337㎢이므로 남한 면적(100,431㎢)의 17배 정도에 달하는 드넓은 땅이다. 이 땅의 구입을 추진한 당시 국무장관 윌리엄 슈어드는 "아이스박스 하나를 비싸게 샀다"는 비판을 들었으나, 지금은 알래스카가 무궁무진한 지하자원의 보고로 평가받고 있으며, 1959년 1월 3일 미국의 49번째 주로 미합중국 연방에 가입하였다.

한편, 미국의 50개 주 중에서 50번째 주인 하와이가 미국의 영토가 된 과정은 다음과 같다. 하와이 왕국은 태평양 한가운데라는 지리적 이점에 더해서, 서구와의 교류도 활발했기 때문에 서구 문명을 꽤 많이 받아들여 어느 정도 근대화를 이루었다. 서구로부터 정식 국가로 인정을 받아 교류도 있었다. 이때 미국에서도 많은 이민자가 하와이로 이주하여 사탕수수 농장을 경영하고 있었는데, 이들의 힘이 점점 커져서 하와이의 국정을 좌지우지하게 되자 위기를 느낀 역대 하와이 왕들은 영국, 일본 등 열강에게 미국을 견제해 달라고 도움을 요청했다. 그중에서 일본에게는 보호령 편입을 요청하였다. 실현되었다면 태평양 절반이 일본령이 되는 일이 발생하였겠지만 일본은 오가사와라 제도 영유만 수용하고 거절했다.

이후 하와이의 마지막 국왕인 릴리우오칼라니(Liliʻuokalani) 여왕이 1893년 미국인의 농장을 모두 국영화하는 조치를 취하자 미국인들은 근처 미 해군 선박에 도움을 요청하였으며, 미 해군은 그 즉시 수병 150명으로 하와이 여왕을 추방하고 하와이 왕국을 멸망시킨 후 미국 정부에 하와이의 미국 편입을 요청했다. 그러나 당시 미국 대통령이 반제국주의자였던 그로버 클리블랜드(제22대, 제24대 미국 대통령/1885년~1889년, 1893년~1897년 재임)였기 때문에 보류되었다.

이후 하와이 거주 미국인들은 자신들끼리 샌퍼드 밸러드 돌(Sanford Ballard Dole)을 초대 대통령으로 추대해서 임시로 하와이 공화국을 설립하고 준비과정을 거쳐 1897년 미국과의 합병 조약을 체결한 뒤 하와이를 미국령으로 편입하여 하와이 준주가 되었다. 이후 하와이 준주는 1959년 8월 21일 미국의 50번째 주로 미합중국 연방에 가입하였다.

6. 미국의 초대 재무장관 '알렉산더 해밀턴'과 미국의 제3대 부통령 '에런 버' 간의 세기의 결투 (1804.7.11.)

이 사건은 1804년 7월 11일, 미국의 현직 부통령인 제3대 부통령 '에런 버'와 초대 재무장관 '알렉산더 해밀턴'이 권총 결투를 하여 '에런 버'가 '알렉산더 해밀턴'을 죽여버린 희대의 사건이다. 알렉산더 해밀턴과 에런 버는 사이가 좋지 않았다. 해밀턴은 버를 가리켜 권력을 얻기 위해서라면 뭐든지 할 인물이라고 버를 비난했으며 버가 권력을 잡으면 미국이 망할지도 모른다는 우려를 했다. 해밀턴이 싫어하는 사람들이 많았는데, 그중에서 가장 싫어했던 사람이 바로 버였다. 해밀턴과 버의 관계는 버가 본격적으로 정계에 진출하면서 제퍼슨파에 합류해 해밀턴의 장인을 선거에서 이기면서 틀어진 것으로 본다. 버는 당대에도 능

력은 있던 것으로 평가받는 인물이었기에 해밀턴은 버가 자신의 정치적 세력을 약화시키려는 것으로 간주하고 버를 큰 위협으로 여기면서 사사건건 버를 비난하기 시작했고 버도 맞불을 놓으면서 둘의 사이는 점점 악화되었다. 특히 초대 대통령 조지 워싱턴의 행정부 당시에 버는 검찰총장 위치에 있었기에 정적들의 약점을 알기 쉬운 직책을 가지고 있었고, 해밀턴의 초대 재무장관 직책을 끝장낸 섹스스캔들 당시에도 버가 당시 해밀턴과 관계를 가진 여성의 변호인으로 활동하자 버가 해밀턴의 섹스스캔들에 관여하지 않았는가 하는 추측이 나올 정도였다. 이렇게 상호간에 폭로전과 흑색선전이 난무하면서 두 사람은 원수지간이 되었다.

결국 해밀턴은 버가 미국의 제3대 대통령이 되는 것을 막기 위해 토머스 제퍼슨을 지지하였으며, 이를 계기로 연방주의자 표가 제퍼슨에게 몰리면서 버는 2위를 하여 부통령 지위에 머물렀다. 지금은 대통령 후보가 부통령 후보를 지명하여 러닝메이트로 선거전에 함께 뛰어들지만 당시에는 제도상 대통령 선거 결과 2위가 부통령직을 맡았다. 그리고 결정적인 사건은 뉴욕주지사 선거에 출마한 버에 대하여 해밀턴이 "위험한 인간, 정권을 맡겨서는 안되는 인물"이라고 표현했고, 이를 신문보도를 통해 인지한 버는 즉각적인 사과를 요구했지만 해밀턴의 대응은 버가 원하는 수준에는 미치지 못했다. 결국 뉴욕주지사 선거에서 낙선하고 분노한 버는 해밀턴에게 결투를 신청했고 해밀턴도 이에 응하면서 역사적인 결투가 시작되었다.

당시 뉴욕주는 결투를 금지했기 때문에 세기의 결투는 결투를 금지하지 않은 뉴저지주에서 진행했다. 1804년 7월 11일, 허드슨강을 사이에 두고 뉴욕 맨해튼과 마주보고 있는 뉴저지주 위호큰의 허드슨강변(현재의 해밀턴 파크 부근)에서 결투가 벌어졌다. 버가 발사한 총탄이 해밀턴의 오른쪽 골반을 뚫어 척추에 박혔고 결국 해밀턴은 결투 다음 날 그 후유증으로 사망했다. 해밀턴과 버가 결투를 벌인 장소는 해밀턴의 장남인 필립 해밀턴이 1801년 19세의 나이에 결투를 벌여 사망한 장소였고, 해밀턴의 장녀인 안젤리카는 17세의 나이에 오빠의 죽음에 충격을 받아 미쳐버려 평생을 정신병으로 시달리다가 죽었으니 장남의 결투로 인해 장남과 장녀를 잃은 셈이 되었다. 알렉산더 해밀턴은 조지 워싱턴 초대 대통령 당시 초대 재무장관을 역임했던 인물로서 미국의 역대 재무장관 중 최고의 재무장관이라는 평가를 받은 인물이지만 가족사는 불행했던 것 같다.

이 희대의 사건은 해밀턴의 목숨을 앗아간 동시에 버의 정치적 생명도 완전히 끝장내버렸다. 해밀턴이 남긴 말이나 기록을 보면 해밀턴 자신은 결투를 싫어했고, 결투에 나간 것도 자신이 명예를 잃을까 두려웠기 때문이며, 버가 무사했던 것도 자신이 차마 버를 죽일 수 없어서 일부러 맞지 않게 총을 발사했기 때문이라고 주장했다. 이에 대하여 버는 "사실이라면 멍청한 짓이군! 아침 안개가 시야를 가리지 않았다면 나는 해밀턴의 심장을 맞췄을 것이다!"고 말했고, 버의 이런 발언은 즉각적인 반발을 불러왔다. 제러미 벤담(영국의 철학자이자 법학자. "최대 다수의 최대 행복"이란 슬로건으로 유명한 공리주의 사상을 칭시했다)이 말한 "버는 살인자나 마찬가지다"라는 표현은 당시의 여론을 그대로 보여주었다. 이 사건으로 인해 당시 제3대 대통령 토머스 제퍼슨의 분노가 폭발하여 에런 버는 부통령에서 물러나면서 정치적 생명이 끝나버렸다.

그 후 버는 미국의 영토가 된 루이지애나(1803년 미국의 제3대 대통령 토머스 제퍼슨이 프랑스의 나폴레옹 보나파르트로부터 1,500만 달러에 매입하여 미국의 기존 영토를 2배로 확장함)에서 반란을 기도하였다는 죄목으로 기소되었고, 연방대법관 존 마셜이 증거 불충분을 이유로 버를 석방하였지만 사람들은 믿어주지 않았고, 결국 버는 프랑스로 망명해 나폴레옹으로 하여금 영국 대신 미국을 공격하게 하려고 분투하였으나 나폴레옹은 에런 버가 사적 원한을 풀기 위해 프랑스 군대를 이용하려는 것으로 판단하고 에런 버의 요구를 묵살했다.

결국 버는 프랑스로의 망명 4년 만인 1812년에 미국으로 돌아와 변호사 활동을 하였는데, 부채가 많아 변호사일을 하면서 20년 동안이나 부채를 변제하느라 경제적으로 어려움에 시달렸고, 버는 1833년에 77세의 나이로 19세 연하의 부유한 과부 엘리자 주멜(1775~1865)과 결혼했다. 엘리자 주멜은 부자인 남편 스테판이 죽은 지 1년 만에 재혼했지만 결혼 후 얼마 지나지 않아 주멜은 버의 토지 투기 손실로 인해 자신의 재산이 줄어들고 있음을 깨닫고 재혼 4개월 만에 버와 헤어졌다. 그런데, 이혼소송을 제기한 주멜이 고용한 변호사는 다름 아닌 버가 사살한 해밀턴의 아들인 알렉산더 해밀턴 주니어(1786~1875) 변호사였다. 아버지를 쏴죽인 원수에게 재판으로 복수한 셈이 되었다. 경제적인 어려움에 처한 상황에서 뇌졸중으로 쓰러진 버는 결국 이혼했고, 머지않아 허름한 하숙집에서 죽었고, 뉴저지주 프린스턴에 있는 그의 아버지 근처에 묻혔다.

한편, 이 사건으로 인해 연방주의자들의 거두였던 초대 재무장관 알렉산더 해밀턴이 사망하면서 연방주의자들의 구심점이 사라져 미국의 역사에서 연방주의자들은 한동안 모습을 보이지 않게 되었으나 이것은 일시적인 현상이었고, 남북전쟁(1861년~1865년)을 비롯해서 이후로도 연방주의자들과 반연방주의자들의 대립은 미국의 역사 전반에 걸쳐 계속되었다.

1804. 7. 11. 세기의 결투가 발생했던 때로부터 200년이 지난 2004. 7. 11. 알렉산더 해밀턴과 에런 버의 후손들이 용서와 화해를 다짐하는 의미에서 뉴저지주 허드슨 강변에서 200년 전 조상들의 권총 결투를 실탄이 아닌 공포탄으로 재연했다. 재연에 나선 주인공은 해밀턴의 5대손인 더글러스 해밀턴과 버의 사촌의 후손인 안토니오 버였다. 200년 전 당시의 복장까지 재연한 두 사람은 친척 100여 명과 함께 200년 전 선조들처럼 뉴욕 쪽에서 노 젓는 배를 타고 강둑에 도착했다. 두 사람은 1000여 명의 관객이 지켜보는 가운데 54구경 칼리버 권총을 들고 결투에 나서 더글러스가 엉덩이에 총을 맞고 한쪽 무릎을 꿇었다가 쓰러지는 모습을 연출했다.

200년 만에 처음 만난 두 가문의 후손들은 행사를 마친 뒤 인근 해밀턴 파크에서 조상들을 기리는 추모 동판 제막식에 참석했다. 결투 재연 행사의 두 주인공은 200년 전의 원한을 뒤로 하고 두 집안이 화해해야 한다고 강조했다. 더글러스 해밀턴은 "선조는 죽기 전에 이미 버를 용서했다"며 "내가 그 뜻을 존중하지 않을 이유가 전혀 없다"고 말했다.

7. 미영전쟁(1812년 6월 18일 ~ 1815년 2월 17일) 과 미국 국가(國歌)의 탄생

(1) 개요

미영전쟁은 1812년 6월 18일부터 1815년 2월 17일까지 미국과 영국 사이에 발생하여 미국이 사실상 승리한 전쟁이다. 영국령 캐나다의 토론토 일대가 미국에 함락당하고, 영국군에 의해 미국의 수도 워싱턴 D.C.가 불바다가 되는 등 치열한 전쟁이었다. 미국에서는 미영전쟁 당시 대통령이었던 제4대 대통령 제임스 매디슨의 이름을 따서 Mr. Madison's War 혹은 America's forgotten war로 부르기도 한다.

"제2의 독립전쟁"으로 평가받기도 한다. 미영전쟁 전에는 미국은 중립을 선포했음에도 불구하고 유럽 강대국들에게 큰 인정을 받지 못했지만, 미영전쟁에서 미국이 당시 세계 최강국이던 영국과 최소 무승부를 거두면서 확실히 중립국이자 주권국의 위치를 인정받았고 유럽 열강들도 미국을 함부로 얕보지 못하게 되었다.

(2) 전쟁 배경

미국은 독립전쟁(1775년~1783년)에서 승리하면서 독립했으나 이것은 프랑스 등 지원국의 도움이 있었기에 가능했던 것이고 국력으로는 여전히 유럽 국가에 밀리는 신생국에 불과했다. 예를 들어 독립 당시 미합중국의 인구는 250만~300만 수준이었고, 영토도 건국 초기에는 대서양 쪽(현재의 미국의 동부)에 한정되어 있었기에 지금의 미국보다 훨씬 좁았다. 이런 상황에서 인구 천만 단위에 식민지까지 운영하는 영국이 전력을 다하면 미국은 버틸 재간이 없었다.

한편 영국은 미국 독립전쟁이 끝나고 한숨 제대로 돌릴 틈도 없이 프랑스대혁명 전쟁과 나폴레옹 전쟁에 돌입했다. 1807년경 나폴레옹 보나파르트가 유럽 대부분을 점령하고 대프랑스 동맹국들 중 유일하게 저항하던 영국을 굴복시키기 위해 대륙봉쇄령을 발동했다. 영국은 그 대응으로 우월한 해군력을 활용하여 프랑스 연안 곳곳의 해상을 봉쇄하였는데, 이는 프랑스대혁명 전쟁 초기부터 나폴레옹이 몰락할 때까지 실시했던 장기간 해상차단 작전의 연속이었다. 영국 해군은 프랑스의 모든 항구도시 외곽 바다에서 무수한 전열함으로 봉쇄선을 치고 초계활동을 벌였다. 이런 조치는 군함의 숫자가 많고 숙련된 선원과 해군장교가 풍부했던 영국이기에 가능한 일이었다. 이렇게 영국은 프랑스의 원양 무역을 차단하고 이베리아 반도 전쟁에서 대프랑스 동맹국들에게 자금을 지원하고 병력을 파견하는 등 총력전을 벌이고 있었다.

이때 미국은 중립을 표방하고 있었지만, 미국 상인들이 영국의 해상봉쇄령을 무시하고 프랑스와 무역을 하자 영국 해군은 닥치는 대로 미국 선박을 나포하고 물건을 빼앗는 등 초강경조치를 취하였고, 미국인들은 점차 영국과 전쟁을 하지 않을 수 없다는 여론이 증가하였다. 결국 친불반영의 공화파와 반불친영의 연방파의 세력싸움에서 공화파가 우세했기 때문에 미국은 1812년 6월 18일 영국에 선전포고를 함으로써 3년에 걸친 미영전쟁이 시작되었다.

(3) 경과

(가) 지상전

미군은 전쟁 초기에는 현재의 캐나다의 토론토인 요크도 일시적으로 점령하는 등 여러 도시에서 승승장구했다. 이는 영국이 미국 본토까지 4,800km가 떨어져 있는 대서양을 건너야 했기 때문이었고, 세다가 나폴레옹 전쟁에서 겨우 이기며 한숨 돌린 상황이어서 지쳐있었기 때문이었다.

그러나 결국 미군은 영국령 캐나다의 중심도시인 몬트리올 점령에 실패했다. 미군 4,500명 중 1천명은 국경 진군을 거부했고, 나머지 병력도 방어군의 허세에 공격을 포기했기 때문이었다. 거기다가 미군은 캐나다의 프랑스계를 포섭하면 전쟁에서 이길 수 있을 것이라고 낙관적으로 생각하고 있었지만 캐나다의 프랑스계는 본국의 나폴레옹 체제에도 반대하며 부르봉 왕조를 지지하던 가톨릭-왕당파 성향이었기에 청교도 세력권의 미군을 반겨주지 않았고 미군은 캐나다 점령을 단념할 수 밖에 없었다.

반면 영국은 나폴레옹이 몰락하기 시작하자 병력을 아메리카로 돌릴 여유가 생겼고, 1814년 8월 24일 블래던스버그 전투(Battle of Bladensburg/메릴랜드주 블래던스버그/영국군의 압도적 승리)에서 미군을 격파한 후 무방비 상태에 놓인 미국의 수도 워싱턴 D.C.를 기습해 불태워 버렸다. 이 사건은 미군 최대의 치욕이라고 불리고 있다. 미국의 독립 이후 미국의 수도가 외국 군대에게 점령당했던 것은 이때가 유일하다. 미국은 백악관과 국회의 사당을 비롯한 여러 관청이 불타는 수모를 겪었다. 당시 현직 대통령이었던 제4대 미국 대통령 제임스 매디슨의 부인 돌리 토드 매디슨은 초대 대통령 조지 워싱턴의 초상화와 기밀 서류를 안고 영국군이 백악관에 도달하기 직전에 급히 탈출했다.

영국군은 미국의 수도를 점령했으니 전쟁도 끝나겠다고 생각했지만 당시 미국은 각 주들이 거의 독립적인 국가 수준이었고 수도가 점령당해도 자기 주만 안전하면 괜찮다는 인식을 지니고 있었다. 그래서 미국인들은 패배감도 느끼지 않았고 워싱턴 D.C.를 수복하기 위한 마땅한 반격을 시도하지도 않았다. 그리고 영국군 내부에서는 길어지는 전쟁에 불만이 폭주하게 되었다.

미국과 영국은 서로 엄청난 피해를 입은 상태에서 전쟁이 점점 더 길어지자 피로가 누적되어 1814년 12월 24일 네덜란드의 겐트(현 벨기에)에서 겐트강화조약을 체결했다.

하지만 당시 교통과 통신이 발달되지 않아 강화조약의 체결 사실이 전투 현장에 신속하게 전달되지 않아 실제 전투는 강화조약 체결 이후에도 한동안 계속되었다. 그중 가장 유명한 전투가

1815년 1월 8일 루이지애나주의 뉴올리언스 전투인데 루이지애나에 상륙하려 한 영국군을 상대로 미군이 맞선 것이었다. 이 전투에서 앤드루 잭슨이 이끄는 미군은 단 71명의 사상자가 발생한 반면 영국군은 무려 2,034명의 사상자가 발생했다. 이는 숫적 열세에도 불구하고 물을 끼고 대포를 보호할 방벽 등을 쌓으며 수비적 위치에서 기다리는 미군에 비해 이를 돌파할 사다리 등을 제대로 챙기지 않고 공격한 영국군의 실책과 측면 포대 점령이 늦어진 것이 큰 영향을 미쳤다. 이 전투에서 승리한 앤드루 잭슨은 미국의 전쟁영웅으로 부상했고, 1828년 제7대 미국 대통령에 당선되었으며, 미국 달러 지폐 중 20달러의 초상화 주인공이 되었다.

(나) 해전

미영전쟁 당시 영국의 해군력은 세계 최강으로 미국의 해군력을 압도하고 있었지만 그럼에도 불구하고 미 해군은 해전에서 상당한 전과를 거두었다. 당시 미 해군의 최고 등급의 함선은 44문 대형 프리깃 3척과 38문 프리깃 3척이 고작이었고 나머지는 슬루프나 브릭 같은 등외함이 대부분이었기 때문에 영국 해군의 규모에 비하면 미약한 전력이었다. 하지만 미국의 대형 프리깃함이 영국의 3급 전열함이나 4급함에 준하는 수준이었고(프리깃은 통상 5~6급함) 미 해군은 대형 프리깃의 기동성을 이용해서 최대한 함대결전을 회피하며 38문 프리깃을 상대로 하는 단함전투나 영국 상선을 목표로 하는 사략전술을 펼쳤다. 심지어 미국 연방 상원의원이 직접 사략선단을 운용하기도 했으며 그 결과 영국 상선 1,300척 이상이 전쟁기간 동안 나포되어 영국의 해상보험료도 폭등했다. 영국이 되찾은 상선은 300척에 불과했으므로 상당한 피해를 준 셈이다. 미 해군은 해군 장관이 바뀌면서 단함전투 대신 통상파괴로 전략을 바꿨고 이후 영국 상선의 해상보험료가 폭등하는 등 영국을 효율적으로 괴롭혔다.

그중에서도 가장 대단한 활약을 한 함선은 콘스티튜션 호(USS Constitution Ship)였는데 미 해군 사상 첫 단함전투 승전 사례로 기록되었다.

1620년 미국의 역사가 시작된 보스턴에서 프리덤 트레일의 종점인 벙커힐 기념탑이 위치한 벙커힐의 아래 찰스강 하구에는 커다란 범선(帆船, 선체 위에 세운 돛에 바람을 받게 하여 그 풍력을 이용하여 움직이는 배)이 하나 떠 있다. 미영전쟁(1812년~1815년) 당시 영국과의 해전을 모두 승리로 이끌어 백전백승무적의 전함으로 명성을 떨친 USS 콘스티튜션 호(USS Constitution Ship)이다. 조지 워싱턴 초대 대통령의 지시로 1797년에 제작되었는데 현재 해상에 떠 있는 배로는 세계에서 가장 오래되었다. 적의 수많은 포탄을 맞고도 건재하여 '철벽'을 의미하는 'Old Ironside'라는 별명을 가지고 있는데 지금도 실제 항해가 가능하다고 한다. 해군 복장을 한 가이드의 안내로 배 안에까지 들어가 볼 수 있다. 박진감 넘치는 가이드의 설명을 모두 이해하지는 못하더라도 커다란 범선의 갑판을 구경하는 것만으로도 무척 흥미롭다.

그러나 콘스티튜션 호(USS Constitution Ship)를 비롯한 대형 프리깃들의 활약만으로 미 해군이 완전하게 승리할 수는 없었다. 대형 프리깃과의 단함전투가 어렵다는 현실을 파악한 영국 해군은 단함전투를 금지하는 것으로 대응했다. 콘스티튜션 호(USS Constitution Ship)와 동형함인 프레지던트는 영국의 프리깃 3척의 합공(合攻)으로 나포되기도 했다. 영국은 상선의 해상보험료가 오르는 수준이었지만 미국은 영국 전열함들의 해상봉쇄에 대해 같은 전열함으로 맞서는 것 말고는 해결책이 없어서 모든 해상무역로가 봉쇄될 수준이었다.

또 단함전투에서 미국이 항상 승리한 것도 아니었다. 36문 프리깃인 USS 체서피크와 USS 에섹스가 영국 프리깃과의 단함전투에서 참패해 나포당하는 수모를 겪기도 했다.

이 외에도 캐나다와 자연 국경을 형성하는 오대호 등의 호수와 강에서도 슬루프 간의 단함전투들이 빈번하게 벌어졌으며 남아메리카, 태평양 등 지구 곳곳에서 미국 해군 함정과 영국 해군 함정 간의 교전이 벌어졌다.

(4) 미국 국가(國歌)의 탄생

1814년 프랑스의 나폴레옹이 몰락하자 유럽의 전쟁에서 손을 턴 영국은 총력으로 미국과의 전쟁에 달려들었고, 영국군 정예병 4,000여 명이 메릴랜드에 상륙하여 1814년 8월 24일 블래던스버그 전투(Battle of Bladensburg/메릴랜드주 블래던스버그/영국군의 압도적 승리)에서 수도 워싱턴 D.C.를 쑥대밭으로 만들고 국회의사당과 백악관에 불을 질렀다.

1814년 9월 13일 밤 워싱턴 D.C.와 가까웠던 메릴랜드의 맥헨리 요새(Fort McHenry)는 영국군의 맹렬한 공격을 받아 잿더미가 되었지만 다음 날 새벽 햇살에 성조기는 힘차게 펄럭이고 있었고 이 모습을 앞바다에 떠 있던 배 위에서 바라보고 감명받은 워싱턴 D.C. 출신의 변호사 프랜시스 스콧 키가 성조기를 찬양하는 시를 쓰면서 현재 미국의 국가(國歌)인 "The Star-Spangled Banner(별들이 반짝이는 깃발)"가 탄생하였다.

O say can you see, by the dawn's early light,
오, 그대는 보이는가, 이 새벽의 여명 속에서,

What so proudly we hailed at the twilight's last gleaming
우리가 그토록 자랑스럽게 맞았던, 황혼의 미광 속에서

Whose broad stripes and bright stars through the perilous fight
넓은 줄무늬와 밝은 별들이, 이 치열한 전투 가운데

O'er the ramparts we watched were so gallantly streaming?
우리가 지키던 성벽 너머, 당당히 나부끼고 있는 것이?

And the rocket's red glare, the bombs bursting in air
로켓의 붉은 섬광과, 창공에서 작렬하는 폭탄은

Gave proof through the night that our flag was still there
밤새 지켰음을 증명하네, 우리의 깃발이 아직 그곳에 있음을

O say does that star-spangled banner yet wave
오, 말해주오 성조기는, 여전히 휘날리고 있는가?

O'er the land of the free and the home of the brave?
자유로운 이들의 땅, 용기 있는 자들의 고향에서!

8. 테쿰세의 저주 (1813.10.5./미국의 역대 대통령 7명의 임기 중 사망 사건의 원인이 되는 저주)

테쿰세의 저주(Curse of Tippecanoe)는 임기 중에 사망한 7명의 미국 대통령들에 관한 이야기로, 1840년 제9대 미국 대통령으로 당선된 윌리엄 헨리 해리슨부터 1960년 제35대 미국 대통령으로 당선된 존 F. 케네디까지 120년 동안 20년 간격으로 당선된 7명의 미국 대통령들이 임기 중에 사망한 일련의 사건의 원인이 되는 저주를 의미한다.

테쿰세는 북아메리카의 토착민인 쇼니족의 지도자로서 미영전쟁(1812년~1815년) 당시 캐나다에 있던 영국군과 동맹하여 미국군에 맞서 싸웠는데, 1813년 10월 5일 캐니다 온타리오 테임즈 전투에서 45세로 전사하면서 미국군의 총사령관이었던 윌리엄 헨리 해리슨(William Henry Harrison/1840년 미국의 제9대 대통령에 당선)에게 『20년마다 한 번씩 0(10의 자리가 짝수 기준)으로 끝나는 해에 당선된 미국 대통령은 임기 중에 목숨을 잃을 것이다』라는 저주의 말을 남겼는데, 이와 같은 저주대로 120년 동안 20년 간격으로 당선된 7명의 미국 대통령들이 임기 중에 사망하였다.

테쿰세의 저주가 적용된 사례는 아래와 같다.

(1) 1840년에 제9대 대통령으로 당선된 윌리엄 헨리 해리슨(테쿰세로부터 저주의 말을 들은 인물)은 1841년에 폐렴으로 인해 죽었다.

(2) 1860년에 제16대 대통령으로 당선된 에이브러햄 링컨은 1865년에 존 윌크스 부스에게 암살당했다.

(3) 1880년에 제20대 대통령으로 당선된 제임스 A. 가필드는 1881년에 찰스 기토에게 암살당했다.

(4) 1900년에 제25대 대통령으로 재선된 윌리엄 매킨리는 1901년에 리언 촐고츠에게 암살당했다.

(5) 1920년에 제29대 대통령으로 당선된 워렌 G. 하딩은 1923년에 심장마비로 인해 죽었다.

(6) 1940년에 제32대 대통령으로 3선된 프랭클린 루스벨트는 1945년에 뇌출혈로 인해 죽었다.

(7) 1960년에 제35대 대통령으로 당선된 존 F. 케네디는 1963년에 리 하비 오스월드에게 암살당했다.

반면, 테쿰세의 저주가 약화되었다고 평가되는 사례는 아래와 같다.

현재까지 이 우연의 예외는 1980년에 제40대 대통령으로 당선된 로널드 레이건과 2000년에 제43대 대통령으로 당선된 조지 W. 부시이다.

로널드 레이건은 암살을 시도한 존 힝클리의 총에 맞았지만 죽음은 면했다. 어떤 사람은 그가 병원에 가까운 곳에 있지 않았다면 저주를 피해갈 수 없었을 것이며, 또한 요즘의 현대 의학이 아닌 테쿰세가 살았던 시대의 의학이었다면 레이건은 상처를 완전히 고치지 못하고 임기 중에 죽었을 것이라고 말한다. 1994년 레이건은 알츠하이머(치매) 진단을 받는데, 저주가 그를 병들게 만들었다고 말하는 사람들도 있다. 하지만 이와 반대로 그가 임기 중에 죽지 않은 것은 그가 원주민들에게 온건한 정책을 폈기 때문이라고 말하는 사람들이 많다.

조지 W. 부시는 재임 기간 동안에 두 번의 죽을 뻔한 고비를 넘겼다. 그는 2002년 1월 13일에는 프레츨 과자가 목에 걸려 의식을 잃었지만 무사했으며, 2005년 5월 10일에는 야외에서 연설을 하던 중에 괴한이 그를 향해 수류탄을 던졌지만 불발했다. 이 수류탄은 부시와 약 30m 떨어진 곳에 떨어졌다고 한다.

한편, 2020년 11월 3일에 있었던 미국의 대통령 선거에서 당선된 제46대 대통령 '조 바이든' 대통령도 테쿰세의 저주에서 언급된 0(10의 자리가 짝수 기준)으로 끝나는 해인 2020년에 당선된 대통령에 해당하기 때문에 임기 중 사망할지 여부가 궁금하다.

(1) 첫 번째 희생자, 윌리엄 헨리 해리슨 (제9대 대통령)

해리슨은 1773년 2월 9일 버지니아 주의 버클리에서 3남 4녀 중의 3남으로 태어났다. 아버지인 벤저민 해리슨은 독립선언서에 서명하여 이름을 남긴 미국 건국의 아버지이다. 유년기의 해리슨은 학교가 아닌 집에서 교육을 받았고 1787년에 펜실베니아 대학교에 입학하여 의학을 공부하였다. 1791년에 아버지인 벤저민 해리슨이 병으로 사망하자 해리슨은 의학 공부를 포기하기로 결정하고 학교를 자퇴한 후 육군에 입대한다. 장교가 된 해리슨은 원주민 토벌전에 참전하여 공을 인정받고 중위로 진급한다. 1794년에 그레이트 마이애미강에서 원주민들을 상대로 기습하는 계획을 성공한 해리슨은 대위로 진급하여 워싱턴 요새의 경비를 담당하게 되고 재판관이자 부유한 토지업자인 존 사이메스의 딸인 애나 사이메스와 결혼한다.

1798년에 군에서 전역한 해리슨은 그 당시 제2대 대통령인 존 애덤스에 의해 노스웨스트의 장관으로 임명된다. 이듬해 해리슨은 노스웨스트에 신설된 의회의 의원으로 선출되고 서부의 토지들을 가난한 사람들이 사들일 수 있도록 작은 부분으로 나누는 법안을 통과시켜서 토지 개발자들의 보폭을 확장시킨다. 1800년 애덤스 대통령에 의해 해리슨은 인디애나 주지사로 임명되어 12년 동안 활동하였다. 주지사로서 해리슨은 원주민들에게 주류 판매를 금지하고 천연두 예방을 명령한다. 1809년에 해리슨이 원주민 지도자들과 화이트강과 와바시강 일대의 토지를 정착인들에게 건네주는 조약을 체결하자 많은 원주민들이 조약을 비난하며 쇼니족의 추장인 테쿰세와 연합하였다.

1812년 6월 18일 미영전쟁이 발발하자 그 당시 제4대 대통령인 제임스 매디슨은 해리슨을 노스웨스트군의 준장으로 임명하였고, 해리슨은 1813년에 소장으로 진급한 후 1813년 10월 5일 캐나다 온타리오 남부에서 일어난 테임즈 전투에서 원주민과 연합한 영국군을 상대로 승리를 하였는데, 이때 테쿰세는 45세의 나이로 전사한다.

1816년에 연방 하원의원에 선출되어 정계에 입문한 해리슨은 군 복무 시절 공금을 오용했다는 이유로 사법부에게 기소당하지만 하원이 잘못된 고발로 결정하면서 처벌을 피한다. 위기를 모면한 해리슨은 다시 오하이오로 돌아와 1819년에 오하이오 주의 상원의원으로 선출되고, 1825년에는 연방 상원의원으로 선출되며 승승장구한다. 1828년에 연방 상원의원에서 물러난 후 제6대 대통령인 존 퀸시 애덤스에 의해 콜롬비아 주재 미국 공사로 임명되어 1년 동안 근무하였다.

1836년 해리슨은 대통령 선거를 위해 휘그당 후보로 지명된다. 휘그당원들은 해리슨의 리더쉽이 당을 통합하며 나아갈 수 있을 것이라고 판단하여 대선 후보로 지명하여 선거에 출마하지만 민주당 소속의 마틴 밴 뷰런(제8대 대통령)에게 패배한다. 4년 뒤인 1840년에 휘그당원들은 다시 해리슨을 대통령 후보로 지명하고 존 타일러를 부통령 후보로 지명하여 선거에 돌입한다. 해리슨은 경제공황으로 인해 지지율이 추락한 밴 뷰런을 상대로 승리하여 대통령에 당선되었다.

제9대 대통령에 당선된 해리슨이 취임식에 참석하여 연설을 하려는 날 강한 비가 쏟아진다. 참모들은 해리슨에게 취임식 연기를 요청하였으나 해리슨은 "난 총탄이 빗발치는 전장에서 살아 돌아온 사람이오. 비 따위에 내가 무릎 꿇으면 안 되오."라는 말과 함께 외투를 벗고 1시간이 넘도록 취임식을 강행한다. 1시간 넘게 비를 맞으며 취임 연설을 한 해리슨은 얼마 지나지 않아 폐렴을 얻고 1개월을 투병하다가 사망한다. 사망하기 전 해리슨은 부통령이자 고향 후배인 존 타일러(제10대 대통령)에게 "나는 타일러 씨가 정부의 깊은 원리를 이해할 수 있기를 바라며 또한 그 원리가 순탄하게 이루어지기를 바라오. 내가 바라는 것은 그것 뿐이오."라고 국정에 관한 조언을 남겼다.

1813.10.05. 테임즈 전투에서 테쿰세를 죽인 장본인인 해리슨 대통령은 테쿰세의 저주처럼 0(10의 자리가 짝수 기준)으로 끝나는 해인 1840년에 당선된 대통령으로서 임기 중에 사망함으로써 테쿰세의 저주의 첫 번째 희생자가 되었다. 이 테임즈 전투에서 수백명이 넘는 미군 장병들은 서로 자신이 테쿰세를 사살하였다고 주장하였지만 테쿰세는 해리슨에 의해 사살된 것으로 공식 확인되었다.

1889년, 제9대 대통령인 윌리엄 헨리 해리슨의 손자인 벤저민 해리슨은 제23대 대통령으로 취임하는데, 벤저민의 취임식 당일에도 비가 내렸지만 벤저민은 윌리엄처럼 무모하게 취임식을 강행하지 않고 빠르게 마쳤다.

(2) 두 번째 희생자, 에이브러햄 링컨 (제16대 대통령)

링컨은 1809.2.12. 켄터키 주의 호젠빌에서 가난한 농민의 아들로 태어나 어려서부터 노동을 하였기 때문에 학교교육은 거의 받지 않았지만, 독학하여 1837년 변호사가 되어 스프링필드에서 개업하였으며, 1834~1841년 일리노이 주 의회의 의원으로 선출되었다. 1847년 연방 하원의원으로 당선되었으나, 미국멕시코전쟁에 반대하였기 때문에 인기가 떨어져 하원의원직은 1기로 끝나고 변호사 생활로 돌아갔다. 1850년대를 통하여 노예문제가 전국적인 문제로 크게 고조되자 정계로 복귀하기로 결심하고, 1856년 노예반대를 표방하여 결성된 미국 공화당에 입당하여 그 해 대통령선거전의 공화당후보 플레먼트를 응원함으로써 자신의 웅변이 알려지게 되었다.

 1858년 일리노이 주의 상원의원 선거에 입후보하여 재선을 노리는 민주당의 S.A.더글러스와 치열한 논전을 전개함으로써 전국적으로 유명해졌다. 더글러스와의 공개논전에서 행한 "갈려서 싸운 집은 설 수가 없다. 나는 이 정부가 반은 노예, 반은 자유의 상태에서 영구히 계속될 수는 없다고 믿는다"는 유명한 말을 하여 더글러스의 인민주권론을 비판하였다. 선거결과에서는 패배하였으나, 7회에 걸친 공개토론으로 그의 명성은 전국적으로 알려지게 되고, 1860년 대통령선거에서는 공화당의 대통령후보로 지명 받았다. 그러나 그가 대통령후보로 지명된 것은 노예제에 대한 그의 견해가 급진적인 것은 아니었기 때문으로 알려져 있다. 이 선거에서는 민주당 쪽에서 노예제 유지의 브리켄리지와 인민주권의 더글러스의 두 명의 후보로 분열되었기 때문에 링컨이 당선되었다.

 그러나 그의 당선과 함께 남부지역의 주들은 잇달아 합중국을 이탈하여 남부연합국을 결성하였다. 링컨은 이미 노예제를 가지고 있는 남부지역의 주들의 노예를 즉시 무조건 해방시킬 생각은 없었으나, 앞으로 만들어질 준주(準州)나 주(州)는 자유주의로 할 것을 강력히 주장하였기 때문이다. 1861년 3월 4일 대통령에 취임하자 링컨은 "나의 최고의 목적은 연방을 유지하여 이를 구제하는 것이지, 노예제도의 문제는 아니다"라고 주장하였으나, 4월 섬터 요새에 대한 남군의 공격으로 마침내 동족상잔의 남북전쟁이 시작되었다.

남북전쟁 중 그는 의회에 대하여 대통령의 권한 강화를 요청하고, 독재적 권한을 행사하여 인신보호령장의 정지, 언론집회의 자유의 제한을 강행하여 반대당으로부터 비난을 받았다. 그러나 그의 목적은 여러 세력을 조정하여 북부의 강경론자들을 누르면서 노예해방을 점진적으로 단행하는 것이었다. 전황은 처음에는 북군에게 불리하였으나, 1862년 9월 남군이 수세로 몰린 때를 노려 노예제 폐지를 예고하고 외국의 남부연합국 승인을 저지함으로써 북부와 해외여론을 자기편으로 유도하여 전황을 일거에 유리하게 전개하는 데 성공하였다.

1863년 11월 19일 남북전쟁의 격전지였던 펜실베이니아주의 게티즈버그에서 죽은 장병들을 위한 추도식이 열렸다. 이 추도식에서 있었던 링컨 대통령의 아래와 같은 내용의 게티즈버그 연설은 미국의 명연설로 역사 속에 살아 있다.

『 지금으로부터 87년 전 우리의 선조들은 이 대륙에서 자유 속에 잉태되고 만인은 모두 평등하게 창조되었다는 명제에 봉헌된

한 새로운 나라를 탄생시켰습니다. 우리는 지금 거대한 내전에 휩싸여 있고 우리 선조들이 세운 나라가, 아니 그렇게 잉태되고 그렇게 봉헌된 한 나라가, 과연 이 지상에 오랫동안 존재할 수 있는지 없는지를 시험 받고 있습니다. 오늘 우리가 모인 이 자리는 남군과 북군 사이에 큰 싸움이 벌어졌던 곳입니다. 우리는 이 나라를 살리기 위해 목숨을 바친 사람들에게 마지막 안식처가 될 수 있도록 그 싸움터의 땅 한 뙈기를 헌납하고자 여기 왔습니다. 우리의 이 행위는 너무도 마땅하고 적절한 것입니다.

그러나 더 큰 의미에서, 이 땅을 봉헌하고 축성(祝聖)하며 신성하게 하는 자는 우리가 아닙니다. 여기 목숨 바쳐 싸웠던 그 용감한 사람들, 전사자 혹은 생존자들이, 이미 이곳을 신성한 땅으로 만들었기 때문에 우리로서는 거기 더 보태고 뺄 것이 없습니다. 세계는 오늘 우리가 여기 모여 무슨 말을 했는가를 별로 주목하지도, 오래 기억하지도 않겠지만 그 용감한 사람들이 여기서 수행한 일이 어떤 것이었던가는 결코 잊지 않을 것입니다. 그들이 싸워서 그토록 고결하게 전진시킨, 그러나 미완(未完)으로 남긴 일을 수행하는 데 헌납되어야 하는 것은 오히려 우리들, 살아 있는 자들입니다.

우리 앞에 남겨진 그 미완(未完)의 큰 과업을 다 하기 위해 지금 여기 이곳에 바쳐져야 하는 것은 우리들 자신입니다. 우리는 그 명예롭게 죽어간 이들로부터 더 큰 헌신의 힘을 얻어 그들이 마지막 신명을 다 바쳐 지키고자 한 대의 대의(大義)에 우리 자신을 봉헌하고, 그들이 헛되이 죽어가지 않았다는 것을 굳게 다짐합니다. 신의 가호 아래 이 나라는 새로운 자유의 탄생을 보게 될 것이며, 인민의, 인민에 의한, 인민을 위한 정부는 이 지상에서 결코 사라지지 않을 것입니다. 』

남북전쟁 중인 1864년의 대통령 선거에서는 재선 전망이 불투명하였으나, U.S. 그랜트가 총사령관으로 임명된 후 승리가 계속된 것이 링컨에게 유리하게 작용해서 재선에 성공하였다. 1865년 4월 9일 남군사령관 R.E. 리가 애포매턱스에서 U.S. 그랜트에게 항복함으로써 남북전쟁은 끝났다.

링컨은 남북전쟁이 종막에 가까워짐에 따라 관대한 조치를 베풀어 남부의 조기 연방 복귀를 바랐으나, 1865년 4월 14일 워싱턴 D.C.의 포드극장에서 연극관람 중 남부인 배우 J.부스에게 피격되어 다음 날 아침 사망하였다. 링컨 대통령은 테쿰세의 저주처럼 0(10의 자리가 짝수 기준)으로 끝나는 해인 1860년에 당선된 대통령으로서 임기 중에 사망함으로써 테쿰세의 저주의 두 번째 희생자가 되었다.

(3) 세 번째 희생자, 제임스 A. 가필드 (제20대 대통령)

가필드는 1831.11.19. 오하이오 주의 카이어호가군 모어랜드 힐스에서 출생하였다. 2세 때 부친인 에이브럼과 사별하고 어머니 일라이자 혼자 일과 가정을 담당할 수는 없어 어린 그도 노동에 나서야 했다. 10대에 가출하여 6주 정도 운하를 오르내리는 선원 일을 했는데, 물에 14회나 빠진 끝에 열병에 걸려 버렸다. 병석에 있던 가필드에게 어머니가 17달러를 줘서 그 돈으로 공부를 하게 되었다.

가필드는 그 돈으로 학업에 열중하다가 그 17달러가 떨어지자 직접 목수 일을 하고 가정교사 역을 하면서 학비를 벌었다. 또한 성직자 경력도 있는데, '그리스도의 교회 제자파'의 설교자로 뛰기도 했다. 가필드의 연설 능력은 성직자 생활에서 크게 길러졌다고 한다. 그래서 훗날 대통령이 되고 나서 붙은 별명이 '설교자(Preacher) 대통령'이었다.

가필드는 고생하면서 공부한 끝에 윌리엄스 대학교를 졸업하고 그 대학의 학장을 역임했으며, 변호사, 오하이오 주의 상원의원을 역임했으며, 남북전쟁 당시 북군 장교로 참전하였다. 이처럼 가난한 집 출신으로 고생은 많이 했지만 링컨과 달리 대학을 졸업했다.

이후 18년간 오하이오 주의 연방 하원의원을 역임했고 1880년 연방 상원의원이 되는 등 출세가도를 달리다가 그 해 36개 주 예비선거에서 승리하여 공화당 대통령 후보로 지명되었다.

1880년의 대통령 선거는 민주당과의 쟁점이 관세 외에는 큰 차이가 없었고, 인신공격도 그다지 없기는 했지만 선거 자체는 치열했는데, 가필드는 자금이 부족했다. 그래서 가필드는 공화당 내 최대파벌 영수였던 로스코 콩글링과 교섭하여 콩글링 파벌의 사람들에게 한 자리씩 준다는 조건으로 자금 지원을 받았다. 그 대신 콩글링은 자기 계파 사람인 체스터 앨런 아서를 부통령 후보로 내세웠다.

선거 결과 역시 초박빙이었다. 4,446,158 대 4,444,260(선거인단 수 214 : 155)으로 민주당 후보 윈필드 스콧 핸콕과의 표차는 딱 1,898표(0.02%)였다. 오늘날에 이 표차가 나오면 바로 재검표 요구에 부정선거 논란까지 벌어질 표차다. 더구나 당시 유권자는 921만명에 불과했다.

결국 가필드는 콩클링의 지원을 받은 뉴욕 주에서 2만 3000여 표차로 앞선 덕분에 선거인단 35명을 차지해서 당선될 수 있었다. 선거인단 수로는 214 대 155였다. 뉴욕 주 35명이 민주당 쪽으로 갔으면 179 대 190으로 민주당 후보가 당선되었을 표였다. 이처럼 박빙의 대접전 끝에 당선되는 데 성공하고 1881년 3월 제20대 대통령에 취임했다. 미국 역사상 현직 연방 하원의원이 대통령에 당선된 경우는 가필드가 유일하다.

대통령이 된 가필드는 부패한 공직자를 일소하기 위해 부정행위를 조사하도록 명했는데 가필드는 관직을 콩클링 파벌에게 줘버리면 대통령으로서의 역할을 할 수 없다는 것을 깨닫고 있었고, 이런 움직임에 콩클링 파벌에서는 관직 준다는 약속을 어겼다고 가필드에게 크게 반발했다.

그러던 중 1881년 7월 2일 워싱턴 역 앞에서 기차를 기다리다가 C.J. 기토의 총격을 받았다. 기토는 콩클링 파벌의 사람으로서 관직분배가 이루어지지 않은 데에 불만을 품고 가필드를 암살하였다. 당시 대통령 등의 선거에서 승리를 쟁취한 정당들은 승리에 기여한 사람들에게 행정부 관직을 주는 엽관제가 성행했는데, 기토는 자신의 재산을 긁어모아 행정부에 바쳐 공직 자리를 얻으려 했다. 기토를 비롯해 공직을 사려는 사람들이 엽관제도를 통해 공직자리를 노리고자 했기 때문이다. 기토가 원했던 공직은 파리 주재 미국 공사직이었음이 재판에서도 나온다. 그러나 기토는 백악관에 계속 드나들어 공직을 요구하였고, 백악관의 문구류를 훔쳐 출입 금지를 당할 정도로 광분한 기토는 암살을 결심하게 된다.

기토는 가필드를 암살하기 며칠 전에 일기에 아래와 같이 썼다. 『 대통령의 비극적 죽음은 슬프지만 어쩔 수 없다. 이 일은 공화당을 단결시킬 것이고, 나아가 미합중국을 구원할 것이다. 난 대통령에 대한 악의는 없지만 죽음은 정치적으로 필요하다. 』

기토는 가필드를 쏘고 나서 "대통령은 죽었다! 이제 부통령 아서가 대통령이 될 것이다!" 라고 크게 외쳤다. 이 말을 들은 아서(제21대 대통령)는 자신을 끌어들인데 대해 크게 분노했지만 특이하게도 이 이야기에 대해 직접 변명하지는 않아서 가필드의 암살 배후에 아서가 있다는 소문도 제법 나돌았다.

어쨌든 가필드는 등에 두 발의 총알을 맞고 쓰러졌는데, 다행히 그 자리에서 바로 죽지는 않았고 2개월 조금 넘게 병석에서 버텼지만 의사들은 가필드의 몸속에 박힌 총알을 끝내 찾아내지 못했다. 당시 갓 개발된 금속탐지기를 이용했지만 실패했다. 한 발은 팔을 스쳤고 다른 한 발은 복부에 박혔는데 주치의 블리스 박사는 엉뚱하게도 등쪽에서 총알을 찾으려 했다. 심지어 소독하지도 않은 의료기구로 수술했다는 설도 있다. 결국 패혈증까지 겹치면서 1881년 9월 19일 50세의 나이에 사망하고 말았다.

 가필드 대통령은 테쿰세의 저주처럼 0(10의 자리가 짝수 기준)으로 끝나는 해인 1880년에 당선된 대통령으로서 임기 중에 사망함으로써 테쿰세의 저주의 세 번째 희생자가 되었다. 죽기 며칠 전에 의사들이 가필드를 뉴저지 주 엘버론의 바다 휴양지로 이동할 것을 권유했는데, 이 때 너무 무리하게 이동하는 바람에 오히려 가필드의 병세를 키웠다는 설도 있다.

 제19대 대통령인 러더퍼드 헤이스는 "미합중국의 역사를 통틀어 이토록 가난하게 출발해서 많은 것을 성취한 사람은 단 한 명도 없었다. 벤자민 프랭클린도 링컨도 그와 같지 않았다!" 라고 가필드를 높이 평가했다. 가필드는 가난한 집에서 태어나 대통령의 자리까지 오른 입지전적인 인물이었지만 엽관제도의 희생양으로 죽어간 비운의 대통령으로 평가 받는다.

 가필드의 암살은 엽관제도의 심각한 부패성과 무능률 등의 여러 가지 문제점을 적나라하게 드러냈기에 오늘날의 공무원 시험의 기초를 놓은 펜들턴 법이 나오고, 엽관제도의 폐해를 막아내고자 정치와 공직을 분리하려는 정치행정이원론이 등장하게 된다.

(4) 네 번째 희생자, 윌리엄 매킨리 (제25대 대통령)

 매킨리는 1843년 1월 29일 오하이오 주의 나일스에서 9명의 자식 중 일곱 번째 아들로 태어났으며 종교는 감리교이다. 그는

1861년 4월 12일 남북 전쟁이 발발하자 1861년 6월 23일 겨우 18세의 나이에 일등병으로 입대하여 앤티텀 전투에서 세운 무공으로 소위로 특진하였으며 러더퍼드 B. 헤이스(제19대 대통령) 육군대령의 부관으로 근무하였고 1865년에 22세의 나이로 소령에 진급한 경력을 가졌다. 1865년 4월 9일 남북전쟁이 끝난 후에는 올버니 로스쿨(Albany Law School)을 졸업하여 변호사가 되었다.

매킨리는 1877년 연방 하원의원이 되어 12년(6회) 동안 활동하였고, 1890년 매킨리 관세법을 제안하여 가결시켰으나 그의 제안으로 채택된 매킨리 관세법은 경제위기를 가중시켰고 나중에 1893년의 대공황과 뒤이은 경제 불황의 원인이 되었다는 비난을 받는다. 1896년 공화당 후보로 제25대 대통령에 당선된 후 쿠바의 반란을 원조하였고, 1898년 미국-스페인 전쟁에서 승리하여 필리핀, 푸에르토리코, 괌 등을 얻어 해외 식민지를 경영하는 제국주의를 선언한 미국의 첫 대통령이 되었다.

1900년 하와이의 병합, 금 본위제의 확립 등으로 1900년에 대통령으로 재선되었으나 1901.09.06. 버펄로에서 열린 전미 박람회에서 레온 촐고츠라는 무정부주의자의 총에 맞아 1901.09.14. 58세의 나이로 사망하였다. 미국의 역대 대통령 중 제16대 대통령인 링컨과 제20대 대통령인 가필드에 이어 세 번째로 암살된 것이다. 맥킨리 대통령은 테쿰세의 저주처럼 0(10의 자리가 짝수 기준)으로 끝나는 해인 1900년에 당선(재선)된 대통령으로서 임기 중에 사망함으로써 테쿰세의 저주의 네 번째 희생자가 되었다.

미국 알래스카 주 중남부 알래스카 산맥의 중심 가까이에 있는 북아메리카 대륙의 최고봉인 맥킨리산(해발 6,194m)은 1896년에 명칭이 덴스모어 봉에서 맥킨리산으로 변경되었는데, 이는 1896년에 제25대 미국 대통령으로 당선된 윌리엄 매킨리를 기념해 맥킨리산으로 변경된 것이다.

매킨리가 출생한 오하이오 주(오대호 중 이리호의 남쪽 변)는 1868년부터 1920년까지 당선된 7명의 미국 대통령을 배출한 곳이다(18대 그랜트, 19대 헤이스, 20대 가필드, 23대 해리슨, 25대 매킨리, 27대 태프트, 29대 하딩).

오하이오 주는 인구가 많아 많은 선거인단이 배정되어 있고, 동부와 남부, 중서부의 문화가 어우러져 있으며, 농업, 광업, 제조업, 소매업 등의 산업이 고르게 발달한 곳인데, 제43대 대통령인 G.W. 부시의 2004년 재선도 이곳에서 결판이 났다. 매킨리는 대통령 선거결과를 좌지우지할 수도 있는 오하이오 주에서 연방 하원의원(6회 12년)으로 출발하였고 주지사까지 된 경력이 있어서 대통령 선거에서 유리했다.

(5) 다섯 번째 희생자, 워렌 G. 하딩 (제29대 대통령)

하딩은 1865년 11월 2일 오하이오 주의 코르시카에서 태어나 변호사 시험에 떨어진 후 오하이오 주의 소도시 메리언의 한 신문사의 편집장으로 일하였고, 26세에 만난 5살 연상의 플로렌스

클링 하딩과 결혼한 후 인생이 바뀌었다. 그녀는 오하이오 주에서 유명한 은행장의 딸로 정치적 야망이 매우 컸는데, 그런 부인의 영향으로 정치에 입문하게 되었다. 오하이오 주 정계에서 탁월한 웅변 능력으로 주목을 받는데 성공한 하딩은 오하이오 정계의 거물인 해리 M. 도허티의 후원으로 오하이오 주의 부지사를 거쳐 연방 상원의원까지 되었다.

하딩은 1901년~1909년 제26대 대통령을 지낸 시어도어 루스벨트가 1917년 공화당에 복당한 후 대통령 재출마를 고려할 때 루스벨트의 눈에 들어 부통령 후보로 약속받지만 1920년 대통령 선거가 있기 전인 1919년에 루스벨트가 사망하는 바람에 부통령의 꿈은 무산되고 말았다.

1920년 미국 대통령 선거는 각종 조사 및 예측에 따르면 전임 제28내 대통령인 우드로 윌슨(민주당)의 실정으로 인해 공화당의 집권이 확실해진 상황이었다. 이때 공화당 내부에서는 당내 파벌끼리 자기들 계파에서 후보를 내겠다고 난리를 쳤는데, 그래도 결정이 되지 않자 당원 투표를 하기로 했다. 그런데 이때 9번이나 투표를 했는데도 공화당 대통령 후보가 결정되지 않았다. 그래서 지칠 대로 지친 계파 대표들이 모두 합의해서 "우리들 말을 잘 들을 수 있는 호락호락한 사람을 적당히 골라서 선거에 내보내자." 라는 의도로 뽑힌 사람이 하딩이었다.

하딩은 가문이나 정치적 업적과 무관하게 오로지 꽃미남이라서 표를 몰아 받고 당선됐다는 믿기 힘든 일화를 가지고 있다. 무려 1천 6백만 표(60.3%)라는 경이로운 득표율을 보였는데 이는 제3

대 대통령인 토머스 제퍼슨이나 제5대 대통령인 제임스 먼로 이후 최대이며, 바로 직전 제28대 대통령인 윌슨의 표(약 9백만표)의 1.7배로, 이 기록은 60.8%를 받은 제32대 대통령인 프랭클린 루스벨트(1936년 재선)까지 깨지지 않았다. 이후엔 제36대 대통령인 린든 B. 존슨의 61.1%(1964년), 제37대 대통령인 리처드 닉슨의 60.7%(1972년) 등의 기록이 있지만 이들의 기록은 모두 신임 받은 재선 대통령으로서의 득표였다. 즉, 초선의 인물에게 몰아준 케이스는 이 경우가 유일하다. 하딩은 잘생겼다는 이유로 인기가 많았던 정치인의 대표적인 사례로 손꼽히며, 외모를 기준으로 판단을 내리는 행위를 가리키는 말로 『워렌 하딩의 오류』라는 표현이 생겨났다.

하딩은 무능력한데다 성격도 유약했고, 선출배경에서 볼 수 있듯이 당내 파벌의 안배로 추대되었기 때문에 각 파벌에서 보내온 장관들을 제대로 통제하지 못하였으며, 부하들도 똑같이 무능한데다 부패해서 임기 내내 문제가 끊이지 않았다. 특히 하딩의 친구들로 구성된 "오하이오 갱"들의 부패 때문에 죽을 때까지 힘들어 했다고 한다.

하딩 자신도 자신이 대통령에 어울리지 않는 인물이라고 말할 정도로 능력이나 전망을 갖추었다고 보기 힘든 사람이었고, 하딩이 경제적으로 아무런 조치도 하지 않았기 때문에 대공황이 초래되었다는 이야기까지 나올 정도라고 한다.

하딩 대통령의 임기 3년차인 1923년에 전국연설회에 나선 하딩은 시애틀을 떠나 샌프란시스코로 향하던 기차 안에서 쓰러져

1923.08.02. 샌프란시스코의 한 호텔에서 사망하였는데, 심장마비라는 설이 유력하다. 하딩은 이 무렵 건강이 심각하게 나빠져서 의사가 휴양할 것을 권고했는데도 공화당 의원들이 억지로 밀어붙이는 바람에 아픈 몸을 이끌고 전국연설회에 나섰던 것이다. 더구나 당시 하딩은 자신도 몰랐던 비리와 관련한 보고서를 받고 많은 스트레스를 받고 있었고, 죽기 바로 전 달인 1923년 7월에 알래스카 여행 중 식중독에 걸려 큰 고생을 했다. 결국 그는 기차 안에서 쓰러졌고 샌프란시스코의 한 호텔에서 폐렴 증세를 나타내더니 1주일 정도 병상에 있다가 사망하였다. 하딩 대통령은 테쿰세의 저주처럼 0(10의 자리가 짝수 기준)으로 끝나는 해인 1920년에 당선된 대통령으로서 임기 중에 사망함으로써 테쿰세의 저주의 다섯 번째 희생자가 되었다.

하딩 대통령의 재임시절의 미국은 금주령이 내려져 각종 범죄가 들끓는 어수선한 분위기가 극에 달했고, 행정부는 부패하여 하딩은 '가장 부패한 행정부의 주인'이었다는 오명을 쓰게 되었다. 그런데 좀 더 심각한 사태는 그가 사망한 다음에 터져 나오기 시작했다. 그의 사생활이 대통령으로서는 적절하지 않았다는 사실들이 밝혀졌고, 여러 여인들의 스캔들은 물론 1927년에는 하딩의 딸이라고 자처하는 여성이 책을 펴내 미국을 흔들어놓았고, 1930년에는 하딩이 그 부인과 의사에 의해 독살되었다는 소문이 퍼져 뒷날 사실이 아님이 밝혀지긴 했지만 두고두고 그에 대한 부정적인 이미지가 강화되었다. 또한 하딩 시대의 어두웠던 사회를 배경으로 여러 가지 소설, 영화 등이 제작되어 하딩 시대는 부패와 부정 그리고 혼란의 시대였다는 이미지가 미국인들의 뇌리에 새겨지게 되었다. 이로 인해 '미국인들이 가장 싫어하는 대통령'을 조사할 때마다 1위를 고수하는 역대 대통령으로 평가되고 있다.

반면, 그동안 잘 알려지지 않았던 하딩의 최대 업적은 세계 최초의 군축조약인 워싱턴 해군 군축조약을 성공적으로 마무리지은 것이다. 이 조약 덕분에 미국은 영국과 함께 세계 1위의 해군력을 인정받았을 뿐만 아니라 일본의 해군력을 억제하는데 성공하여 1923년경에 미국과 일본 간의 무제한적인 해군군비경쟁으로 인해 전쟁이 날지도 모른다는 수많은 억측들을 상당 기간 동안 잠재웠다.

(6) 여섯 번째 희생자, 프랭클린 D. 루스벨트 (제32대 대통령)

루스벨트는 1882년 1월 30일 뉴욕 주의 하이드파크에서 출생하여 하버드대학교를 졸업하고 1904년 컬럼비아대 로스쿨에서 법률을 공부하였으며, 1905년에는 제26대 대통령인 시어도어 루스벨트의 조카딸인 애너 엘리너 루스벨트와 결혼했다. 1907년 변호사 자격을 취득하였고, 1910년 뉴욕 주의 민주당 상원의원으로 당선되어 정계에 진출하였다. 제28대 대통령인 우드로 윌슨의 대통령 선거를 지원해주고, 1913년~1920년 윌슨 정부의 해군차관보로 임명되어 제1차 세계대전에서 활약하였고, 베르사유회의에 참석했다. 1920년 민주당 부통령 후보로 지명되어 대통령 후보인 제임스 콕스와 함께 국제연맹 지지를 내걸고 싸웠으나 공화당 대통령 후보인 워렌 하딩(제29대 대통령)에게 패하였다. 그 후 다시 변호사로 일하며 보험회사에도 관계하였으나 1921년 39세의 나이에 사고로 하반신불수가 되었다. 어느 정도 치료 후 체력이 회복되자 1924년 정계로 복귀하였고, 1928년 뉴욕 주지사에 당선되어 2기를 재임하였다.

루스벨트는 1932년 민주당 대통령 후보로 지명되자, 지명수락 연설에서 '뉴딜(New Deal)'정책을 제창하였다. 1929년 이래 몰아닥친 대공황으로 전 국민이 고통 받고 있던 당시 미국의 사정으로서는 뉴딜정책에 희망을 걸었고 결국 허버트 후버(제31대 대통령)를 물리치고 제32대 대통령으로 당선되었다. 대통령 취임 후 뉴딜정책의 일환으로 경제에 대한 정부의 개입을 강화하였고, 의회는 대통령에게 많은 권한을 부여하여 그 정책 실행을 용이하게 하였다. 이에 따라 재기 가능한 은행의 정상화를 도모하고자 긴급은행법을 제정하였고, 주요 농산물의 생산제한으로 농산물가격의 하락을 방시하기 위하여 농업조정법을, 노동자에 대한 안정된 고용과 임금을 확보하기 위하여 국가산업회생법을 각각 제정하였고, 테네시강 유역 개발사업을 통하여 지역개발과 더불어 노동시장의 확충을 기하였다. 그밖에 연방긴급구호대책과 시민보호기구를 통하여 실업자 지원책을 썼다. 1935년 여름부터 경기가 상승되어 1936년 대통령에 재선되었다. 1937년 경기는 다시 악화되기 시작하여 후기 뉴딜로써 대처하였는데, 1939년 제2차 세계대전이 발발하였고, 1940년에 대통령에 3선되었으며, 1941년 12월 7일 일본의 하와이 진주만 공격으로 인한 참전에 의해 군수산업이 호황을 이루어 미국의 경제는 회복하기 시작했고 실업자도 격감했다.

1935년 유럽 정세가 악화됨에 따라 중립법이 제정되었고, 1939년 제2차 세계대전이 발발하자 초기에는 중립을 선언하였으나 나중에는 대부분의 미국인들이 미국의 전쟁 개입을 극력 반대함에도 불구하고 영국과 프랑스를 적극적으로 원조하였다. 1941년 12월 7일 일본의 하와이 진주만 공격을 계기로 참전하였다. 세계평화를 위한 8가지 원칙을 천명한 대서양헌장(1941)에 26개국이 서명하였고, 이후 카이로선언(1943.11.27)에서는 한국을 자유독립국가로 승인할 것을 결의하여 처음으로 한국의 독립이 국제적으로 보장을 받았고, 카이로선언의 조항은 포츠담선언(1945.7.26)에서 재확인됐다. 이어 테헤란회담(1943.12.), 얄타회담(1945.2.) 등의 연합국 회의에서 미국은 전후 처리문제 등에 관하여 주도적 역할을 담당하였고, 전쟁종결에 많은 노력을 기울였다. 그러나 얄타회담(1945.2.)에서 전후 한국을 일정기간 신탁통치할 것에 합의하여 분단의 원인을 초래했다. 루스벨트는 1944년 네 번째로 대통령에 당선되었고 국제연합 구상을 구체화하는 데 노력하였으나, 1945년 4월 12일 제2차 세계대전의 종결을 눈앞에 두고 뇌출혈로 사망하였다. 루스벨트 대통령은 테쿰세의 저주처럼 0(10의 자리가 짝수 기준)으로 끝나는 해인 1940년에 당선(3선)된 대통령으로서 임기 중에 사망함으로써 테쿰세의 저주의 여섯 번째 희생자가 되었다.

루스벨트는 미국 역사에서 유일하게 대통령으로 네 번이나 당선되어 12년간 백악관을 차지했던 장기집권자인데, 4선 임기 초기에 병사하자 부통령이었던 트루먼이 대통령직을 승계하였고, 1948년 대통령 선거에서 트루먼이 당선된 후 1951.2.26. 수정헌법 제22조(누구도 대통령의 직위에 세 번 이상 선출될 수 없다)

를 통해 대통령 임기를 2기로 제한하게 되었다.

루스벨트는 1921년 7월 여름별장이 있던 캐나다의 캄포벨로 섬에서 휴가를 보내던 중 찬물에 빠져 하반신불수라는 치명적인 장애를 입었으나 그는 절망하지 않고 뼈를 깎는 재활치료와 노력으로 도움이 필요하기는 해도 움직일 수 있는 정도로 회복되자 사람들의 놀라움 속에 다시 정계로 복귀하여 경제가 계속 악화되던 1928년 뉴욕 주지사로 당선되어 혁신적인 프로그램을 훌륭하게 수행했고, 이런 업적을 바탕으로 주지사 재선에 성공한 그는 재임기간(1929~1932) 중 최고의 주지사라는 평가를 받으면서 마침내 1932년 민주당 대통령 후보로 지명되었다.

루스벨트와 부인 엘리너의 결혼생활은 개성 강한 시어머니 새라와 며느리 엘리너의 불편한 관계로 다소 힘든 면도 있었지만 6남매를 낳을 정도로 초기에는 비교적 순탄했으나 얼마 후 루스벨트가 엘리너의 개인 비서이던 루시와 외도를 하면서 결혼생활에 결정적으로 금이 갔다. 그들의 불륜 관계를 알게 된 엘리너는 즉시 이혼을 요구했지만 시어머니 새라는 아들의 정치 역정에 큰 흠이 될 것을 걱정해 이혼에 강력 반대했다. 루스벨트 자신도 엘리너에게 다시는 루시를 만나지 않겠다고 약속했으나 이 약속은 지켜지지 않았다. 이후 루스벨트 부부의 한 번 깨진 신뢰 관계는 좀처럼 회복되지 못한다. 다만 엘리너는 이 사건 이후에도 야망을 가진 정치가의 아내로서 나름의 내조 역할은 수행한다. 루스벨트와 루시의 관계는 훗날 루스벨트가 대통령이 된 이후에도 이어지며, 1945년 4월 12일 루스벨트가 뇌출혈로 생의 마지막을 맞이하는 순간에 그와 같이 있었던 사람도 루시였다.

(7) 일곱 번째 희생자, 존 F. 케네디 (제35대 대통령)

존 F. 케네디를 이야기하면서 케네디 가문을 빼놓을 수는 없다. 케네디는 1917년 5월 29일 아일랜드 이민자의 후손 조지프 패트릭 케네디와 보스턴 시장과 의원을 지낸 존 F. 피츠제럴드의 딸 로즈 피츠제럴드 사이에서 둘째 아들로 태어났다. 아버지 조지프는 금융, 부동산, 영화산업, 주류업 등으로 많은 재산을 모아 프랭클린 D. 루스벨트 대통령을 재정적으로 후원하고 영국 주재 대사로도 활동했다. 그들 사이에 태어난 케네디 대통령을 포함한 아홉 남매는 다음과 같다. ①조지프 패트릭 케네디 2세 (1915~1944. 2차 세계대전 중 도버해협 상공에서 전사), ②존 피츠제럴드 케네디(1917~1963, 제35대 미국 대통령), ③로즈마리 케네디(1918~2005. 정신지체와 뇌수술 실패로 수용시설에서 지냄), ④캐슬린 아그네스 케네디(1920~1948. 프랑스에서 비행기 사고로 사망), ⑤유니스 메리 케네디 슈라이버(1921~2009. 딸 마리아 O. 슈라이버가 영화배우 아널드 슈워제네거와 결혼 후 이혼), ⑥퍼트리셔 케네디(1924~2006), ⑦로버트 프랜시스 케네디 (1925-1968. 법무장관, 상원의원. 로스앤젤레스에서 암살당함), ⑧진 앤 케네디(1928~. 클린턴 정부 시절 아일랜드 주재 대사 역임), ⑨에드워드 무어 케네디(1932~2009, 상원의원).

아홉 남매 가운데 둘이 암살당했고, 장래가 촉망되던 장남은 스물아홉 살 때 전사했으며, 딸들 가운데 하나는 비행기 사고로 사망하고, 하나는 수용시설에서 생애를 보냈다. 막내 에드워드도 1969년 여비서와 함께 자동차를 타고 가다 사고로 여비서가 사망하는 스캔들과 약물중독 등으로 더 큰 정치적 꿈을 펼칠 수 없었다. 존 F. 케네디의 아들 존 F. 케네디 주니어도 1999년 마흔 살에 비행기 추락으로 사망했다.

정치인으로 대성한 존 F. 케네디, 로버트 F. 케네디, 에드워드 M. 케네디가 모두 하버드대를 졸업했다는 점도 예사로운 것은 아니다. 이들의 아버지 조지프 P. 케네디도 하버드 출신이며, 외조부(조지프 패트릭 케네디의 장인) 존 F. 피츠제럴드도 하버드 의대에 재학한 적이 있다. 대기근의 참상에서 벗어나기 위해 이민한 아일랜드인들 가운데 자수성가하여 막대한 부와 사회적 영향력을 확보한 집안이, 자녀들을 물심양면으로 뒷받침해 최고 수준의 교육을 받게 하여 마침내 미국 주류 사회의 최고 리더로 만든 셈이다.

역사는 가정을 허락하지 않지만, 존 F. 케네디가 암살당하지 않았다면 그 동생 로버트 F. 케네디와 에드워드 M. 케네디까지 대통령이 될 수도 있지 않았을까 상상하는 사람들마저 있다. 반면 이들의 아버지 조지프 케네디가 부를 쌓은 과정이 떳떳하지 못했던 것을 꼬집는 시각도 있다. 조지프 케네디는 미국에 금주법(1920-1933)이 시행되고 있을 때 캐나다에서 미국으로 주류를 밀반입했다는 의혹을 받아왔다(정확한 증거는 없다). 1933년 금주법이 폐지된 뒤 그의 수입회사는 주류 수입권을 독점하게 되었고, 나중에 회사 주식을 매각하여 엄청난 수익을 올렸다. 이 수익을 바탕으로 그는 미국 내 주요 사무용 건물을 사들여 역시 엄청난 수익을 올렸다.

케네디家의 형제들이 정치인으로서의 자질을 갖게 된 것은 집안 식탁에서부터 길러진 것으로 알려져 있다. 어머니 로즈는 자식들에게 뉴욕타임스를 비롯한 주요 신문, 잡지에서 토론 주제가 될 만한 중요한 기사를 읽게 하고 식사 시간을 토론의 장으로 이끌었다. 의견을 주고받는 사이에 토론의 기술은 물론이고, 상대방의 의견을 경청하고 자기 의견을 펼치면서 자연스럽게 민주정치의 기본을 몸에 익힌 셈이다. 아버지가 만난 유명 인사들이나 사업에 관한 이야기도 식탁의 단골 메뉴였다. 아버지의 이야기를 통해 자녀들은 미국을 이끌어 가는 주류 사회와 리더십에 관한 식견을 키울 수 있었다.

그런데, 존 F. 케네디보다는 형 조지프와 동생 로버트가 집안의 기대를 모았다. 이에 비해 존은 말썽도 제법 피웠고 공부에 전념하는 스타일도 아니었다. 정치적 야심이 강했던 아버지 조지프는 장남을 미래의 대통령으로 키우려 했다. 나중에 제35대 미국 대통령이 된 차남인 존은 어릴 때 허약 체질이어서 정치인의 자질이 없다고 여겼다. 집안의 기대를 한몸에 받던 장남 조지프는 재학 중이던 하버드대 로스쿨의 마지막 해인 1943년 2차 세계대전에 폭격기 조종사로 참전한다. 제대할 수 있었지만 전장을 떠나지 않고 '아프로디테 미션'이라는 작전에 참여했다. 폭약물을 가득 실은 비행기를 목표지점에서 폭발시키면서 폭발 직전 낙하산으로 탈출하는 임무였다. 1944년 8월 12일 그는 동료 월포드 윌리 중위와 함께 9,600kg의 고성능 폭약이 실린 폭격기에 올라탔다. 프랑스 내 독일군 요새가 목표물이었다. 하지만 폭격기에 실린 고성능 폭약이 미리 폭발하면서 조지프는 도버해협 상공에서 전사했고, 시신은 찾지 못했다. 조지프의 전사는 '케네디가의 저주'로 불리는 형제들의 첫 죽음으로 거론되지만, 동시에 '노블레스 오블리주'의 주요 사례로도 인용된다. 왕실이 없는 미국은 케네디家를 '로열 패밀리'로 여긴다. 케네디家의 부와 권력, 명성뿐만 아니라 국가를 위한 헌신과 희생도 로열 패밀리로 자리매김하는 동력이 되었다.

조지프의 동생 존(제35대 대통령)도 참전했다. 당초 신체검사 불합격으로 입대를 거부당했지만 아버지가 정치적 영향력을 발휘해 입대시킨 일화는 유명하다. 아버지 조지프는 리더가 되기 위해선 참전이 필수라고 생각했다. 존이 청소년 시절 말썽을 피웠을 때 아버지는 이런 편지를 써서 아들에게 전했다. 『잔소리꾼이 되기 싫다. 너의 재능은 탁월해. 판단이 정확하고 이해력 깊은 사람이 되어주기를!』 존이 하버드대를 졸업할 때 아버지는 축전을 보냈다. 『믿어 의심치 않는다. 네가 누구보다 지혜롭다는 것, 그리고 나의 멋진 아들이라는 것. 졸업 축하한다.』 아낌없는 물적 뒷받침과 함께 절대적인 신뢰와 격려를 보내고 자부심과 자신감을 키워주었던 것이다.

1960년 11월 9일 치러진 대통령 선거에서 케네디의 상대 후보는 현직 부통령이던 공화당의 리처드 닉슨이었고 선거전은 치열했다. 각 당의 전당대회를 마친 뒤 실시된 여론 조사에서도 47% 동률일 정도였다. 투표 다음 날인 11월 10일 아침에 승부가 판명됐고, 닉슨이 패배를 인정한 것은 그날 정오가 다 되어서였다. 케네디는 총 6천8백83만8천979표 중 11만2천803표의 우세를 보여 전국 지지율에서 0.2% 차이밖에 나지 않았지만, 선거인단 수에서 303명을 확보하여 닉슨 후보(219명)를 따돌렸다.

부통령 자격으로 대통령직을 승계한 시어도어 루즈벨트(42세)를 제외하면 미국 역사상 최연소(43세)의 대통령이 나온 것이다. 또한 20세기에 태어난 사람으로선 처음으로 미국 대통령이 됐다. 더불어 최초의 가톨릭 신자 미국 대통령이 탄생한 것이다. 그러나 선거 과정을 놓고 뒷말이 무성했다. 예컨대 하와이 주는 재개표를 통해 당초의 닉슨 승리에서 케네디 승리로 번복됐고, 닉슨은 억울함을 참으며 2차 재개표를 요구하지 않고 패배를 인정해야 했다. 이를 두고 2000년 대통령 선거에서 민주당의 앨 고어와 공화당의 조지 W. 부시가 격돌하여 부시가 승리했던 상황과 각 당의 처지만 바뀐 모양새라고 말하는 이들도 있다.

1961.01.20. 케네디 대통령의 취임식에서는 로버트 프로스트가 자신의 시 '아낌없는 선물'(The Gift Outright)을 낭송했다. '우리가 이 땅의 사람이기 전부터 이 땅은 우리에 속했다'로 시작되는 이 시는 식민지 상태를 투쟁으로 극복하고 개척의 역사를 일구어 온 미국에 대한 자부이며 결의였다. 케네디를 위해 새로 쓴 헌시(獻詩)를 낭송하려 했지만 의사당을 덮은 눈이 햇빛을 반사시켜 읽기 어렵게 되자 오래 전(1942년)에 썼던 시를 암송했다는 뒷이야기가 전해진다. 우연찮게 선택한 이 시는 케네디가 취임하면서 했던 아래와 같은 요지의 명연설과도 잘 어울리는 것이었다.

『 국민 여러분, 조국이 여러분을 위해 무엇을 할 수 있을 것인지 묻지 말고, 여러분이 조국을 위해 무엇을 할 수 있는지 스스로에게 물어보십시오. 세계의 시민 여러분, 미국이 여러분을 위해 무엇을 베풀 것인지 묻지 말고, 우리 모두가 손잡고 인간의 자유를 위해 무엇을 할 수 있을지 스스로에게 물어보십시오. 」

케네디 대통령은 재임 시절 많은 업적을 쌓았을까? 2년 10개월의 짧은 재임 기간도 한계였겠지만, 국내 정치에서는 의회와의 관계가 그다지 원활하지 못했다. 예컨대 인종, 종교, 국적 등에 따른 차별을 철폐하기 위한 포괄적인 민권법안은 케네디가 제안했지만 의회에서 통과되지 못했고, 그가 1963.11.22. 세상을 떠난 뒤 대통령직을 승계한 부통령 린든 존슨(제36대 대통령)의 노력으로 1964년 7월 2일에 통과됐다. 이는 미국 역사상 시민권에 관한 가장 중요한 연방법으로 평가 받는다. 린든 존슨은 이 법안을 통과시켜 케네디를 추모하자고 상·하원에 호소했다.

또한 케네디 행정부는 여성지위자문위원회를 통해 여성들의 정치적, 경세적, 교육적 지위를 진단하고 개선하려는 노력을 했다. 이러한 노력은 1963년 동등 임금법 통과로 이어졌고, 민권법에도 많이 반영됐다. 복지 분야에서도 노인의료보험제도 도입과 실시를 의회에 강력히 권고하면서 정부에 사회보장자문위원회를 설치했다. 이 역시 케네디 정부 시절에는 결실을 맺지 못하고, 린든 존슨 정부에 들어와 노인의료보험제도(메디케어)와 저소득층 의료보호제도(메디케이드)를 포함한 사회보장법 개정안이 1965년 통과됐다.

1962년 10월 22일부터 11월 2일까지 핵전쟁 발발 직전까지 갔던 쿠바 미사일 위기 사태를 해결한 것은 케네디의 위기 극복 의지와 능력을 보여주는 사례다. 이 사태는 소련이 핵탄도 미사

일을 미국 코앞의 쿠바에 배치하려 하자 미국이 운반선을 막기 위해 군함을 보내면서 벌어진 것이다. 결국 협상으로 막을 내린 이 사건은 소련과 미국 간 핫라인 개설과 부분적인 핵실험금지 조약 체결로 이어졌다.

개발도상국의 발전을 돕기 위해 봉사자들을 훈련시키고 파견하는 단체인 '평화봉사단'을 창설한 것도 케네디의 업적이다. 또한 중남미 20여 개 국가들과 '진보를 위한 동맹'도 추진했다. 미국이 경제원조와 민간투자를 시행하고, 중남미 각국이 경제 및 사회발전을 위해 노력한다는 이 계획은 쿠바혁명의 영향을 막기 위한 것이었다.

그러나, 케네디는 1961년 4월 17일 약 1천 500 명의 반(反)카스트로 쿠바 망명자들이 쿠바를 침공했다가 실패한 피그스만 사건에 대해 어느 정도 책임이 있다. 이 침공은 미 중앙정보부의 적극적인 지원 하에 이루어졌다. 비록 전 정부 하에서 계획되었고 중앙정보부가 잘못된 정보를 보고했다고는 하지만 이 사건으로 쿠바와의 적대관계가 깊어지고 동서 냉전의 긴장도 높아졌으며, 쿠바 미사일 위기에도 영향을 미친 것으로 평가 받는다. 또한 케네디는 1963년 말까지 남베트남에 1만 6천명의 군대를 최초로 파견했다. 그는 베트남전의 부정적 전망을 간파했지만 빠져나올 기회를 좀처럼 잡지 못하고 깊이 개입하게 되었다. 재임 중 배우 마릴린 먼로를 비롯한 많은 여성들과 '부적절한 관계'를 가진 것도 입방아의 대상이 되곤 한다.

케네디는 1963년 11월 22일 오후 12시 30분(미국 중부 표준

시) 텍사스 주의 댈러스에서 퍼레이드에 참석해 영부인과 함께 무개차를 타고 이동하던 중 암살당했다. 오후 1시 50분경 용의자로 체포된 리 하비 오스월드는 범행을 부인했으나 이틀 후 댈러스 경찰서의 지하실에서 나오는 순간 나이트클럽 운영자 잭 루비에 의해 사살됐다. 케네디 대통령은 테쿰세의 저주처럼 0(10의 자리가 짝수 기준)으로 끝나는 해인 1960년에 당선된 대통령으로서 임기 중에 사망함으로써 테쿰세의 저주의 일곱 번째 희생자가 되었다.

케네디 암살의 진상을 둘러 싼 음모론과 갖가지 추측과 논란은 현재도 진행형이다. 암살 시점으로부터 약 한 달 전인 1963년 10월 27일 케네디는 애머스트 칼리지에서 로버트 프로스트(1963년 1월 29일 사망)를 추모하는 연설을 했다. 이 연설에서 케네디는 자신이 꿈꾸는 미국의 미래를 다음과 같이 밝혔다.

『 나는 미국의 위대한 미래를 바라봅니다. 군사력이 도덕적 억제력에 부합하고, 부(富)가 지혜에 부합하고, 권력이 목적에 부합하는 미래입니다. 나는 우아함과 아름다움을 두려워하지 않는 미국, 환경의 아름다움을 보호하는 미국, …… 예술적 성취 수준을 꾸준히 높여가고, 국민 모두를 위하여 문화적 기회를 꾸준히 확대하는 미국을 바라봅니다. 비단 힘 때문만이 아니라 그 문명 때문에 세계로부터 존경 받는 미국을 바라봅니다. 』

케네디가 세계로부터 존경 받는 미국을 생각하며 꾸었던 이러한 꿈은 실현되었을까? 국제사회의 공동 번영보다는 자국의 이익만을 위해 일방적 대외정책을 추진하고 있는 미국의 현실을 보면 꿈은 멀기만 하게 느껴진다. 바로 그렇기에 오늘날에도 많은 사람들이 케네디를 이야기하고 그의 죽음을 깊이 아쉬워한다. 케네디는 많은 사람들에게 이루지 못한 하나의 위대한 꿈으로 남아 있는 것이다.

(8) 약화된 저주의 첫 번째 대상자, 로널드 W. 레이건 (제40대 대통령)

레이건은 1911년 2월 6일, 일리노이 주의 작은 도시인 딕슨에서 태어나 자랐다. 그의 아버지는 아일랜드계 미국인으로, 구두 외판원이었다. 당시에는 잘 먹지 않던 내장을 정육점에서 개먹이라고 속이고 얻어다가 먹는 것이 일상이었을 정도로 가난한 어린 시절을 보냈다. 그의 아버지는 자주 외지로 나가 구두 영업을 했는데 추운 겨울날 여관에서 잘 돈도 아까워서 차 안에서 떨면서 자다가 몸이 상해서 늘그막에 잦은 심장발작에 시달렸을 정도였다.

레이건은 십대 때부터 왕성한 사회 활동을 했는데, 강가에서 아르바이트로 안전요원 일을 한 것부터 시작해 고등학교에서는 학생회 회장, 학교연감 편집장, 수영부 주장, 미식축구팀 주전, 육상부 주전, 농구부 응원단 멤버 등을 맡았다. 또한 일리노이의 드넓은 평원에서 말 타기를 즐겼다. 역시 일리노이의 유레카 대학교에 입학해서도 미식축구팀 주전, 수영부 주전, 육상부 주전, 학생회 멤버 겸 학생회장, 연극부 멤버, 농구부 응원단장 등을 맡았다. 수영을 너무 잘해서 수영부에 들어간 지 얼마 안 되어 코치로 올라갔다.

유레카 대학교를 졸업한 후 라디오 아나운서로 스포츠 중계를 하다가 그를 눈여겨 본 워너 브라더스 사에 의해 영화배우가 되어 여러 영화에 출연한다. 비중이 적은 배역을 주로 맡았지만 레이건 만한 미남은 할리우드에서도 흔치 않아서 톱스타가 아니었을 뿐 대중적 인지도는 있었고 톱스타 여배우들에게는 인기가 많았다.

그 시절 레이건은 전미영화배우협회장을 지내는 등 정치활동에 집중했고 영화계 내 반공 운동의 선도 주자로 달려 배우들의 사상을 FBI에게 일일이 보고하고 의회에 증인으로 적극적으로 나설 정도였다. 성향도 점점 보수적으로 변해 민주당에서 탈당하여 공화당에 입당하였다. 원래는 해리 트루먼을 지지하는 등 민주당 성향이었으나 아내 낸시를 만난 후 점점 보수적인 정치 성향을 띄게 되어 아이젠하워와 닉슨을 지지하였다. 나중에 그의 정치적 변화에 관하여 그는 "나는 민주당을 떠나지 않았다. 민주당이 날 떠났다" 라고 여러 번 설명하기도 했다. 또한 메디케어가 1961년에 시작되자 미국의 자유를 위협하는 법으로 사회주의에 가깝다며 비판을 하기도 했다.

1966년 캘리포니아 주지사 자리에 도전하면서 두 가지 공약을 내세우는데, 첫 번째는 '복지 혜택을 받는 백수들을 다시 일하게 만들겠다'와 두 번째는 당시 반전운동의 중심지였던 '버클리 대학교에서의 사태를 청소하겠다' 였다. 레이건은 당시 두 번 주지사를 지낸 민주당 정치인 팻 브라운을 꺾고 당선되었다. 레이건은 캘리포니아 주지사로서 간접세 인상, 주 정부 규모 축소, 복지 개혁으로 재정흑자를 만들었고 버클리 대학교에서의 반전운동을 주방위군을 불러서 맞서기도 하였다. 이때의 강경대응으로 사망자도 발생했고, 레이건이 농성을 벌이던 학생들에 동조하는 교수대표단과 험악하게 비난을 주고받는 장면이 생중계로 전파를 탔다.

 이 시기의 그의 모습은 '전통적인 미국을 지키는 투사'의 이미지였다. 항상 화나있고 상대방을 언변으로 압살하는 인상이었는데, 이런 결기서린 모습이 공화당 유권자들에게는 무너져가는 미국을 지킬 수 있는 보수의 아이콘으로 비춰졌다. 그 당시 미국에서는 베트남 전쟁의 장기화에서 비롯된 히피 문화와 사회주의, 마약남용 등 전통적인 미국에 반하는 움직임이 들불처럼 번져나가고 있었고, 그렇게 사회적 분열과 국력의 소모를 감내한 보람도 없이 월남의 공산화로 베트남전이 끝을 맺으면서 미국은 패배주의와 자국혐오의 늪에 빠져들고 말았다. 또한 '로 대 웨이드(Roe v. Wade)'라는 역사에 남을 연방대법원 판결이 선고되어 낙태가 헌법적으로 허용되고, 기독교의 영향력이 크게 줄어드는 등 미국은 근본적인 가치관의 변화를 겪고 있었다. 워터게이트로 정국 주도권을 완전히 헌납한 보수주의자들은 이를 무력하게 바라볼 수밖에 없었다. 이런 상황에서 대중에게 친근한 언어와 강단 있는 어조로 전통적인 미국을 회복하자고 부르짖는 레이건은 당연히 보수층에서 인기를 끌 수밖에 없었다.

 한편 레이건의 주 지지층의 입장과는 달리 좌파진영에서는 레이건을 시대정신에 무관심한 상류층 셀럽 출신의 기득권자로 비난했으며 폴리테이너라고 봤다. 보수층 중에도 레이건을 생각없이 말만 앞서는 위험한 인물로 경계하는 움직임이 있었다. 또한 정치 스펙트럼으로 보면 레이건은 정신나간 호전광이라고 비난받으며 낙선한 배리 골드워터의 보수주의를 이어받은 강경파 계보에 속했고 그 당시의 미국은 그런 지도자를 맞을 준비가 안되어 있었다. 이런 요인 때문에 레이건은 대선경선 재수생이었고, 비록 주목을 끌기 시작한 대권 잠룡이기는 했으나 혜성처럼 등장해서 대통령이 된 인물은 결코 아니었던 것이다.

레이건은 캘리포니아 주지사 임기 이후 당시 인기가 별로 없던 현역 대통령 제럴드 포드(제38대 대통령)에게 도전하여 공화당 대통령 후보가 되려고 했다. 현역 대통령이 당의 경선에서 떨어지는 경우는 거의 없었기 때문에 포드의 당선이 거의 확실시 되는 것처럼 보였으나 레이건은 공화당의 보수표를 결집시키며 남쪽과 서쪽에서 승리를 거두며 온건 보수 성향을 띄는 포드를 거의 이길 뻔 했으나 근소한 차이로 패배했다. 그 후 포드 지지를 선언하면서 그의 선거 유세를 도왔지만 포드는 민주당의 지미 카터(제39대 대통령)에게 패배하게 된다. 4년 후 그는 다시 대통령의 자리에 도전했으며 공화당 경선에서 조지 H. W. 부시(제41대 대통령)를 쉽게 꺾고 공화당 대통령 후보로 선출되었다. 결국 포드 - 카터로 이어지는 시기 동안 미국이 대내외적으로 혼미한 상태에 빠지자 레이건은 인기를 잃은 지미 카터를 쉽게 누르고 1980년 제40대 대통령으로 당선되었다.

레이건은 대통령 재임 중에 암살 시도를 겪었는데, 1981년 3월 30일 호텔에서 나서던 도중 존 힝클리 주니어가 레이건을 향해 탄환을 6발 사격했다. 존 힝클리 주니어는 곧바로 경호원과 경찰관들에게 제압되고, 레이건은 바로 차량에 옮겨졌는데 직격하지는 않았지만 방탄차에 튕긴 총알에 맞았고, 현장에 있던 백악관 대변인 제임스 브래디와 시크릿 서비스 경호원 팀 매카시, 경찰관 토마스 델라한티 3명도 총상을 입었다.

레이건의 부상이 확인되자 곧바로 병원으로 이송되어 탄환 제거 수술을 받았다. 고령의 나이로 위험할 수 있던 상태였는데 탄환이 폐를 살짝 건드린 정도라 부상에서 회복해 테쿰세의 저주를 처음으로 깬 대통령이 되었다. 즉 레이건 대통령은 테쿰세의 저주에서 언급된 0(10의 자리가 짝수 기준)으로 끝나는 해인 1980년에 당선된 대통령이었지만 임기 중에 사망하지 않았기 때문에 테쿰세의 저주를 깬 첫 번째 대통령이 되었다.

한편, 총격을 당한 다른 3명도 기적적으로 살아남았지만 제임스 브래디는 이마에 직격해 뇌가 파열되어 하반신 마비와 정신착란 증상으로 평생을 휠체어 신세로 살다가 2014년 8월 4일 74살 생일을 얼마 안 남기고 세상을 떠났다. 레이건은 회복 후 연설 도중에 총알이 빗나갔다며 농담을 할 정도로 담대한 모습을 보였던 것과는 달리 고령인 몸에 중상을 입고 가까스로 살아난 탓에 이 사건 이후에 급격히 쇠약해졌다고 한다. 한동안 산소통을 백악관에 준비할 정도였고 집무 중에 피를 토한 적도 있었다. 고령에 마취를 동반한 수술이 뇌손상을 불렀다는 이야기도 있다.

이처럼 큰 충격과 후유증을 남긴 암살미수를 일으킨 존 힝클리 주니어의 암살 동기는 황당하기 짝이 없었다. 대통령을 저격하면 자신이 동경한 영화배우 조디 포스터가 자기에게 고백할 것이라고 생각했다고 한다.

  레이건에 대한 평가는 미국 국민들 사이에서는 인기가 제법 좋은 편이지만 정치학자나 역사학자 같은 전문가들의 평가는 약간 미묘하다. 부정적으로 평가하는 좌파 성향의 전문가들은 부도덕한 스캔들과 교양이 부족한 면모, 지나친 군비 확장, 사회보장제도의 축소, 전통적 가치들의 복원으로 인한 기독교 근본주의 확산 등을 들어 비난하고, 높이 평가하는 우파 성향의 전문가들은 냉전 종식의 주역이라는 것과 오늘날의 강력한 미국을 만드는 데 큰 역할을 했으며, 훌륭한 소통능력을 보여준 대통령이라는 점을 들어 옹호한다.

  레이건은 1989년 초 8년간의 대통령 임기를 마치고 퇴임하였는데, 1994년에 발병한 알츠하이머(치매)로 약 10년 동안 투병하다가 2004.06.05. 만 93세 4개월의 나이로 사망하였다. 사망 당시 기준으로는 역대 미국 대통령 중 최장수였는데, 이 기록은 2018.11.30. 만 94세 5개월의 나이로 사망한 제41대 대통령인 조지 H. W. 부시(1924.06.12 ~ 2018.11.30)에 의해 깨졌다.

(9) 약화된 저주의 두 번째 대상자, 조지 W. 부시
      (제43대 대통령)

  조지 워커 부시(George Walker Bush)는 1946년 7월 6일 생

이며, 2001년부터 2009년까지 8년간 제43대 대통령이었다. 또한 제41대 대통령이었던 조지 허버트 워커 부시의 아들이다.

미국 역사상 한 가문에서 두 명의 대통령을 배출한 가문이 네 가문인데, ①제2대 대통령 존 애덤스와 제6대 대통령 존 퀸시 애덤스는 부자관계, ②제9대 대통령 윌리엄 해리슨과 제23대 대통령 벤저민 해리슨은 조부와 손자의 관계, ③제26대 대통령 T. 루스벨트와 제32대 대통령 F. D. 루스벨트는 12촌 관계, ④제41대 대통령 G. H. W. 부시와 제43대 대통령 G. W. 부시는 부자관계이다.

조지 부시는 부시 가문이 대대로 다니던 미국 최고 명문 보딩스쿨인 필립스 앤도버 고등학교를 졸업하고, 부시 가문이 대대로 예일 대학교를 졸업했고 학교에 기여를 했기에 기여입학제의 혜택을 보면서 예일 대학교에 입학했으나 부시가 공부를 질하는 편은 아니어서 대학 학점은 좋지 않았다. 대학 졸업 후 텍사스주방위군 공군에 조종장교로 입대하여 복무하였고 중위로 전역하였다. 복무 중에 텍사스 대학교 로스쿨에 지원했으나 낙방했었고 1973년 하버드대 비즈니스 스쿨에 입학하여 2년 뒤 경영학 석사학위(MBA)를 취득했다. 부시는 미국의 역대 대통령(45명) 가운데 경영학 석사학위(MBA)를 취득한 첫 번째 대통령인데, 아버지 때부터의 인연으로 입학한 명문 예일대 학부보다는 하버드대 MBA 졸업에 자부심을 느껴온 것으로 널리 알려져 있다.

부시는 1989년 메이저 리그 베이스볼 야구팀인 텍사스 레인저스의 구단주 겸 공동대표로 취임 후 구단 경영을 흑자로 전환시켜 이름을 알렸으며, 이 기세를 이어가 1994년 11월 8일 텍사스 주지사로 선출되었고, 1998년 11월 3일 재선에 성공한 그는 텍사스 주 역사상 최초로 4년 임기를 연임한 주지사로 기록되었다.

한편, 월스트리트저널(WSJ)은 2009년 4월, 1900년 이후의 미국의 역대 대통령 중 '스포츠 대통령' 순위를 정했는데, 부시가 2위였다. 1위는 시어도어 루스벨트(재임 1901~1909)가, 3위는 당시 현직 대통령인 오바마(재임 2009~2017)가 차지했다.

1위에 오른 루스벨트의 경우는 백악관에서 권투와 레슬링을 하는 등 진정한 스포츠맨이었다. 그는 또 선수들의 격렬한 충돌로 사망사고가 발생했던 대학 농구에 안전 규정을 강화하는데 앞장섰다.

2위인 부시는 규칙적인 달리기는 물론 산악 자전거를 타는 것을 즐겼고, 2001년 9.11 테러 직후 프로야구 월드시리즈가 열린 뉴욕에서 방탄복을 입은 채 시구를 했다. 그는 또 스포츠 전문 방송인 ESPN을 시청하며 휴식을 즐겼다.

참고로, 부시는 1993년 1월 47세의 나이로 휴스턴마라톤대회에 출전하여 3:44:52 라는 놀라운 기록으로 생애 유일한 마라톤을 완주하였다. 자신의 아버지이자 제41대 대통령을 지낸 G. H. W. 부시가 1992년 11월 대통령 선거에서 민주당의 빌 클린턴에게 패배하여 재선에 실패하자 부시는 많은 상처를 받았고, 이로 인한 스트레스를 해소하고자 1992년 12월 댈러스마라톤대회에 도전하려 했으나 주치의가 짧은 훈련 기간으로 42.195km에 참가하는 것은 무리라고 지적하여 1993년 1월 생애 최초이자 마지막 마라톤인 휴스턴마라톤대회에 참가하여 미국의 역대 대통령 중 최고의 기록인 3:44:52 라는 경이적인 기록으로 완주하는 기쁨을 누렸다. 부시의 달리기는 1972년 36세의 나이에 시작되었고, 대통령 전용기에 설치된 러닝머신에서도 수시로 뛰었을 정도로 달리기 마니아다.

3위인 오바마는 2009.01.20. 취임 직후 제43회 미국프로풋볼(NFL) 결승전(슈퍼볼) 경기가 열린 2009년 2월 1일 민주당·공화당 의원 등과 함께 백악관에서 음식을 먹으며 TV로 경기를 지켜보는 '슈퍼볼 파티'를 열었고, 프로야구 시카고 화이트 삭스의 모자를 즐겨 쓰는 등 스포츠에 대한 열성을 보여 왔으며, 시카고가 2016년 올림픽 유치에 나서는 것을 지원하는 연설도 했고, 미국이 2018년이나 2022년 월드컵을 유치하는 캠페인의 후원에 나서기도 했다.

한편, 부시는 2000년에 미국 공화당의 대통령 후보로 선출되었다. 이 경선 당시 공화당 내에서 독보적인 지지를 받고 있던 부시에 맞서 후보직에 도전한 인물이 바로 존 매케인이다. 매케인은 뉴햄프셔 프라이머리에서 부시에 승리하는 등 상당한 성과를 보였지만 사우스캐롤라이나 프라이머리에서 패배하면서 사실상 부시의 승리로 끝났다.

본선에서는 진보적이면서도 강한 포용력을 보여주었던 젊고 강한 미국의 이미지를 부활시킨 당시 부통령이었던 민주당의 앨 고어와 격돌하게 된다. 이 선거에서 부시는 유권자 득표에서 고어에게 50만 표(0.5%) 이상 뒤졌으나 선거인단 수 확보에서 271 대 266으로 앞서 대통령에 당선되었다. 하지만 선거 과정에서 부시의 동생인 젭 부시가 주지사로 재직 중이던 플로리다에서 무효표가 대량으로 발생하는 문제가 있었고, 이에 따라 실시된 재검표가 연방대법원에 의해 중단되었던 것이 대통령 당선에 결정적이었기 때문에 반대자로부터 '부정선거로 당선된 대통령' 이라는 오명을 뒤집어쓰게 된다.

어쨌든 부시(제43대 대통령)는 클린턴 대통령(제42대 대통령)의 전임이었던 그의 아버지 G. H. W. 부시(제41대 대통령)에 이어 대통령 자리에 오름으로써 미국 역사상 두 번째 父子 대통령으로 기록되었다. 대통령 당선과 재임 당시 부시의 주요 지지 세력은 미국 공화당의 양대 최대 지지 세력인 전미총기협회(NRA)와 전통적인 보수 우익세력인 기독교 우파였다.

2000년 대통령 선거 당시 전체 득표에서는 민주당의 엘 고어에게 밀렸지만 플로리다 주의 결과에 따라서는 지지율에서 밀리더라도 선거인단 수에서 역전하여 대통령에 당선될 수 있는 상황에서 플로리다 주에서 부시가 승리하게 된다. 그러나 당시 플로리다 주지사가 부시의 동생이었던 점, 투·개표 방식에서 석연치 않은 문제점들이 여럿 발견되면서 본격적인 논란이 시작되었다.

연방대법원까지 가는 재검표 논란 끝에 연방대법원이 플로리다 법원의 명령을 취소하고 재검표를 하지 않아도 된다는 판결을 내리면서 부시가 간신히 대통령이 됐지만 결국 민심은 분열되었고 취임식에서는 부시의 당선에 반발한 단체들의 시위가 벌어졌고 아예 헬기를 동원해 연설 도중 헬기의 소음으로 부시의 연설을 방해하는 소동까지 벌어졌다.

부시가 대통령으로 취임한 지 8개월 후인 2001년 9월 11일, 부시와 미국은 9.11 테러에 마주쳤다. 테러리스트들이 납치한 여객기들이 뉴욕의 세계무역센터와 워싱턴 D.C.의 펜타곤에 부딪히는 사건이 일어났다. 세계무역센터의 쌍둥이 빌딩은 무너지고 펜타곤의 한 부분이 파괴되었으며, 3천여 명의 사망자와 6천여 명의 부상자가 발생하였다.

미국은 곧 사우디아라비아 출신 재벌 오사마 빈 라덴과 그의 테러리스트 기구 알카에다가 9.11 테러 뒤에 있었다는 결론을 내렸다. 빈 라덴의 본부들과 테러리스트 훈련소들은 아프가니스탄에 있었다. 부시는 아프가니스탄의 통치 단체 탈레반에 빈 라덴을 넘겨주고 훈련소들을 문 닫으라는 명령을 내렸고, 탈레반이 거부하자 부시는 아프가니스탄에 미군을 투입하여 아프가니스탄의 탈레반 정부를 붕괴시켰다. 2003년에는 이라크가 대량살상무기를 보유했다는 점을 들어 4년간 이라크 전쟁을 일으켜 수많은 비판을 받기도 했다. 그 뒤 2006년 12월에는 이라크 대통령 사담 후세인을 처형하고 이라크에 과도정부를 수립했으나 정치적 이견으로 이라크는 혼란에 빠지게 되었다.

한편, 부시 대통령의 취임 직후인 2001년 3월부터 미국 경제는 침체되기 시작하였다. 2001년 9.11 테러 후에 실업률이 늘고 경제는 더욱 악화되었다. 많은 항공사들이 경기 침체 속에 가장 많은 피해를 입었다. 몇몇의 미국 항공사들은 파산되었고, 테러 후에 항공사들의 보안 시스템에 값비싼 정밀 검사를 해야 했다. 또한 많은 사람들이 비행기를 타고 여행을 하는 데 두려움을 느껴 항공사들의 소득이 급격하게 쇠퇴하였다.

국가의 경제적 어려움은 2002년과 2003년에도 계속 되었다. 부시는 경기 부양책으로 감세와 실업자 보조를 실시했다. 2007년에는 미국의 초대형 모기지론 대부업체들이 파산한 서브프라임 모기지 사태가 일어났다. 이 사태는 미국뿐만 아니라 전 세계의 금융 시장에 큰 영향를 끼쳤다. 일각에서는 이 사태의 원인으로 부시 행정부 시절의 신자유주의적인 경제 정책을 지목하고 있으나 아직까지 정확한 원인에 대해서는 전문가들 간의 많은 논쟁이 이루어지고 있다.

부시는 재임 기간 동안에 두 번의 죽을 뻔한 고비를 넘겼다. 그는 2002년 1월 13일에는 프레츨 과자가 목에 걸려 의식을 잃었지만 무사했으며, 2005년 5월 10일에는 야외에서 연설을 하던 중에 괴한이 그를 향해 수류탄을 던졌지만 불발했다. 이 수류탄은 부시와 약 30m 떨어진 곳에 떨어졌다고 한다.

이처럼 부시는 대통령 임기 중에 사망하지 않았기 때문에 테쿰세의 저주를 두 번째로 깬 대통령이 되었다. 즉 부시 대통령은 테쿰세의 저주에서 언급된 0(10의 자리가 짝수 기준)으로 끝나는 해인 2000년에 당선된 대통령이었지만 임기 중에 사망하지 않았기 때문에 1980년에 당선된 레이건(제40대 대통령)에 이어 테쿰세의 저주를 깬 두 번째 대통령이 되었다.

(10) 테쿰세의 저주의 부활 여부, 조 바이든
(제46대 대통령)

2020년 11월 3일에 있었던 미국의 대통령 선거에서 당선된 제 46대 대통령 '조 바이든' 대통령도 테쿰세의 저주에서 언급된 0(10의 자리가 짝수 기준)으로 끝나는 해인 2020년에 당선된 대통령에 해당하기 때문에 임기 중 사망할지 여부가 궁금하다. 물론 '조 바이든' 대통령님의 만수무강을 기원한다.

9. 미국의 3대 명연설

(1) 에이브러햄 링컨 대통령의 '게티즈버그 연설' (1863. 11. 19)

1863년 11월 19일, 남북전쟁(1861년~1865년) 중 게티즈버그 전투의 격전지였던 펜실베이니아주 게티즈버그에서 열린 국립묘지 봉헌식에서 에이브러햄 링컨 제16대 대통령이 한 연설이며, 272단어에 3분여의 짧은 연설이지만, 미국 역사상 가장 위대한 연설이자 가장 많이 인용된 연설문이 되었다.

87년 전 우리의 선조들은 이 대륙에 자유의 정신으로 잉태되고 만인이 평등하게 창조되었다는 신념을 바쳐 새로운 나라를 세웠습니다.

지금 우리는 바로 그 나라가, 아니 이러한 정신과 신념으로 잉태되고 헌신하는 어느 나라이든지, 과연 오래도록 굳건할 수 있는가 하는 시험대인 거대한 내전에 휩싸여 있습니다. 우리는 바로 그 전쟁의 거대한 싸움터인 이곳에 모여 있습니다. 우리가 여기에 온 것은 바로 그 싸움터의 일부를 이곳에서 제 삶을 바쳐 그 나라를 살리고자 한 영령들의 마지막 안식처로 봉헌하기 위함입니다. 우리의 이 헌정은 더없이 마땅하고 옳습니다.

그러나 더 큰 의미에서 보자면, 우리는 이 땅을 헌정할 수도, 축성할 수도, 신성화할 수도 없습니다. 여기서 싸웠던 용맹한 전사자와 생존 용사들이 이미 이곳을 신성한 땅으로 축성하였기에, 보잘것없는 우리의 힘으로 더 보태고 뺄 것 따위가 있을 수 없습니다. 세상은 오늘 우리가 여기 모여 하는 말들을 별로 주목하지도 오래 기억하지도 않을 것이나, 그분들이 이곳에서 이루어낸 것은 결단코 잊을 수 없을 것입니다.

오히려 이 자리에서 살아 있는 자들이, 여기서 싸웠던 그분들이 그토록 고결하게 전진시킨 미완의 과업을 수행하는 데 우리 스스로를 봉헌하여야 합니다. 이 자리에서 우리는 우리

앞에 놓여 있는 그 위대한 사명, 즉 고귀한 순국선열들이 마
지막 신명을 다 바쳐 헌신한 그 대의를 위하여 더욱 크게 헌
신하여야 하고, 이분들의 죽음을 무위로 돌리지 않으리라 이
자리에서 굳게 결단하여야 하며, 이 나라가 하나님 아래에서
자유의 새로운 탄생을 누려야 할 뿐 아니라, 인민의, 인민에
의한, 인민을 위한 통치가 지상에서 사라지지 않아야 한다는
그 위대한 사명에 우리 스스로를 바쳐야 합니다.

(2) 마틴 루터 킹 목사의 'I Have a Dream' (1963. 8. 28)

미국의 내전인 남북전쟁(1861년~1865년)의 초반에는 북군이 남군에게 계속해서 패배를 당하다가 1862년 9월 17일 '트랜턴 전투'에서 북군이 승리하였고, 이를 계기로 남북전쟁을 이끌던 제16대 미국 대통령 '에이브러햄 링컨'은 1862년 9월 22일 '노예해방선언'을 하면서 "1863년 3월부터 노예제도를 폐지한다"라는 발표를 하였지만, 그로부터 100년이 지난 1963년에도 흑인에 대한 인종차별이 지속되고 있었기 때문에 흑인 20여 만명은 1963년 8월 28일 미국의 수도 '워싱턴 D.C.'에서 '워싱턴 대행진'을 하면서 흑인에 대한 인종차별을 중단할 것을 촉구하는 대규모 시위를 진행하였고, 이 '워싱턴 대행진'의 하이라이트가 '마틴 루터 킹' 목사의 'I Have a Dream'이라는 제목의 명연설이었다. 흑인민권 운동가 '마틴 루터 킹' 목사는 이 연설에서 '흑인과 백인의 생활 공간이 분리되는 인종분리가 아닌 흑인이 백인과 같은 교실에서 공부를 하고, 흑인이 백인과 같은 식당을 이용하고, 흑인이 백인과 같은 버스를 타는 그런 세상이 오기를 꿈꾼다'라는 취지의 명연설을 하여 흑인들의 민권 운동에 많은 기여를 하였고, 인종차별정책의 철폐에 지대한 공헌을 한 공로를 인정받아 1964년에는 노벨평화상까지 받았으나 1968년에 암살당하는 비극이 발생하였다.

마틴 루터 킹 목사의 명연설 'I Have a Dream'은 지금까지도 인류 역사상 최고의 명연설 중 하나로 평가받고 있으며, 이 연설의 유명한 문장이 지금도 교과서에 실리거나 유명인들이 연설에서 인용하는 경우도 많다.

우리 역사에서 자유를 위한 가장 훌륭한 시위가 있던 날로 기록될 오늘 이 자리에 여러분과 함께하게 된 것을 기쁘게 생각합니다.

백 년 전, 한 위대한 미국인이 노예해방령에 서명을 했습니다. 지금 우리가 서있는 이곳이 바로 그 상징적인 자리입니다. 그 중대한 선언은 불의의 불길에 시들어가고 있던 수백만 흑인 노예들에게 희망의 횃불로 다가왔습니다. 그 선언은 오랜 노예 생활에 종지부를 찍는 즐겁고 새로운 날들의 시작으로 다가왔습니다.

그러나 그로부터 백 년이 지난 오늘, 우리는 흑인들이 여전히 자유롭지 못하다는 비극적인 사실을 직시해야 합니다. 백 년 후에도 흑인들은 여전히 인종차별이라는 속박과 굴레 속에서 비참하고 불우하게 살아가고 있습니다. 백 년 후에도 흑인들은, 이 거대한 물질적 풍요의 바다 한가운데 있는 빈곤의 섬에서 외롭게 살아가고 있습니다. 백 년 후에도 흑인들은 여전히 미국 사회의 한 귀퉁이에서 고달프게 살아가고 있습니다. 그들은 자기 땅에서 유배당한 것입니다. 그래서 우리는 오늘, 이 끔찍한 현실을 알리기 위해 이 자리에 나온 것입니다.

어떤 의미에서 우리는 국가로부터 받은 수표를 현금으로 바꿔야 할 시기에 온 것입니다. 미국의 건설자들이 헌법과 독립선언문에 훌륭한 표현들을 써넣을 때, 그들은 모든 미국인들을 상속자로 둔 약속어음에 사인을 했습니다. 그 어음은 흑인과 백인 모두에게 삶과 자유, 행복 추구권이란 양도할 수 없는 권리를 보장한다고 약속되었습니다.

그러나 오늘날 미국이, 시민들의 피부색에 관한 한, 이 약속어음이 보장하는 바를 제대로 이행하지 않고 있다는 것은 분명한 사실입니다. 이 신성한 의무를 존중하지 않고, 미국은 흑인들에게 부도수표를 주었습니다. 이 수표는 "자금이 부족함"이란 도장이 찍혀 돌아왔습니다. 그러나 우리는 정의의 은행이 파산했다는 말을 거부합니다. 우리는 이 나라에 기회의 금고에 자금이 충분치 않다는 사실을 거부합니다. 그래서 우리는 이제 이 수표를 현금으로 바꿔야 할 때에 다다랐습니다. 이 수표는 우리가 요구하는 바에 따라 충분한 자유와 정의에 의한 보호를 우리에게 줄 것입니다.

또한 우리는 바로 지금 이 순간의 긴박성을 미국인들에게 일깨우기 위해 이 자리에 모였습니다. 우선 냉정을 되찾으라는 사치를 누릴 여유도, 점진주의라는 이름의 진정제를 먹을 시간도 없습니다. 지금 이 순간이 바로 민주주의의 약속을 실현할 때입니다. 지금이 바로 어둡고 외진 차별의 계곡에서 벗어나 햇살 환히 비치는 인종간의 정의의 길에 들어설 때입니다. 지금이 바로 하나님의 모든 자손들에게 기회의 문을 열어줄 때입니다. 지금이 바로 인종간의 불의라는 유사(流沙) 위에서 우리의 나라를 건져 단단한 반석 위로 올라서야 할 때입니다. 지금 이 순간이 정의를 모든 하나님의 자녀들에게 실현시킬 때입니다.

지금 이 순간의 긴박성을 간과한다면, 그것은 이 나라에 치명적인 일이 될 것입니다. 흑인들의 정당한 불만이 표출되는 이 땡볕 속의 여름은 자유와 평등의 상쾌한 바람이 부는 가을이 찾아올 때까지 계속될 것입니다. 1963년은 끝이 아니라 시작입니다. 만일 이 나라가 다시 예전 상태로 돌아간다면, 흑인들이 좀 진정을 하고 자족해야 할 필요가 있다고 생각하는 사람들은 거친 방식으로 미몽에서 깨게 될 것입니다. 흑인들이 시민으로서의 권리를 부여받기 전에는 미국에 휴식도 평온도 없을 것입니다. 정의가 실현되는 밝은 날들이 오기 전까지는 이 나라의 기반을 뒤흔드는 폭동의 소용돌이가 계속될 것입니다.

하지만 정의의 궁전으로 이르는 출발점에 선 여러분들에게 꼭 드리고 싶은 이야기가 하나 있습니다. 우리가 정당한 위치를 찾을 때까지는 나쁜 행동을 해서 죄인이 되어서는 안되겠다는 점입니다. 자유를 향한 갈증을 비탄과 증오로 가득찬 잔을 들이키는 것으로 달래려 하지 맙시다.

금지와 원칙이 있는 높은 곳을 향한 투쟁을 영원히 계속해야 합니다. 우리는 우리의 창의적인 항거가 폭력으로 변질되게 해서는 안 됩니다. 다시, 또 다시, 우리의 힘이 영혼의 힘과 맞닿을 수 있는 저 높은 곳까지 올라가야 합니다. 우리 흑인 사회를 휩쓸고 있는 저 새롭고도 훌륭한 투쟁 정신이 백인들에 대한 불신으로 이어지지 않게 해야 합니다. 오늘 이 자리에 서 있는 백인들이 증명하듯이, 우리의 많은 백인 동지들은 그들의 운명이 우리의 운명과 이어져 있으며, 그들의 자유가 우리의 자유와 뗄레야 뗄 수 없는 관계임을 깨닫고 있습니다. 우리는 홀로 걸어갈 수는 없습니다.

걸어나가면서, 이제 우리는 언제나 더욱 전진해야 한다는 맹세를 해야 합니다. 되돌아갈 수는 없습니다. 인권을 찾고자 하는 사람들에게 "언제 만족하겠는가?"고 묻는 사람들이 있습니다. 흑인들이 경찰의 무지막지한 폭력의 공포에 희생되고 있는 한, 우리에게 만족이란 없습니다. 우리(흑인)들이 여행하다가 피곤에 지쳤을 때, 고속도로 근처의 여관(모텔)이나 시내의 호텔에 잠자리를 얻을 수 없는 한 우리는 만족할 수 없습니다. 흑인이 이주한다는 것이 고작 작은 흑인 게토에서 더 큰 게토로 가는 것이 전부일 때, 우리는 만족할 수 없을 것입니다. 우리의 자녀가 '백인 전용'이라는 표지판 앞에서 자존심을 짓밟히고 존엄성을 박탈당하는 한 우리는 절대로 만족할 수 없습니다. 미시시피의 흑인들이 투표권을 행사하지 못하고, 뉴욕의 흑인들이 마땅히 투표를 할 이유를 찾지 못하는 한, 우리는 만족할 수 없습니다. 아니, 안 됩니다. 우리는 만족하지 않습니다. 정의가 강물처럼 흐르고, 의로움이 힘차고 도도한 물결이 될 때까지 우리는 결코 만족할 수 없습니다.

저는 여러분들 중 어떤 사람이 재판이나 간난(艱難)을 겪다가 여기 오게 되었다는 것에 무신경하지 않습니다. 여러분 중 일부는 좁은 옥중을 나와 신선한 공기를 마신지 얼마 안 되는 사람들도 있습니다. 여러분 중 일부는 자유를 추구하다가 박해라는 폭풍에 남겨져 시달리고, 경찰의 야만스런 폭력이란 강풍에 고통받는 땅에서 오기도 했습니다. 여러분들은 모두 그 새로운(창의적인) 방식으로 다가오는 갖가지 고통을 겪는 데는 베테랑들입니다. 그런 고난들이 곧 속죄를 하는 것이라는 신념으로 계속 일하십시오.

미시시피로 돌아가십시오. 앨라배마로, 사우스캐롤라이나로, 조지아로, 루이지애나로, 북부 도시의 빈민가로, 흑인 거주지 (게토)로 돌아가십시오. 상황이 어떻게든 더 나아질 수 있으며, 나아지고 만다는 것을 명심하십시오. 더이상 우리를 절망의 계곡에서 뒹굴게 두지 맙시다.

여러분에게 말씀드릴 것이 있습니다. 나의 벗들이여, 어제와 오늘 우리가 고난과 마주할 지라도, 나는 꿈이 있습니다. 그 꿈은 아메리칸 드림에 깊이 뿌리 내린 꿈입니다.

나에게는 꿈이 있습니다. 언젠가 이 나라가 모든 인간은 평등하게 태어났다는 것을 자명한 진실로 받아들이고, 그 진정한 의미를 신조로 살아가게 되는 날이 솟아오리라는 꿈입니다.

나에게는 꿈이 있습니다. 언젠가는 조지아의 붉은 언덕 위에 옛 노예의 후손들과 옛 주인의 후손들이 형제애의 식탁에 함께 둘러앉는 날이 오리라는 꿈입니다.

나에게는 꿈이 있습니다. 언젠가는 불의의 열기에, 억압의 열기에 신음하는 저 미시시피주마저도, 자유와 평등의 오아시스로 변할 것이라는 꿈입니다.

나에게는 꿈이 있습니다. 나의 네 아이들이 피부색이 아니라 인격에 따라 평가받는 그런 나라에 살게 되는 날이 오리라는 꿈입니다.

지금 나에게는 꿈이 있습니다!

언젠가는 저 아래 앨라배마 주가, 사악한 인종주의자들이, 주지사가 늘상 주의 결정이 연방정부에 우선한다느니, 연방법의 실시에 대한 거부권이 있다느니 하는 말만 반복하는 바로 그 앨라배마 주가 언젠가는 변하여, 흑인 소년 소녀들이 어린 백인 소년 소녀들과 손을 잡고 형제자매로서 함께 걸어갈 수 있게 되는 꿈입니다.

어느 날 모든 계곡이 높이 솟아오르고, 모든 언덕과 산은 낮아지며, 거친 곳은 평평해지고, 굽은 곳은 곧게 펴지고, 하나님의 영광이 나타나 모든 사람들이 함께 그 광경을 지켜보는 꿈입니다.

이것이 우리의 희망입니다. 이것이 제가 남부로 돌아갈 때 가지고 가는 신념입니다. 이런 신념을 가지고 있으면 우리는 절망의 산을 개척하여 희망의 돌을 찾아낼 수 있을 것입니다. 이런 희망을 가지고 있으면 우리는 이 나라의 이 소란스러운 불협화음을 형제애로 가득 찬 심포니(교향곡)로 변화시킬 수 있을 것입니다. 이런 신념이 있기에, 우리는 함께 일하고, 함께 기도하며, 함께 투쟁하고, 함께 감옥에 가며, 함께 자유를 위해 싸울 수 있으며 우리가 언젠가는 자유로워진다는 것을 알 수 있습니다.

그 날은 하나님의 모든 자식들이 새로운 의미로 노래부를 수 있는 날이 될 것입니다. 『나의 조국, 그분의 땅, 달콤한 자유의 땅, 나 그분께 노래부르리. 나의 부모가 살다 죽은 땅, 필그림 개척자들의 자부심이 있는 땅, 모든 산골짜기로부터, 자유가 울려퍼지게 하라.』

그리고 미국이 위대한 국가가 되기 위해서, 이것은 반드시 실현되어야 합니다.

그래서 자유가 뉴햄프셔의 거대한 언덕에서 울려 퍼지게 합시다.

자유가 뉴욕의 큰 산에서 울려 퍼지게 합시다.

자유가 펜실베이니아의 앨러게니산맥에서 울려 퍼지게 합시다!

콜로라도의 눈 덮인 로키산맥에서도 자유가 울려 퍼지게 합시다!

캘리포니아의 굽이진 산에서도 자유가 울려 퍼지게 합시다!

뿐만 아니라, 조지아의 스톤 산에서도 자유가 울려 퍼지게 합시다!

테네시의 룩아웃산에서도 자유가 울려 퍼지게 합시다!

미시시피의 모든 언덕에서도 자유가 울려 퍼지게 합시다!

모든 산으로부터 자유가 울려 퍼지게 합시다.

그 자유가 울려 퍼지게 할 때, 모든 마을, 모든 부락으로부터, 모든 주와 도시로부터 자유가 울려 퍼지게 할 때, 우리는 더 빨리 그 날을 향해 갈 수 있을 것입니다. 하나님의 모든 자녀들, 흑인이든 백인이든, 유태인이든 비유태인이든, 개신교도이든 가톨릭교도이든, 손을 잡고, 옛 흑인 영가를 함께 부르는 그 날 말입니다.

『드디어 자유가, 드디어 자유가! 전능하신 주님 감사합니다, 우리가 마침내 자유로워졌나이다!』

(3) 버락 오바마 대통령(일리노이주 주 상원의원 시절)의
'민주당 전당대회 기조연설' (2004. 7. 27)

2004. 7. 27 존 케리를 민주당의 대통령 후보로 결정하는 민주당의 전당대회가 미국 보스턴에서 개최되었을 때, 기조연설을 한 인물은 당시 일리노이주의 주 상원의원이었던 버락 오바마였다. 당시 무명의 정치인이었던 버락 오바마는 대중의 마음을 단숨에 사로잡는 이 연설로 일약 스타가 되어 4년 후인 2008.11월 제44대 미국 대통령에 당선됨으로써 미국 헌정사상 최초의 흑인 대통령이 되었다.

미국교통의 요충지이자 링컨을 배출한 땅인 위대한 일리노이주를 대표하여 이 전당대회에서

연설을 하게 된 데 대해 깊은 감사의 뜻을 전합니다.

오늘 밤은 제게 특별한 영광의 밤입니다. 사실대로 말씀드리면 제가 이 자리에 서는 일은

거의 있을 수 없는 일이기 때문입니다.

저의 아버지는 케냐의 작은 마을에서 태어나고 자란 외국 유학생이었습니다.

아버지는 염소를 치고, 양철지붕으로 된 판자촌 학교를 다녔습니다.

저의 할아버지는 영국인 가정의 요리담당 하인이었습니다.

그러나 할아버지는 아들을 위해 큰 꿈을 품고 있었습니다.

어려움을 견디며 열심히 일한 아버지는 예전에 건너왔던 수많은 이들에게

자유와 기회의 등대가 된 마법의 땅 미국에서 공부할 수 있는 장학금을 받게 되었습니다.

이곳에서 공부하는 동안 아버지는 어머니를 만났습니다.

어머니는 아버지의 고향으로부터 지구 반대편에 위치한 미국 캔자스에서 태어났습니다.

어머니의 아버지는 대공황 시절 유전과 농장에서 일했습니다.

진주만 공격 다음 날 외할아버지는 군에 입대해 패튼 장군 휘하에 들어가 유럽전선에 투입되었습니다.

미국에 남아 있던 외할머니는 아기를 키우며 폭격기 조립공장에서 일했습니다.

전쟁이 끝난 후 그들은 제대군인원호법의 지원을 받아 공부를 계속했고

연방주택관리국법을 통해 집을 장만하고 나중에는 기회를 찾아 서부로 머나먼 하와이까지 이주했습니다.

그리고 그들도 딸을 위해 더 큰 꿈을 아메리카와 유럽 두 대륙에서 함께 키운 꿈을 품고 있었습니다.

저의 부모님은 당시로는 이루기 어려운 사랑만 한 것이 아니었습니다.

그들이 이 나라의 가능성에 대한 변함없는 신념도 함께 가지고 있었습니다.

그들은 제게 버락(Barack) 즉 '축복 받은 자'라는 뜻의 아프리카 이름을 지어주시면서

관용의 나라 미국에서는 제 이름이 성공에 걸림돌이 되지 않으리라고 믿었습니다.

부모님은 부유하지 않았지만 제가 이 땅에서 최고의 학교에 갈 수 있으리라는 꿈을 버리지 않았습니다.

왜냐하면 관대한 미국에서는 돈이 많지 않아도 자기 능력을

맘껏 발휘할 수 있기 때문입니다.

지금은 두 분 모두 돌아가셨지만 오늘 밤 저를 내려다보시며 매우 자랑스러워하실 것입니다.

그리고 제가 물려받은(흑백혼혈이라는) 다양성에 감사하는 마음으로 오늘 밤 이 자리에 선

저는 부모님의 꿈이 저의 소중한 두 딸에게로 계속 이어져 나가고 있음을 알고 있습니다.

저는 이 자리에 서서 제 이야기가 더 큰 미국 이야기의 일부이며 저는 저보다 앞서 태어난 모든 분들께 빚을 지고 있고 그리고 미국을 제외한 지구상 다른 어떤 나라에서도 저의 이야기는 상상조차 할 수 없는 이야기라는 사실을 잘 알고 있습니다.

오늘 밤 우리는 미국의 위대함을 확인하러 이 자리에 모였지만 이 나라의 위대한 것은 고층빌딩의 높이나 군사력, 경제 규모 때문만은 아닙니다.

우리의 자부심은 200년 전에 작성된 선언문에 요약돼 있는 무척 간단한 전제에 근거하고 있습니다.

"우리는 다음의 것들을 자명한 진리로 간주한다. 모든 인간은 평등하게 태어났으며 창조주에 의해 몇 가지 양도할 수 없는 권리를 부여 받았는데 그 중에는 생명과 자유 행복의 추구가 포함된다." 이것이 미국인의 진정한 천재성입니다. 단순한 꿈들에 대한 믿음 작은 기적들에 대한 집착 말입니다.

아이들을 배불리 먹이고 따뜻하게 입히고 밤에는 아이들을 잠자리에 눕혀주고 위험으로부터 안전하게 지켜줄 수 있는 것, 체포될 염려 없이 생각하는 바를 말하고 쓸 수 있는 것, 좋은 아이디어가 생기면 뇌물을 쓰지 않고도 사업을 시작할 수 있는 것, 그리고 보복의 두려움 없이 정치활동에 참여할 수 있고 적어도 대부분의 경우 우리의 투표가 그 가치를 인정받는 것 등등 말입니다.

올해 이 선거에서 우리는 우리의 가치관과 공약을 다시금 확인하고 가혹한 현실에 맞서 그것을 지켜내고 선조들이 남긴 유산과 미래 세대의 희망에 우리가 얼마나 충실한지 살펴보기 위해서 부름을 받았습니다.

국민여러분, 민주당, 공화당, 무소속 정치인 여러분! 오늘밤 저는 여러분께 촉구합니다.

우리에게는 해야 할 일이 더 많이 있습니다.

제가 일리노이주 게티스버그에서 만난 노동자들 즉(가전제품 생산회사) 메이택 공장이 멕시코로 이전하는 바람에 일자리를 잃고 이제 시간당 7달러짜리 일자리를 놓고 자기 자식들과 경쟁해야 하는 그들을 위해 우리에게는 해야 할 일이 많습니다.

제가 만난 한 아버지 즉 일자리를 잃고서 자신이 의존했던 건강보험의 혜택 없이 한 달에 4500달러나 하는 아들 약값을 어떻게 마련해야 할지 몰라 눈물을 삼키던 그를 위해 우리가 해야 할 일이 많습니다.

이스트 세인트루이스에서 만난 젊은 여성과 그녀와 같은 수많은 사람들 즉 성적 우수하고 박력 있고 의지도 확고하지만 돈이 없어 대학에 못가는 사람들을 위해 우리가 더 해야 할 일은 많습니다.

오해는 마십시오.

제가 소도시와 대도시에서 식당과 사무실 밀집지역에서 만난 그 사람들은 정부가 모든 문제를 해결해 주기를 기대하지 않습니다.

그들은 성공하기 위해 열심히 일해야 한다는 사실을 잘 알고 있고 그러기를 원하고 있습니다. 셔츠의 칼라 같이 시카고를 둘러싸고 있는 5개 카운티에 가보십시오.

그곳 사람들은 자신이 낸 세금이 사회복지비 지불 행정기관이나 국방성에 의해 낭비되지 않기를 바란다고 말할 것입니다.

어디든 도심의 빈민가로 가보십시오. 그곳 사람들은 자기네 자녀 교육을 정부에게 맡길 수 없고 부모 자신들도 아이들을 가르쳐야 한다고 말할 것입니다.

아이들이 좀더 높은 인생목표를 갖도록 설득하고 (아이들이 공부하도록) 텔레비전을 꺼주고 책을 들고 다니는 흑인 젊은 이를 보면 백인 흉내를 낸다고 비아냥대지 말아야 자녀들이 성공할 수 있다는 사실을 잘 알고 있습니다.

국민들은 정부가 모든 문제를 해결해 주리라 기대하지 않습니다.

그러나 정부 정책의 우선 순위에 약간만 변화를 주어도 우리는 모든 어린이들이 사람답게 살아보려는 노력을 하도록 도와주고 또 그런 아이들에게 기회의 문을 활짝 열리게 할 수 있다는 사실을 잘 알고 있습니다. 그들은 우리가 더 잘 할 수 있다는 사실을 알고 있습니다.

그리고 그들은 그런 선택을 원합니다.

이번 선거에서 우리 당은 그러한 선택을 국민들에게 제안하고 있습니다.

우리 당은 이 나라에서 찾을 수 있는 최선의 지도자를 대통령 후보로 뽑았습니다.

바로 존 케리 상원의원입니다.

그는 사회의 이상과 믿음, 그리고 봉사가 무엇인지 잘 알고 있는 분입니다.

왜냐하면 그분은 지금까지 살아온 인생이 바로 그런 가치를 구현하고 있기 때문입니다.

영웅적인 베트남전쟁 참전 후 그는 (매사추세츠 주) 검사와 부지사로 봉사했을 뿐만 아니라 연방 상원의원으로서도 20년간 나라를 위해 헌신했습니다.

쉬운 선택을 할 수 있었음에도 불구하고 어려운 선택을 하는 그를 우리는 아주 많이 보았습니다. 그의 가치관과 경력은 우리가 내놓을 수 있는 최선의 것입니다.

존 케리 상원의원은 열심히 일하는 사람들이 보상 받는 그런 미국을 만들려 합니다.

그래서 그는 해외로 일자리를 빼돌리는 기업에는 세금감면 혜택을 주지 않고 국내에서 일자리를 만드는 기업에 그러한 혜택을 줄 것입니다.

그는 모든 미국인들이 워싱턴의 정치인들이 누리는 것과 똑같은 의료보험 혜택을 누릴 수 있는 그런 미국을 만들려 합니다.

존 케리는 우리나라가 에너지 독립국이 되기를 원합니다. 그래서 우리나라가 석유회사의 이윤이나 해외유전의 파괴적 생산 차질에 인질로 잡히는 일이 없기를 바랍니다.

그는 우리나라가 전 세계의 부러움을 사는 헌법상의 자유를 믿고 있습니다.

그래서 그는 우리의 기본적인 자유를 희생시키지 않을 것이며 또한 종교를 분열의 도구로 이용하지도 않을 것입니다.

그리고 그는 이렇게 위험한 세상에서 전쟁은 하나의 선택일 수도 있지만 전쟁이 결코 최초의 선택이 되어서는 안 된다는 믿음을 가지고 있습니다. 얼마 전 저는 일리노이주 이스트 몰라인에 있는 해외참전용사회 회관에서 쉐이머스라는 젊은 이를 만난 적이 있습니다.

그는 6피트 2나 3인치 정도의 훤칠한 키에 맑은 눈과 편안한 미소를 가진 잘 생긴 청년이었습니다. 그는 해병대에 입대했으며 다음 주에 이라크로 떠난다고 했습니다.

그는 입대 이유를 저에게 설명했는데, 우리나라와 우리 지도자들에 대한 전적인 믿음 그리고 국민으로서의 의무와 군복무에 대한 그의 헌신적인 자세는 우리가 더 바랄 게 없는 완벽한 청년이라는 생각이 들게 했습니다.

그 때 저는 이 청년이 우리에게 봉사하는 것만큼 우리가 그에게 봉사하고 있는가라고 자문해 보았습니다. 그리고 다시는 고향으로 돌아오지 못할 900명의 남녀들, 아들, 딸들, 남편과 아내들, 친구와 이웃들이 떠올랐습니다.

저는 또 제가 만나 본 군인 가족들도 생각났습니다.

사랑하는 가장이 전사했기 때문에 봉급의 일부밖에 안 되는 돈으로 근근이 살아가는 가족들 또는 팔 다리를 잃거나 정신 신경장애가 되어 돌아왔지만 단지 예비군이라는 이유로 장기 진료 혜택을 받지 못하는 가정이나 자녀를 둔 가정들 말입니다.

젊은이들을 위험 속으로 보낼 때 우리는 숫자들을 조작하거나 파병 이유에 관한 진실을 감추지 말아야 하고 그들이 없는 동안에 가족을 돌봐주어야 하며 전장에서 돌아온 병사들을 잘 돌보고 전쟁에서 이겨 평화를 확보하여 우리나라가 세계의 존경을 받게끔 하는데 조금도 부족함이 없는 병력을 확보하지 못했을 때에는 절대로 전쟁을 시작하지 말아야 할 엄중한 의무를 지니고 있습니다.

이제 확실히 거듭 말씀드리겠습니다. 세상에는 우리의 적이 실제로 존재합니다.

우리는 이들 적들을 찾아내 끝까지 좇아가서 반드시 패배시켜야 합니다.

존 케리는 이것을 알고 있습니다. 케리 해군 대위가 베트남에서 전우들을 보호하기 위해 죽음을 두려워하지 않은 것처럼 대통령이 되면 그는 우리나라의 안전 보장을 위해서라면 군사력 사용도 주저하지 않을 것입니다.

존 케리는 미국을 믿고 있습니다.

국민의 일부만 잘 사는 것은 충분하지 않다는 사실을 그는 생각하고 있습니다.

왜냐하면, 미국인의 개인주의는 유명하지만 미국 역사의 또

다른 요소는 우리 모두가 한 국민으로 연결되어 있다는 믿음입니다.

시카고 남부에 글을 읽지 못하는 어린이가 있다면 비록 그 아이가 내 자식이 아닐지라도 그것은 내 문제이기도 합니다. 어딘가에 살고 있는 노인이 약값을 내지 못해 약값과 집세 중 택일을 한다면 그분이 내 조부모가 아니라 하더라도 그것으로 인해 나의 삶도 더욱 초라해집니다. 어느 아랍계 미국인 가족이 변호사의 도움이나 적법절차의 혜택 없이 체포된다면 그것은 곧 나의 인권침해인 것입니다.

그러한 기본적인 믿음 내가 바로 우리의 형제자매를 지켜야 한다는 기본적인 믿음이야말로 이 나라를 움직이게 하는 원동력입니다.

우리 개개인은 비록 각자의 꿈을 추구하지만 궁극적으로 우리 모두는 한 가족이라는 말씀입니다.

여럿이 하나가 된다는 뜻입니다.

지금 우리가 이야기 하고 있는 이 순간에도 우리를 갈라놓으려고 하는 무리가 있습니다.

선전 전문가들, 그리고 정치적 이익을 위해서라면 무엇이든

하는 네거티브 광고 제작판매자들이 바로 그런 무리들입니다. 오늘 밤 저는 그들에게 말합니다. 진보파의 미국과 보수파의 미국이 따로 있는 것이 아니라 오직 미국이 있을 뿐이라고 말입니다. 흑인의 미국, 백인의 미국, 라틴계의 미국, 아시아계의 미국이 따로 있는 것이 아니라 오직 미국이 있을 뿐이라고 말입니다. 정치 전문가들은 우리나라를 붉은 주와 푸른 주로 갈기갈기 나누어 붉은 주는 공화당 주, 푸른 주는 민주당 주로 구분하기를 좋아합니다. 그러나 저는 그들에게 이렇게 말하겠습니다. 푸른 주의 국민도 경외하는 신을 믿고, 붉은 주에 사는 국민도 연방수사관들이 도서관을 함부로 들쑤시고 다니는 것을 원치 않습니다.

푸른 주에서도 부모들은 어린이 야구단의 감독 노릇을 하고 붉은 주에도 동성애자들이 있습니다. 이라크 전쟁에 반대하는 애국자도 있고, 찬성하는 애국자도 있습니다. 우리 모두는 한 국민이기 때문입니다. 그렇기 때문에 똑같은 국기에 대해 충성을 맹세하고 똑같은 나라인 미국을 방위합니다.

결국 이것이 이번 선거의 핵심적인 부분입니다. 냉소주의 정치에 참여하시겠습니까? 희망의 정치에 참여하시겠습니까? 존 케리(민주당 대통령 후보)는 우리에게 희망을 가지기를 요구합니다.

존 에드워드(민주당 부통령 후보)도 우리에게 희망을 가지기를 요구합니다. 저는 이 자리에서 맹목적 낙관주의를 이야기하고 있는 것이 아닙니다. 맹목적인 낙관주의란? 우리가 그 것에 대해서 말하지 않고 그냥 무시해 버리면 실업문제도 사 라지고 의료보험 위기도 사라질 것이라고 거의 의도적으로 모른 체 하는 것을 말합니다. 제가 말씀드리는 것은 그런 것 이 아닙니다. 좀더 실질적인 문제에 대해서 이야기 하고 있 습니다.

모닥불에 둘러앉아 자유의 노래를 부르던 노예들의 희망, 머 나먼 미국 해안을 향해 출발하던 이주민들의 희망, 매콩강 삼각주를 용감하게 정찰하던 젊은 해군 대위(존 케리)의 희 망, 과감하게 역경에 도전하던 공장노동자의 아들(존 에드워 드)의 희망, 미국에서도 자기가 설 땅이 있다고 믿었던 우스 꽝스러운 이름을 가진 말라깽이 아이(버락 오바마)의 희망 말 입니다.

어려움과 불확실성에 직면했을 때 가지는 희망, 감히 희망을 가져 보는 그 대담한 용기 결국 이것이 바로 신이 우리에게 주신 최고의 선물이며 나라의 토대입니다.

보이지 않는 것에 대한 믿음, 더 좋은 날이 올 것이라는 믿 음 말입니다.

저는 우리가 중산층의 고통을 덜어주고 근로자 가정에 기회 의 길을 열어 줄 수 있다고 믿습니다.

저는 우리가 일자리가 없는 사람들의 일자리를, 집이 없는 사람들에게 집을 제공하고, 미국 전역의 도시 젊은이들을 폭력과 절망에서 구해 낼 수 있다고 믿습니다.

우리 등 뒤에서 의로운 바람이 우리를 밀어주고 있다고 저는 믿습니다.

우리는 지금 역사의 기로에 서 있습니다. 우리는 올바른 선택을 할 수 있고 또한 우리가 직면하고 있는 도전에도 맞설 수 있다고 믿습니다.

국민 여러분! 오늘 밤 저와 똑같은 활력을 느끼신다면, 저와 똑같은 절박함을 느끼신다면, 저와 똑같은 열정을 느끼신다면, 저와 똑같은 희망을 느끼신다면, 우리가 해야 할 일을 우리가 꼭 한다면, 플로리다주에서 오리건주까지, 워싱턴주에서 메인주까지 미국 전역에서 11월에는 국민 모두가 들고 일어나 결국 존 케리는 대통령으로, 존 에드워드는 부통령으로 취임 선서를 할 것을 믿어 의심치 않습니다.

그래서 우리나라는 희망을 되찾고 이 기나긴 정치적 암흑기에서 벗어나 보다 밝은 날을 보게 될 것입니다.

감사합니다.
여러분들께 신의 축복이 함께하시길 빌겠습니다.

10. 링컨 대통령/존 하버드/Minute Men 동상의 제작자 "대니얼 체스터 프렌치(조각가)"

(1) 미국의 조각가 "대니얼 체스터 프렌치 (1850년~1931년)"

미국의 조각가 대니얼 체스터 프렌치는 신고전주의 양식과 생동 감 넘치는 사실주의를 결합한 작품들을 통해 명성을 얻었다. 뿐 만 아니라 이 덕분에 그는 미국 곳곳의 공원과 공동묘지, 건축물 들을 그의 주요 기념비적인 작품들로 장식할 수 있었다. 뉴햄프 셔에서 태어난 프렌치는 수필가이자 시인인 랠프 월도 에머슨과 작가 루이자 메이 올컷과는 이웃 사이였다. 에머슨과 올컷, 그리 고 올컷의 여동생인 메이의 격려에 힘입어 프렌치는 매사추세츠 주의 보스턴으로 이사하여 윌리엄 헌트 밑에서 조각을 공부했다. 그 후 그는 뉴욕으로 이주하여 존 퀸시 애덤스 워드의 작업실을 다니며 공부를 계속했다.

매사추세츠 주의 콩코드 시는 에머슨에게 위탁해, 프렌치에게 조 각 작품 <Minute Men/긴급 소집병>(1875년)의 제작을 의뢰했 다. 프렌치는 이 작품을 통해 대중적인 인지도를 얻을 수 있었 다. 이 작품은 긴급 명령이 떨어지면 곧바로 전투에 투입될 수 있도록 전투태세를 갖추고 있는 미국 독립전쟁에 참전한 군인들 의 모습을 기념비적으로 묘사한 조각상으로, 렉싱턴과 콩코드 전 투 100주년 기념일(1875.4.19)에 공개되었다. 이 조각상은 호평을 받았고, 나아가 미국의 아이콘적인 이미지가 되어 제2차 세계 대전 때 발행된 국방채권과 우표, 포스터 등에 널리 사용되었다.

프렌치는 1884년에는 세계 최고의 대학교인 하버드대학교 250 주년(1886년)을 기념하기 위해 1636년 하버드대학교 설립 당시 최초 기부자인 존 하버드의 동상을 제작했다.

프렌치는 성공을 거둬 이탈리아로 가서 공부할 기회를 얻었다. 그는 이탈리아에서 돌아오자마자 워싱턴 D.C.에 작업실을 열었다. 그가 워싱턴에 정착한 것은 탁월한 선택이었다. 곧 워싱턴 D.C.로부터 공공 기념물을 만들어달라는 주문이 밀려들기 시작했다. 세기 전환기에 프렌치는 미국의 가장 유명하고 존경받는 조각가였다. 그는 프랑스에 선물로 보냈던 조지 워싱턴의 동상과 링컨 기념관에 있는 <링컨 대통령의 좌상>(1922년)과 같은 전직 미국 대통령들의 조각상들을 제작했다.

(2) 미국 독립전쟁의 첫 총성 '콩코드 전투'의 주역 "Minute Men"

미국 보스턴의 북서쪽 콩코드의 올드 노스 다리 부근에 세워진 민병대원(Minute Men)의 동상. 오른손에는 총을, 왼손에는 쟁기를 움켜쥐고 있다. 공동체가 위기에 처하면 분연히 떨쳐 일어나 싸우고, 위기가 지나가면 생업으로 돌아간다는 민병 정신을 상징한다. 이들이야말로 미국 독립 전쟁의 진정한 주역이었다.

'탕!'
누군가 총을 쐈다. 영국군인지 아메리카 식민지 민병대인지는 불분명했다. 총이 발사됐다는 사실만이 중요했다. 연쇄반응이 일어났다. 한 영국군 장교가 발사 명령을 내렸고, 영국군은 민병대를 향해 일제 사격을 했다. 매사추세츠주 렉싱턴의 공유지에서 벌어진 첫 충돌은 순식간에 끝났다. 민병대원 8명이 죽고, 10여

명이 부상당했다. 영국군 피해는 사병 1명이 찰과상을 입은 데 불과했다. 영국군의 승리였다.

여세를 몰아 영국군은 콩코드를 향해 나아갔다. 새뮤얼 애덤스와 존 행콕을 비롯한 반란군 지도자들이 도망친 곳, 민병대의 주요 무기고가 있는 곳이었다. 당초 계획대로 콩코드를 장악하고 반란군 지도자들을 체포한다면, 보스턴과 매사추세츠의 저항은 종식될 터였다. 그러나 콩코드 상황은 렉싱턴과는 달랐다. 소집 명령이 떨어지면 1분 안에 출동한다고 해서 '미니트맨(Minute Men)'이라고 하는 긴급 소집병들이 이미 대기 중이었다. 인근 마을에서도 민병들이 속속 모여들고 있었다. 두 번째 충돌은 콩코드의 올드 노스 브리지(Old North Bridge)에서 벌어졌다. 민병대원들은 다리 주변에 흩어져 효과적으로 영국군을 공격했다. 민병대원들이 감히 대항해올 것이라고 예상치 못했던 영국군은 충격을 받았고, 혼란에 빠졌나. 그늘은 혼비백산해 퇴각했다. 민병대는 나무, 바위, 건물 뒤에 숨어 보스턴을 향해 후퇴하는 영국군을 저격했다. 영국군이 궤멸되지 않은 것은 렉싱턴에서 증원군 1000명을 만난 덕분이었다. 그렇지만 민병대도 계속 수가 늘었다. 양측의 전투는 사격전에 이어 치열한 백병전으로 이어졌다. 결국 영국군은 사상자 273명을 낸 채 후퇴했다. 민병대의 피해는 95명에 그쳤다. 독립을 향한 첫 전투의 승리는 식민지 민병대에 돌아갔다. 1775년 4월 19일이었다.

미국 독립전쟁의 첫 전투가 벌어진 렉싱턴(Lexington)과 콩코드(Concord)로 가는 길은 고즈넉하고 아름답다. 울창한 숲과 풍요로운 농경지가 연이어 나타난다. 작은 강과 연못, 저수지를 흔히

볼 수 있다. 그 풍경 사이로 목가적인 작은 마을들이 보석처럼 박혀 있다. 전형적 뉴잉글랜드의 멋진 풍광이다. 렉싱턴과 콩코드는 그런 소읍(小邑) 가운데 가장 유명하다. 특히 콩코드는 랠프 월도 에머슨(Ralph Waldo Emerson·1803년~1882년)과 헨리 D. 소로(Henry David Thoreau·1817년~1862년)의 활동 무대이기도 했다. 그러나 누가 뭐래도 렉싱턴·콩코드에 세계적 명성을 안겨준 것은 미국 독립전쟁의 첫 번째 전투의 무대였다는 사실이다. 이곳에서 아메리카 식민지가 거둔 승리를 동시대인들은 기적처럼 여겼다. 제대로 된 군사훈련조차 받아본 적 없는 민병들이, 세계 최강의 대영제국 정규군과 싸워 이기리라는 생각은 누구도 하지 않았다. 오늘날 두 소읍(小邑)의 전투 현장에는 승리의 주역이었던 민병(民兵) 동상이 서 있다. 평범한 농부 차림이다. 군인이 아니니 당연하다. 그렇다고 무시해서는 안 된다. 이들이야말로 진정한 독립전쟁의 알파이자 오메가였다. 미국의 진짜 건국자들이었다.

조각가 다니엘 체스터 프렌치가 제작한 민병(Minute Men/긴급소집병) 동상은 긴급 명령이 떨어지면 곧바로 전투에 투입될 수 있도록 전투태세를 갖추고 있는 미국 독립전쟁에 참전한 군인들의 모습을 기념비적으로 묘사한 조각상으로, 렉싱턴과 콩코드 전투 100주년 기념일(1875.4.19)에 공개되었다. 이 조각상은 호평을 받았고, 나아가 미국의 아이콘적인 이미지가 되어 제2차 세계대전 때 발행된 국방채권과 우표, 포스터 등에 널리 사용되었다.

'보스턴 차 사건(1773년 12월)' 이후 아메리카 식민지 정세는 급박하게 돌아갔다. 영국 의회는 식민지인들이 '참을 수 없는 법

(Intolerable Acts)'을 제정해 보스턴에 보복했다(1774년). 식민
지인들은 영국에 공동 대응하기 위해 1차 대륙회의(Continental
Congress)를 개최했다(1774년 9월). 대륙회의는 여러 가지를 결
의했는데 그중에는 영국군의 공격에 대비한 군사적 조치도 포함
됐다. 핵심은 각 주(州)에 민병대를 창설하는 것이었다. 영국의
무도한 통치에 치열하게 저항 중이던 매사추세츠가 민병대 창설
에 가장 적극적으로 나섰다. 버지니아에서는 조지 워싱턴
(George Washington·1732년~1799년)을 중심으로 한 명사들이
민병대를 조직했다. 이때 구성된 민병대가 렉싱턴·콩코드 전투에
서 톡톡히 역할을 해낸 것이다. 식민지는 첫 승리에 고무되었다.
전쟁의 열기가 전역으로 번져 모든 식민지에서 민병대가 자발적
으로 조직되었다. 사태는 돌이킬 수 없어 보였다. 결국 대륙회의
는 효과적 투쟁을 위해 군대를 창설하기로 결정했다(1775년 6월
14일). 그다음 날인 6월 15일, 대륙회의는 대륙군 총사령관으로
조지 워싱턴을 선임했다. 민병대는 이때 창설된 대륙군의 주축이
되었다.

전장의 주력은 대륙군으로 넘어갔지만 민병대의 역할은 줄지 않
았다. 정규군으로 변모한 민병들은 워싱턴 휘하에서 혹독한 경험
과 체계적 훈련을 받으면서 좀 더 군인다워졌다. 그러나 대륙군
만으로 영국군을 상대하기에는 역부족이었다. 민병으로 남은 사
람들은 각자 자리에서 고향과 가족을 지켰다. 동시에 대륙군의
보조 역할을 해냈다. 북부 뉴잉글랜드에서 시작된 독립 전쟁의
전선(戰線)은 시간이 흐름에 따라 중부 뉴욕·펜실베이니아를 거
쳐 남부 노스캐롤라이나·사우스캐롤라이나·조지아로 확산되었다.
남부에서는 민병들의 활약이 더욱 돋보였다. 규율과 훈련이 부족

했던 탓에 전면전에서는 영국군의 상대가 되지 않았지만 독립의 대의를 위한 열정과 용기만큼은 충분했다. 민병들은 프랜시스 매리언(Francis Marion), 토머스 섬터(Thomas Sumter)와 같은 탁월한 지휘관 밑에서 게릴라전을 벌였다. 특히 매리언은 '늪의 여우(The Swamp Fox)'란 별명을 얻을 정도로 사우스캐롤라이나의 험한 지형을 교묘하게 활용해 영국군에게 타격을 입혔다. 이들의 활약은 멜 깁슨 주연 영화 『패트리어트-늪 속의 여우(The Patriot·2000년)』에 잘 묘사되어 있다.

치열했던 미국 독립전쟁은 1783년 9월 3일 파리에서 열린 강화조약으로 막을 내렸다. 식민지 아메리칸들이 대영제국을 상대로 승리했다. 대륙군은 해체되었고 군인들은 고향으로 돌아갔다. 민병들은 총을 내려놓고, 각자 일상으로 돌아갔다. 미국이라는 나라는 그렇게 민병과 민병이 주축을 이룬 대륙군이 탄생시켰다. 어떤 이름으로 불렸든, 어떤 곳에서 싸웠든 그들 모두는 자신의 고향과 가족, 자유와 자치를 지키겠다며 분연히 떨쳐 일어난 아메리카의 생활인들이었고, 자유인들이었다.

그 사실을 웅변하듯이 콩코드 올드 노스 브리지에 있는 동상의 민병대원(Minute Men/긴급 소집병)은 오른손에는 총을 들고, 왼손으로는 커다란 쟁기를 잡고 있다. 공동체가 위기에 처했을 때는 나가 싸우고, 위기가 지나가면 물러나 생업에 종사한다는 민병 정신을 나타낸 것이다. 그러나 독립전쟁 때 총을 들었던 수많은 민병들 중 많은 이가 다시 쟁기를 잡지 못했다. 에머슨이 '콩코드 찬가(Concord Hymn)'에서 노래했듯, 그들은 후손에게 자유를 선물하기 위해 목숨을 바쳤기 때문이다. 그럼으로써 '자유는 공짜가 아니다(Freedom is not free)'라는 것을 증명했다. 누구라도 이 자명한 이치를 잊는다면, 자유도 잃게 될 것이다.

『규율 있는 민병들은 자유로운 주(州)의 안보에 필요하므로, 무기 소지 및 휴대에 관한 국민의 권리를 침해할 수 없다.』 (수정헌법 제2조)

미국에서는 독특하게 총기 소지 및 휴대가 권리장전이라고 하는 수정 헌법에 명시되어 있다. 민병이 독립 전쟁의 주체였다는 사실과 영국 식민지 시대에 생겨난 뿌리 깊은 상비군에 대한 불신 때문에 생겨난 조항이다. 점차 독립전쟁 당시의 민병 제도는 사라졌지만, 많은 미국인은 19세기 내내 서부 개척지에서 자신과 가족을 보호하고 재산을 지키기 위해 오랜 세월 무기를 소지하고 휴대해왔다. 그 결과, 총기 소지와 휴대는 개인의 권리이자 스스로를 보호한다는 자기 방어 수단으로 인식되었다. 그러나 오늘날에는 높은 범죄율과 총기에 의한 사망자가 늘어나면서 최소한 총기 소유 자격과 개인이 소유할 수 있는 무기 종류에 대한 엄격한 규제를 바라는 여론이 높아지고 있다.

(3) 미국인들로부터 가장 추앙받는 대통령
    "에이브러햄 링컨"

미국의 수도 워싱턴 D.C. 한복판에는 넓은 공원지역인 내셔널
몰이 있다. 링컨 기념관은 이곳의 서쪽 끝을 내려다보며 서 있
다. 이 기념관의 계단 위에서 보면, 주변의 풍경을 반사하는 긴
호수 맞은편으로 워싱턴 기념탑의 오벨리스크와 제2차 세계대전
기념관, 저 멀리 연방의회의사당 건물까지 눈에 들어온다.

많은 건물을 지은 건축가인 헨리 베이컨이 자신의 마지막 프로
젝트로 링컨 기념관을 설계했는데, 그리스의 고대 사원에서 그
모델을 따 왔다. 빛나는 하얀 건물은 중앙 '켈라[고대 그리스·로
마 신전 안쪽의 신상(神像) 안치소]'와 그 양쪽으로 두 개의 작은
켈라를 포함해 길이 57m, 너비 36m, 높이 30m의 당당한 크기
이다. 세로로 홈 장식이 난 서른여섯 개의 육중한 도리스식 기둥
(주랑 뒤의 입구에 두 개의 기둥이 더 서 있다)이 건물을 둘러싸
고 있다.

이 웅장한 기둥들은 그 당시 연방의 일부였던 서른여섯 개의 주
에 해당하며, 기둥 위에는 저마다 주의 이름이 새겨져 있다. 중
앙의 켈라에는 기념비적인 링컨 조각상이 안치되어 있는데, 이는
조각가 다니엘 체스터 프렌치의 감독하에 4년이라는 세월에 걸
쳐 1922년에 완성된 것이다. 조각상은 호수 너머 연방의회의사
당 쪽을 응시하고 있다. 기념관 건물은 인디애나 산(産) 석회석
과 콜로라도 산(産) 대리석으로 지어진 반면, 조각상은 조지아
산(産) 대리석에 새겨졌다. 두 개의 작은 셀라 벽에는 각각 링컨
대통령의 게티즈버그 연설문(1863.11.19)과 두 번째 취임 연설문
(1865.3.4)이 새겨져 있다. 그 위편에는 프랑스 화가 쥘 게랭의

작품인 <재결합>과 <해방>이라는 커다란 벽화 두 점이 있다.

링컨 기념관은 많은 집회와 항의 운동이 일어나는 장소가 되었는데, 그중 가장 유명한 것은 마틴 루터 킹 목사가 1963년 8월 28일에 한 『I Have a Dream(나에게는 꿈이 있습니다)』라는 연설이다. 이 기념관은 매우 감동적인 장소이며, 민주주의의 선언이자 자유를 향한 첫 번째 긍정적인 발걸음으로 미국에서 가장 중요한 유적지 중 하나이다.

(4) 세계 최고의 대학교 '하버드대학교' 설립(1636년)
      당시 최초 기부자 "존 하버드"

미국 매사추세츠주의 케임브리지(찰스강을 사이에 두고 동쪽의
보스턴과 마주보고 있음)에 위치한 하버드대학교 교정에는 존 하

버드(John Harvard, 1607년-1638년) 동상이 있다. 하버드대를 관광하는 대부분의 관광객들은 존 하버드 동상을 방문한다. 관광객들이 존 하버드 동상을 찾는 이유는 존 하버드의 왼발을 만지면 본인이나 자손이 미래에 하버드대를 다닐 수 있다는 속설이 있기 때문이다. 이로 인해 존 하버드의 왼발은 오른발에 비해 많이 닳아 노랗게 빛나고 있다.

존 하버드 동상의 좌대에는 『John Harvard, Founder, 1638』이라는 문구가 새겨져 있다. 즉, 『존 하버드, 설립자, 설립년도 1638년』이라는 뜻으로 이 문구는 많이 닳아서 『John Harvard』외에는 쉽게 눈에 띄지는 않는다.

그러나 이 문구에는 세 가지 오류가 있다. 즉, 이 동상의 주인공은 존 하버드가 아니라는 것이며, 존 하버드는 설립자가 아니라는 것이며, 또한 하버드대학교의 설립년도는 1638년이 아니라는 것이다.

존 하버드 동상은 하버드대학교 설립 250주년(1886년)을 기념하기 위해 조각가 다니엘 체스터 프렌치가 1884년에 제작했다. 프렌치가 이 동상을 제작할 당시 존 하버드의 사진이 남아 있지 않았기 때문에 프렌치는 존 하버드의 모습을 위해 『셔먼 호어(Shirman Hoer)』라는 하버드대 재학생을 모델로 하여 존 하버드 동상을 제작했다. 『셔먼 호어(Shirman Hoer)』는 하버드대학교 4대 총장의 형제이다.

그리고 존 하버드는 하버드대를 설립한 인물이 아니라 설립에 필요한 자금을 1638년 최초로 기부한 인물이고, 실제 하버드대를 설립한 것은 『매사추세츠 식민지 일반 의회(the Great and General Court of the Massachusetts Bay Colony)』이다. 또한 하버드대의 실제 설립년도는 1636년이다.

11. 세계 최초 현대도시공원 "센트럴 파크(1857년)"와 세계 최초 국립공원 "옐로스톤 국립공원(1872년)"

(1) 세계 최초 현대 도시공원 "센트럴 파크(1857년)"

뉴욕 맨해튼의 심장부에 위치한 센트럴 파크의 역사를 살펴보면, 이곳에 Central Park가 조성되기 전에는 딱히 정해진 용도가 없는 습지였다. 땅은 뉴욕시가 소유하고 있었으며, 여기에 무허가 채석장 및 가축을 기르는 농장, 저소득층의 판자촌들이 널려 있었는데, 1850년 저널리스트인 윌리엄 브라이언트가 <뉴욕 포

스트>지에 이 땅에 공원을 건설하자는 캠페인을 기고한 것을 계기로, 1857년 경관 설계자 프레드릭 로 옴스테드(Frederick Law Olmsted)와 건축가 겸 조경 디자이너 칼베르트 바우스 (Calvert Vaux)가 『Greensward Plan』이라는 계획을 가지고 공원을 설계하기 위한 디자인 공모전에서 우승했다.

프레드릭 로 옴스테드는 센트럴 파크를 조성해야 할 필요성에 대해서 "지금 이곳에 공원을 만들지 않는다면, 100년 후에는 이 넓이의 정신병원이 필요할 것이다"라고 공공복지를 위한 공원의 사회적 가치와 이의 구현이 얼마나 절실하게 도시생활에 필수적인가를 언급하였고, 이후 많은 도시설계가들에 의해서 센트럴 파크는 현대 도시공원의 시초로 여겨지고 있다. 또한 그는 1859년 발표된 『센트럴 파크 설명문(Description of the Central Park)』에서 "공원의 주요 목적은 건강한 레크레이션을 즐길 수 있는 최적의 공간을 도시에 사는 모든 계층에게 제공하는 것이다. (중략) 공원은 부자와 가난한 사람, 젊은이와 노인, 포악한 사람과 고결한 사람 모두에게 건강한 오락을 제공해야 한다"라고 주장하였다.

센트럴 파크는 1857년에 착공하여 센트럴 파크의 첫 번째 지역은 1858년 후반에 대중에게 공개되었다. 센트럴 파크의 북쪽 끝에 있는 추가 토지는 1859년에 구입되었고, 이후 부분 개장으로 계속해서 추가 공개되었으며, 1876년에 완공되었다. 공원을 조성하기 위해 100,000수레의 돌과 흙이 동원되었으며, 500,000그루가 넘는 나무와 관목을 심고 언덕과 풀밭, 호수까지 만들었다. 세상에서 가장 바쁜 도시 중 하나인 뉴욕에 조성된 거대한 녹지인 센트럴 파크는 『도심에서 자연으로 최단시간 탈출』이라는 옴스테드의 설계 철학이 확고히 드러난다. 센트럴 파크는 전 세계적으로 도시공원설계의 전형적인 표본이 되어 현재까지 이어지고 있다.

센트럴 파크에는 인공 호수와 연못, 여러 개의 산책로, 2개의 아이스링크, 동물원, 정원, 야생동물 보호구역, 넓은 자연림 등이 있다. 센트럴 파크의 중간 지점에 있는 큰 호수는 재클린 케네디 오나시스 저수지(Jacqueline Kennedy Onassis Reservoir/제35대 미국 대통령 존 F. 케네디의 영부인인 재클린은 1963.11.22. 케네디 대통령의 암살 후 그리스의 선박왕 오나시스와 재혼하였다)라 칭하고, 이 저수지를 중심으로 약 2.5km짜리 산책로가 마련되어 있어 산책로에서 조깅하는 사람들을 쉽게 볼 수 있는데, 이 공원을 설계할 때 최초로 산책로와 마차들이 지나가는 통로를 상하로 분리하는 '입체통과 방식'을 적용했다. 뿐만 아니라 원형극장이 있어 여름마다 셰익스피어 축제가 열린다. 센트럴 파크는 아이들의 놀이터가 될 뿐만 아니라 운동 경기를 위해서도 유용한 공간이다. 철새들이 쉬며 머물고 가는 곳이기도 하여 새 연구자들이 자주 이 공원을 찾는다고 한다. 공원 주위의 10km 내외는 산책을 즐기는 사람들, 자전거를 타거나 인라인 스케이트를 타는 사람들로 붐빈다. 이로 인해 주말과 저녁 7시 이후로는 공원 주변의 차량 통행이 전면 금지된다

센트럴 파크(Central Park)는 연간 3,750만 명의 관광객이 이곳을 찾으며, 미국 전역을 통틀어 가장 많은 사람이 찾는 공원으로 꼽힌다. 뿐만 아니라 영화나 TV에 등장하는 공원의 모습은 전

세계적으로 센트럴 파크를 알리는 데 일조하였다. 센트럴 파크는 개인 비영리단체인 센트럴 파크 관리위원회(the Central Park Conservancy)와 뉴욕시가 함께 관리한다.

센트럴 파크에서 유명한 곳은 『스트로베리 필즈(Strawberry Fields)』이다. 팝 음악에서 가장 뛰어난 그룹 중 하나로 평가되는 비틀즈를 이끈 존 레논이 1980년 12월 8일 스트로베리 필즈(Strawberry Fields)의 길 건너편에 있는 그의 다코타 아파트 앞에서 광적인 팬인 마크 채프먼의 총격으로 40세의 나이에 암살된 후 그의 아내 오노 요코(일본인)가 비용을 부담하여 1985년 10월 9일 그의 생일에 맞춰 그를 추모하는 공원으로 완공된 곳이 스트로베리 필즈(Strawberry Fields)이다. 이곳의 중심부에 그가 1971년에 발표한 노래 《Imagine》이라는 단어가 대리석으로 모자이크되어 새겨져 있다. 스트로베리 필즈(Strawberry Fields)는 비틀즈의 히트곡 <스트로베리 필즈 포에버>에서 따왔다. 뉴욕 맨해튼의 타임스 스퀘어에서 매년 12월 31일에 열리는 볼 드랍(Ball Drop) 새해 전야행사 때 밤 11시 56분 쯤 존 레논의 <Imagine>이 울려 퍼지며, 이 노래가 끝나면 60초 카운트다운을 하여 볼이 내려와 새해를 맞이한다. 또 존 레논의 <Imagine>은 1996년 애틀란타올림픽과 2012년 런던올림픽의 폐회식 때도 사용되었고, 2018년 평창동계올림픽, 2021년 도쿄올림픽, 2022년 베이징동계올림픽의 개회식에서도 사용되었을 정도로 존 레논은 44년 전에 이 세상을 떠났지만 그는 팝의 전설로 영원히 살아 있다.

(2) 세계 최초 국립공원 "옐로스톤 국립공원(1872년)"

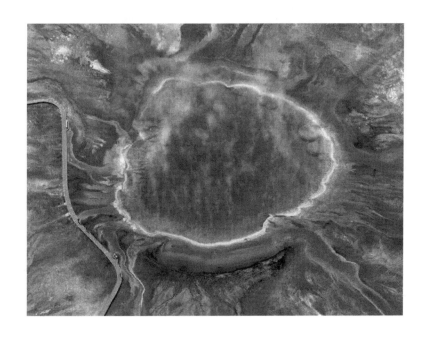

1872년 제18대 대통령 율리시스 그랜트에 의해 세계 최초의 국립공원으로 지정된 옐로스톤 국립공원은 미국의 와이오밍주와 몬태나주, 아이다호주가 만나는 지점에 위치한다. 황 성분으로 인해 돌이 노랗기 때문에 옐로스톤이란 이름이 붙었다. 산, 평원, 간헐온천 등이 즐비하고 온갖 야생동물의 천국이라 관광지로 인기 높으며 1978년 유네스코 세계유산 리스트에 등재되었다.

원래 살고 있었던 아메리카 원주민들에 의해 불렸던 이름은 알려지지 않고 있다. 하지만 원주민들은 적어도 1만 1천년 전부터 이곳에서 수렵활동을 하였다. 이후 유럽에서는 프랑스 탐험대들이 상류를 흐르는 옐로스톤강을 보고 '황색 돌'을 의미하는 Roche Jaune라고 붙였다.

그 후, 제3대 대통령 토머스 제퍼슨의 지원 아래 루이스와 클라크 탐험대에 의해 다시 알려지게 되었다. 1859년에 다시 한 번 미국 정부의 지원을 받아 윌리엄 F. 레이놀즈가 당시 산악인으로 알려진 짐 브리거(Jim Bridger)와 함께 1년 동안 탐사하게 되었다.

남북전쟁(1861년~1865년)으로 인해 조사가 중단되었다가 전쟁이 끝나고 다시 조사에 착수했다. 당시에는 19세기 초부터 미국에서만 퍼져 있던 자연주의 사상이 완성되고 기독교 사상까지 결합해 현대적인 자연 보호 사상이 생긴 시점이라 많은 사람들이 옐로스톤 보호에 나서게 되었고, 1872년 3월 1일 제18대 대통령 율리시스 그랜트가 『옐로스톤 국립공원 보호법』을 제정함으로써 옐로스톤은 세계 최초의 국립공원으로 지정되었다.

옐로스톤 국립공원은 크게 5개의 컨트리(간헐천 컨트리, 매머드 컨트리, 레이크 컨트리, 캐니언 컨트리, 루스벨트 컨트리)로 구분하는데, 가장 유명한 곳은 간헐천 컨트리이다.

간헐천 컨트리는 공원의 서남쪽이며 명물 온천과 간헐천들이 가장 많이 모여 있는 곳이기 때문에 5개의 컨트리 중 관광객들이 가장 많다. 그냥 차를 몰고 지나가기만 해도 여기저기서 김이 나는 진풍경을 볼 수 있으며 여기 있는 온천과 간헐천을 모두 다 둘러보려면 하루가 꼬박 걸린다. 온천들보다는 다소 덜 유명하지만 하이킹 코스들도 몇 개 있다.

온천 중에서 특히 유명한 곳은 옐로스톤 국립공원 엽서에 단골로 등장하는 크고 아름다운 그랜드 프리스매틱 온천(Grand Prismatic Spring)이 있다. 지름이 90m, 깊이가 50m인 초대형 온천이며 공원 내의 모든 온천 중 최대 사이즈라 할 수 있다. 온천 가장자리에 보이는 붉은색과 노란색, 그리고 온천의 푸른색이 조화를 이루어 마치 무지개 색깔처럼 아름답게 보인다. 사진에서 왼쪽에 보이는 곡선이 관광객들이 따라가는 트레일이며 자세히 보면 사람들의 모습이 보인다.

이 온천의 독특한 물색깔 때문에 한국에서 산성호수라고 소문이 떠돈 적이 있었다. 당시 방영된 다큐멘터리 내용이 사람들 머릿속에서 뒤섞인 것으로 추측된다. 1988년 일본 NHK와 미국 디스커버리채널이 합작하여 만든 자연 다큐멘터리 지구대기행에 보면 옐로스톤 국립공원의 강산성 진흙탕 온천물에 사는 박테리아 내용이 나오는데, 그 바로 앞 장면이 그랜드 프리스매틱 온천의 항공촬영이다.

참고로 온천에서 사는 박테리아들은 특정 온도에서만 살 수 있도록 진화해 왔기 때문에 지표면의 색깔을 보면 그 부분의 온천수 온도가 몇 도인지 예측할 수 있다고 한다. 따라서 이 박테리아들을 살아 있는 온도계라고 불리기도 한다.

한편, 공원 전체를 통틀어 가장 유명한 명물인 Upper Geyser Basin의 올드 페이스풀 간헐천(Old Faithful Geyser) 주변은 공원 내 최고의 인구 밀도를 자랑하는 곳이다. 최소 35분에서 최대 2시간 간격으로 평균 45미터 높이로 온천수가 뿜어나오는 자연 쇼를 무료로 관람할 수 있기 때문에 이를 즐기기 위한 사람들로 꽉 차 있다. 이 간헐천은 옐로스톤 국립공원의 상징과도 같은 곳이기 때문에 이곳 주변에는 숙소와 기념품점이 많은데, 숙소들은 매우 비싸며 예약을 하기도 힘들다. 숙소들 중에서 이 간헐천을 방안에서 바라볼 수 있는 Old Faithful Inn이 유명하다.

12. 1883년 미국에 파견된 우리나라 최초의 서양 외교사절단 '보빙사'가 건넌 "브루클린교(뉴욕)"

신미양요로 강화도가 유린되기 직전이었던 1871년 4월, 『중용(中庸)』 강독을 끝낸 고종은 신하들과 함께 국정현안에 관한 논의를 이어갔다. 이 자리에서 영의정을 역임한 원로대신 김병학은 '미리견' 선박의 출몰에 대해 우려를 나타냈다. '미리견(彌利堅)'은 '아메리카'를 한자로 옮긴 것으로서 지금의 미국을 가리킨다. 바로 그 '미리견' 선박이 교역을 요구한다는 소식을 접하자 고종은 단호한 태도로 말했다. "이들은 해적(海浪賊)과 다름없다. …

만약 한 번이라도 교역하게 된다면 사학(邪學)이 불길처럼 일어나 공자의 도가 폐지될 것이다." 교역을 거부한 조선은 곧이어 전국 각지에 척화비를 세웠고 오랑캐와 끝까지 싸울 것을 다짐했다.

그로부터 12년이 지난 1883년, 조선은 오랑캐로 여겼던 '미리견'에 국서(國書)를 전달하기 위해 사절단을 파견했다. 국서에 적힌 상대국의 이름은 '미리견'이 아닌 '대아미리가합중국(大亞美理駕合衆國)'으로 격상되었고 국서의 수신자 역시 '프레지던트'를 뜻하는 '백리새천덕(伯理璽天德)'으로 정확히 표기되었다. 마침내 '대아미리가합중국'의 '백리새천덕'을 접견하게 되자, 조선에서 온 사절단은 체스터 아서(Chester A. Arthur) 제21대 미국 대통령에게 무릎을 꿇고 큰절을 올렸다. '소중화'를 자부해 온 조선이 교역조차 허락하지 않았던 오랑캐의 나라에 사신을 파견하고 그들의 대통령에게 최고의 예의를 갖추어 경의를 표한 셈이다. 미국의 한 주간지에 소개된 이날의 모습은 서로를 '서양 오랑캐(洋夷)'와 '은자(隱者)의 나라'로 여겨왔던 조선과 미국, 두 나라의 만남을 상징적으로 보여 준다.

1883년 미국에 파견된 사절단은 '보빙사'라 불린다. '보빙사(報聘使)'란 상대국에서 사절단을 파견한 것에 발맞추어 답례의 뜻으로 파견하는 외교사절을 뜻한다. 체스터 아서(Chester A. Arthur) 제21대 미국 대통령을 접견했던 조선인 사절단 역시 미국에서 대통령 명의의 친서를 조선에 전달하자 외교 관례에 따라 고종의 답장을 전하고자 파견되었기 때문에 보빙사라 불리는 것이다. 조선은 임오군란 이후 내정과 외교에 대한 청나라의 간

섭이 분명해지자 중국을 견제할 수 있는 대미외교에 큰 기대를 걸고 있었다. 보빙사의 파견은 독자적인 대미외교의 가능성을 시험해 볼 수 있는 데뷔 무대와 같았다. 조선은 이를 위해 전권대신 민영익을 필두로 부대신 홍영식, 종사관 서광범, 수행원 유길준과 변수 등 20대 중반의 젊은 관료 8명을 선발하였다. 이들은 미국에 파견된 우리나라 최초의 서양 외교사절단으로서 샌프란시스코와 새크라멘토, 시카고와 워싱턴 D.C.를 거쳐 최종 목적지인 뉴욕에 도착했다.

그리고 마침내 1883년 9월 18일 뉴욕의 피프스 애비뉴 호텔에서 역사적인 국서 제정식(提呈式)이 열렸다. 미국 대통령 앞으로 보내는 고종의 친서와 보빙사에 대한 신임장(信任狀)으로 구성된 두 통의 국서는 양국의 우호증진을 바란다는 의례적인 내용이었지만, 조선은 국서를 교환함으로써 조선이 미국과 대등한 입장에서 외교 관계를 맺고 있음을 전 세계에 알릴 수 있었다. 동아시아를 벗어나 세계를 무대로 펼쳐지는 근대적 외교 질서에 첫발을 내딛는 것은 커다란 도전이라고 할 수 있다. 미국은 조선이 건국된 이래 그 누구도 가본 적 없는 미지의 땅이었던 만큼 미국으로 가는 길은 한 치 앞을 예상할 수 없었다. 사상 초유의 미국 방문은 태평양이 가로막고 있는 두 나라 사이의 물리적 거리를 극복하는 것부터 시작되었다. 보빙사 일행은 제물포에서 미국의 군함을 타고 일본 나가사키로 건너간 뒤, 다시 요코하마로 이동해 홍콩과 샌프란시스코를 연결하는 정기여객선 아라빅호(Arabic)에 탑승했다.

보름이 넘는 항해 끝에 태평양을 횡단한 사절단은 지친 몸을 이끌고 샌프란시스코에 도착했다. 하지만 뉴욕은 샌프란시스코에서 4,800km나 떨어져 있었다. 보빙사 일행은 다시 대륙횡단열차에 올라타 열흘을 더 달린 뒤에야 체스터 아서 미국 대통령이 머물고 있는 뉴욕에 닿을 수 있었다. 인천에서 출발한 보빙사 일행이 뉴욕에 도착하기까지는 두 달 남짓의 시간이 소요되었다. 그동안 연행사와 통신사 등 수많은 외교사절단이 파견되었지만 지구 반 바퀴를 건너온 보빙사는 그 어떤 외교사절단보다 먼 길을 달려온 셈이다.

미국에 도착한 사절단에게는 또 다른 난관이 기다리고 있었다. 바로 언어의 장벽이었다. 조약을 맺고 외교 관계를 수립했지만 조선에는 영어를 구사할 수 있는 외교관이 존재하지 않았다. 수행원 가운데 한 명이었던 고영철이 중국에서 1년 남짓 영어를 학습했지만 통역을 맡기에는 무리가 따랐다. 마찬가지로 미국 또한 보빙사를 영접하기 위해 일본어에 능숙한 해군 소위 포크 (George C. Foulk)를 파견했지만 그 또한 조선어를 구사하지는 못했다. 결국 두 나라의 언어를 모두 구사할 수 있는 통역관이 존재하지 않았기 때문에 외교적 교섭을 위해서는 제3의 언어가 필요했다. 사절단은 일본 유학 경험이 있는 유길준과 변수 등을 통해 일본어로 의사를 전달한 다음, 일본인 통역관이 이를 다시 영어로 옮기는 이중통역에 의지할 수밖에 없었다. 조선어를 일본어로 통역하고 이를 다시 영어로 옮기는 것은 오랜 시간이 소요되는 지난한 과정이었지만 보빙사 일행은 언어의 장벽에 굴하지 않았다. 사절단은 공식 임무였던 국서 제정을 완수했을 뿐만 아니라 약 40일간 뉴욕과 워싱턴 D.C. 및 보스턴을 오가며 미국의 다양한 시설과 제도를 시찰했다. 보빙사가 시찰한 곳은 재무부와 국무부, 조폐국과 특허청 등 연방정부의 다양한 행정부처뿐만 아니라 육군사관학교와 해군조선소 등의 군사시설, 방직공장과 철공소 등의 산업시설, 우체국과 전신국 등의 국가기반시설을 망라하고 있다. 연회에는 관심이 없고 하나라도 더 많은 것을 보고 배우려 했다는 현지 언론의 평가가 말해주듯이, 보빙사는 국서 전달을 위한 의례적인 외교사절에 머물지 않고 조선 최초의 미국시찰단으로서 자신들의 역할을 충실하게 수행하였다.

보빙사의 눈에 비친 미국은 어떤 모습이었을까? 미국에서 먼저 돌아온 홍영식은 고종에게 방문 결과를 보고하며 미국이 세계에서 가장 부강한 나라라고 소개했다. 몇 달 후 사절단을 이끌었던 민영익이 6개월간의 세계일주를 마치고 귀국하자 고종은 다시 한번 물었다. "미국의 부강함이 천하제일이라 하는데, 과연 그러하던가?" 민영익의 답변 역시 홍영식과 다르지 않았다. 민영익과 홍영식 모두 보빙사 파견에 앞서 일본을 시찰하며 근대 문명을 경험했지만 그들에게 미국의 부강함은 일본과는 비교할 바가 아니었다. 보빙사 일행에게 미국의 첫인상은 자연의 제약을 뛰어넘는 경이로운 힘으로 각인되어 있었다. 불과 2년 전 일본으로 떠나는 사절단이 부산까지 가는 데 한 달 가까이 걸렸던 반면 보빙사 일행을 태운 증기선은 수천 km의 태평양을 단 16일 만에 횡단하였고 대륙횡단열차가 아메리카 대평원을 지나는 데에는 열흘도 걸리지 않았다. 유길준이 『서유견문』에서 근대 사회의 본질을 '증기세계'라고 단언할 수 있었던 것은 미국으로 향하는 증기선과 증기기관차 안에서 '교통혁명'을 생생히 경험했기 때문일 것이다.

뉴욕에 도착한 보빙사는 지금까지 경험한 적 없는 압도적인 위용의 근대 도시에 놀라지 않을 수 없었다. 끝도 없이 펼쳐진 고층 건물과 깨끗하게 정비된 도로, 그 위를 오가는 수많은 인파가 뿜어내는 뉴욕의 화려함은 사절단의 마음을 빼앗기에 충분했다. 홀로 거리를 거닐다 길을 잃기도 했던 유길준은 뉴욕의 고가철도(Elevated Railroad)를 보며 '천하의 장관'이라 감탄할 정도였다. 영국에서는 땅속을 누비는 지하철이 개통된 지 오래되었지만, 그는 오히려 지상 3층 높이에서 움직이는 고가철도에 더 큰 관심을 보였다. 열차에 직접 탑승했던 유길준이 구름을 뚫고 달리는 것 같았다고 자신의 솔직한 심정을 밝힌 것을 보면, 하늘을 향해 솟아오른 뉴욕의 스카이라인은 보빙사의 경험 세계를 벗어난 신세계에 가까웠을 것이다.

마찬가지로 이스트강을 가로질러 맨해튼과 브루클린을 연결하는 초대형 현수교 역시 보빙사에게는 시각석 충격이었다. 1,800m 길이의 다리가 강철 케이블에 매달린 채 40m 높이의 허공 위에 떠 있는 모습은 어디에서도 볼 수 없었던 놀라운 광경이었다. 보빙사 일행이 보았던 현수교는 1883년 강철 케이블로 제작된 세계 최초의 현수교로, 지금까지도 뉴욕을 상징하는 건축물로 남아 있는 브루클린 다리(Brooklyn Bridge)이다. 141년 전 뉴욕에는 자유의 여신상도, 엠파이어 스테이트 빌딩도 없었지만, 미국 최대의 도시가 연출하는 '문명'의 풍경은 '근대'에 대한 의구심을 일소해버릴 만큼 압도적이었다. 짐작건대 '문명'의 빛이 너무 밝아 눈이 부실 정도라는 홍영식의 감탄은 혼자만의 생각이 아니었을 것이다.

미국이 이룩한 근대 문명은 경험하는 순간 얼어붙게 만드는 압
도적인 감각을 선사했다. 하지만 보빙사 일행이 '문명'의 빛에
현혹되어 정신을 잃었던 것은 아니다. 보빙사는 건국한 지 불과
100년(1775년 4월 19일부터 1783년 9월 3일까지 진행된 미국의
독립전쟁에서 미국이 영국에게 승리하여 1783년에 체결된 파리
조약을 통해 미국이 독립국이 됨) 만에 세계적 강대국으로 발돋
움한 미국 사회의 저력을 이해하기 위해 다양한 제도와 시설을
시찰했고 조선 사회에 적용할 수 있는 것들을 찾으려 했다. 40
여 일간의 시찰을 통해 보빙사가 내린 결론은 미국을 부강하게
만든 원동력이 그들의 교육제도에 있다는 사실이었다. 유길준은
한 인터뷰에서, 미국에서 시찰한 것 가운데 조선으로 가져가고
싶은 것이 있냐는 질문을 받자 곧바로 미국의 교육제도라고 답
변했다. 유길준은 미국의 부강과 번영이 교육의 결과이며 미국의
교육제도를 조선에 도입할 수 있다면 조선 역시 미국처럼 부강
해질 수 있으리라는 기내감을 피력했다. 근대화의 여정에서 시찰
단의 파견이 중요한 까닭은 낯선 세계와의 만남을 통해 자신의
정체성을 새롭게 인식할 수 있기 때문이다. 미국에서 목격한 '문
명'의 빛이 밝으면 밝을수록 조선에 드리운 '어둠'은 더욱 짙어
보일 수밖에 없었을 것이다.

우리들이 한국사에서 배운 유길준의 『서유견문』에서 유길준은
미국의 부강과 번영이 교육의 결과라고 말하였고, 유길준은 우리
나라 최초의 국비 유학생으로 미국 보스턴에 체류하면서 아이비
리그(Ivy League) 소속 대학교[*미국 북동부 명문 8개 사립대학
교, ①브라운대(Brown University/로드아일랜드주 프로비던스
/1764년 개교), ②컬럼비아대(Columbia University/뉴욕주 뉴*

욕시/1754년 개교), ③코넬대(Cornell University/뉴욕주 이타카/1865년 개교), ④다트머스대(Dartmouth University/뉴햄프셔주 하노버/1769년 개교), ⑤하버드대(Harvard University/매사추세츠주 케임브리지/1636년 개교), ⑥펜실베이니아대(University of Pennsylvania/펜실베니아주 필라델피아/1755년 개교), ⑦프린스턴대(Princeton University/뉴저지주 프린스턴/1746년 개교), ⑧예일대(Yale University/코네티컷주 뉴헤이븐/1701년 개교)] 중에서도 최고의 대학교인 하버드대학교에 입학하기 위하여 준비를 하던 중 갑신정변(1884.12.4)이 발생하여 유학비용 지급이 중단되어 귀국하는 바람에 미국 유학은 좌절되었고, 그는 바로 조선으로 돌아오지 않고 유럽을 돌아 견문을 넓히고 동남아시아, 일본을 거쳐 마침내 1885년 12월 인천에 도착하였는데, 조선에 귀국한 유길준은 김옥균, 박영효 등 갑신정변의 주모자들과의 친분으로 인해 곧바로 체포되었고, 1892년까지 7년 동안 연금(軟禁) 생활을 하던 중에 유학생활, 유럽탐방, 자신의 경세관 등을 담은 책『서유견문』을 집필하였다.

13. 프랑스가 미국의 독립전쟁 승리 100주년(1883년)을 축하하며 미국에게 선물한 "자유의 여신상"

세계 경제의 중심 뉴욕의 상징인 자유의 여신상(自由의 女神像, Statue of Liberty)은 뉴욕의 리버티 섬에 있는 건축물로 프랑스가 미국의 독립전쟁 승리 100주년(1883년)을 축하하기 위해 제작하여 1885년에 미국에게 선물한 동상이다. 미국과 프랑스 간의 친목을 도모하기 위해 프랑스 국민들의 모금 운동으로 제작되었으며, 1886년에 뉴욕의 리버티 섬에 설치되었다. 미국의 자유와 민주주의의 상징이자 19세기 이후 끊이지 않고 세계 각지에서 미국으로 유입된 이민자들에게 신천지의 상징이 되기도 했다. 1984년에는 유네스코 세계문화유산에 등록되었다.

자유의 여신상의 발코니까지 엘리베이터가 올라가며 그곳에서부터 전망대인 머리 부분까지는 나선형의 계단이 설치되어 있다. 자유의 여신상은 원래 등대였기 때문에 뉴욕항을 향하고 있다. 횃불은 등대의 역할을 했었지만, 구름에 반사되어 선박 운항에 방해가 된다는 청원으로 등대의 기능은 없어지게 되었다. 시간이 지남에 따라 자유의 여신상에 녹이 스는 등의 문제가 발생하여 자유의 여신상 수리 작업이 국가적 사업으로 추진되는 일도 발생하였고, 수리기간은 최소 1~2년이 걸렸으며, 1985년 수리과정에서 횃불은 금으로 도금하였다. 자유의 여신상은 구리로 제작되었기 때문에 색상이 최초에는 황동색이었으나 1886년 설치 이후 2024년 현재까지 138년 동안 염분이 있는 대서양의 바닷바람을 맞아 산화되어 하늘색으로 변색되었다.

자유의 여신상은 조립식 구조물이며, 프랑스가 미국에 이 조각상을 선물하기 전에 완성품 상태로 조립을 했었으나, 배에 선적하기 위해 해체할 수밖에 없었고, 미국으로 보내진 다음 미국에서 다시 조립하여 완성되었다. 프랑스에는 자유의 여신상을 그대로 축소해 놓은 조각상이 있다. 자유의 여신상의 오른손에는 횃불을, 왼손에는 독립선언서를 들고 있다. 뉴욕의 대표적 상징물로서 각종 영화나 문학 작품에서 많이 언급되고 있다.

2001년 9월 11일 발생한 9·11 테러 사건 직후 이 전망대는 테러집단의 표적이 될 수 있다는 우려가 제기되어 안전을 위해 폐쇄되었다가 2009년 7월 4일 독립기념일에 맞추어 약 8년 만에 개방되었고, 개방 후에는 이 전망대에 입장할 수 있는 인원이 시간당 30명, 하루 240명으로 제한되었으며, 입장은 예약이 필요하게 되었다.

14. 세계 영화산업의 메카 "로스앤젤레스 할리우드"

(1) 할리우드(Hollywood)

할리우드(Hollywood)는 로스앤젤레스 중심부에서 북서쪽으로 13km 떨어진 지점에 있으며, 1910년에 LA 시(市)의 일부가 되었고, 1920년 영화촬영소가 설립되면서 발전하였으며, 미국의 주요 영화회사에 대한 중앙배역사무소(中央配役事務所)와 영화박물관 등이 있어 미국 영화계의 총본산 역할을 한다고 한다. 할리우드볼(Hollywood Bowl)이라고 불리는 1919년에 건설된 유명한 야외극장과 그리피스 공원에 있는 연극 원형극장, 콘크리트 앞뜰에 많은 배우들의 손바닥 또는 발바닥 도장이 찍혀있는 중국극장(Man's Chinese Theatre) 등이 있다.

할리우드 지구 서쪽에 인접한 비벌리힐스 일대는 부호나 영화배우가 많이 사는 고급주택지이며, 선셋 대로(大路)가 할리우드를 동서로 관통하여 비벌리힐스와 이어진다.

(2) 할리우드(Hollywood)가 세계 영화산업의 메카가 된 이유

1910년대 초반, 미국에서 가장 인기 있는 영화 장르가 서부극이었고, 서부극은 실제 서부에서 촬영했을 때 더 실감이 났는데, 그 당시 영화사들이 모여 있던 미국 동부의 뉴욕과 뉴저지에서는 찾기 어려운 환경이었다고 한다. 이에 반해 미국 서부의 캘리포니아 주 남부는 태양과 사막, 산, 숲, 비탈 등이 다양한 광경을 제공하였고, LA 주변은 화창하고 건조한 날씨 때문에 일 년 내내 야외 촬영이 가능하여 1910년대 초반부터 LA의 할리우드 지역에 영화 제작사들이 모여들기 시작했다고 하니 명실공히 세계 영화산업의 메카인 LA 할리우드의 역사는 100년이 넘었다.

(3) 할리우드 & 하이랜드(HOLLYWOOD & HIGHLAND)

항상 사람들로 북적이는 할리우드 & 하이랜드(HOLLYWOOD & HIGHLAND)는 할리우드의 중심적인 관광지로 스타의 손자국으로 유명한 맨스 차이니스 시어터와 아카데미상 시상식이 열리는 돌비 극장을 포함한 복합 오락 명소이며, 이국적인 디자인의 건물에는 인기 브랜드 매장, 레스토랑, 카페 등이 즐비하다.

(가) 스타의 손자국이 모두 모여 있는 '맨스 차이니스 시어터(Man's Chinese Theatre)'

'맨스 차이니스 시어터(Man's Chinese Theatre)'는 1927년 극장왕인 시드 그라우만에 의해 설립된 영화관으로, 중국의 사원처럼 생긴 건물은 할리우드의 상징적인 존재가 되었으며, 정면 광장에 빽빽하게 깔려 있는 할리우드 영화 스타들의 서명과 손자국, 발자국이 유명하다. 아시아 배우로는 최초로 2012년 배우 안성기 님과 배우 이병헌 님이 이곳에 손자국을 남겼다.

(나) 아카데미상 시상식이 열리는 돌비 극장 (Dolby Theatre)

돌비 극장(Dolby Theatre)은 매년 3월에 열리는 아카데미상 시상식이 열리는 장소다. 2012년까지는 코닥 극장이었지만 2013년 아카데미상 시상식부터 돌비 극장으로 명칭이 바뀌었다. 평소에는 쟁쟁한 뮤지션들의 콘서트와 권위 있는 전시회 등의 이벤트가 열린다. 극장 입구 양 옆으로는 1930년부터 작품상을 수상한 영화 제목이 적혀 있으며, 아카데미상 시상식이 열릴 때면 레드 카펫이 깔리고 유명 할리우드 스타들이 카펫을 밟고 입장한다.

(다) 할리우드 왁스 뮤지엄(Hollywood Wax Museum)

할리우드 왁스 뮤지엄(Hollywood Wax Museum)은 할리우드 유명 배우와 영화의 한 장면을 밀랍 인형으로 그대로 재현한 박물관이다. 앤젤리나 졸리, 주드 로, 톰 크루즈, 벤 에플릭 등의 배우와 전시관별로 <스타워즈 에피소드>, <매트릭스>, <캐스트 어웨이>, <300>, <미녀 삼총사> 등의 영화가 재현되어 있어 다양한 볼거리를 제공한다. 박물관 입구에 설치된 '마릴린 먼로(1926년~1962년)' 실물 크기의 인형은 '마릴린 먼로'의 웃는 표정이 정말 생동감 있게 표현되어 있다.

15. 세계에서 가장 아름다운 현수교(懸垂橋) "샌프란시스코 Golden Gate Bridge(金門橋)"

(1) 현대 토목 건축물 7대 불가사의 중 하나,
금문교(金門橋)

금문교는 샌프란시스코의 상징적인 건축물로, 골든게이트 해협을 가로질러 샌프란시스코와 북쪽 맞은편의 마린카운티를 연결하는 아름다운 주홍빛의 다리다. 금문(金門), 즉 골든게이트(Golden Gate)라는 명칭은 골드러시(gold rush) 시대에 샌프란시스코 만(San Francisco Bay)을 부르던 이름이다. 당시 골든게이트 해협은 페리가 유일한 교통수단이었는데, 험준한 지형, 빠른 물살, 잦은 폭풍과 안개, 물속의 암반 등 자연적 문제 때문에 다리를 건설하기 힘들다고 여겨지고 있었다.

'실현 불가능한 꿈'이라 불리던 다리의 건설이 실현된 것은 설계자인 『조셉 B. 스트라우스』의 씨나는 노력 덕분인데, 그는 수차례에 걸쳐 설계를 수정했으며 계획에 반대하는 보수파와 페리선 사업자, 공학 전문가들을 설득했다. 1929년에 시작된 경제대공황에도 불구하고 1931년에 3천 5백만 달러의 채권이 승인되어 마침내 1933년에 착공하여 1937년 5월에 개통하였다. 많은 사람들이 복잡한 지형 등을 이유로 건설을 반대했지만 그 예상을 뒤엎고 건설 기간 4년 만에 다리가 완성된 것이다. 공사기간 4년 동안 수십 명이 목숨을 잃은 금문교(金門橋)의 건설은 1996년 미국토목학회(ASCE)가 선정한 현대 토목건축물 7대 불가사의 중 하나이다.

다리의 총 길이는 약 2,789m이며, 걸어서 건널 경우 40~50분 정도 소요되고, 다리를 지탱하는 두 개의 탑의 높이는 227m로 건설 당시 세계에서 가장 긴 다리이자 가장 높은 현수교 탑이라는 기록을 세웠고, 도로면은 수면에서 66m 높이에 있으며 수심이 깊어 대형 배도 통과할 수 있고, 거대한 다리를 지탱하는 케이블은 직경이 약 90cm나 되는데 2만 7,572개의 가는 케이블을 꼬아서 만들었다.

금문교를 감상하기 좋은 위치는 시간에 따라 다른데, 오전에는 다리 아래쪽의 포트 포인트가 좋고 특히 포트 포인트 동쪽의 해안가 도로에서는 다리 전체의 모습이 잘 보이고, 오후에는 마린 카운티 쪽의 전망대인 비스타 포인트에 오르면 샌프란시스코의 스카이라인을 볼 수 있으며 저녁에 서쪽의 베이커스 비치에서는 아름다운 석양이 보인다.

(2) 금문교(金門橋)는 왜 붉은색인기?

금문교가 붉은색(International Orange)인 이유에 관해서는 크게 아래와 같은 세 가지 의견이 있다.

첫째, 안개가 자주 발생하는 변덕스러운 기후에도 눈에 잘 띄도록 인터내셔널 오렌지색(International Orange)을 칠했기 때문이라는 것이다.

둘째, 붉은색 페인트가 가장 싸기 때문이다. 매년 페인트를 칠하면서 발생하는 유지보수비를 절감하기 위한 목적이라는 것이다.

셋째, 금문교가 처음에 설치되면서 밑칠로 붉은색이 도색되었는데, 교량 건설에 참여한 자문 엔지니어가 붉은색이 마음에 들어 최종 도색도 붉은색으로 결정되었다는 것이다.

이와 같은 세 가지 의견 중 어느 것이 정답이든 '인터내셔널 오렌지(International Orange)'라는 특유의 강렬한 붉은색으로 칠해진 금문교(金門橋)는 샌프란시스코의 상징이자 세계에서 가장 아름다운 다리로서 매년 900만 명 이상의 관광객들이 찾고 있을 만큼 전 세계인으로부터 가장 사랑받는 명소 가운데 하나가 되었다. 파리 에펠탑을 매년 700만 명이 방문하는 것과 비교해보아도 금문교(金門橋)의 인기를 실감할 수 있을 것 같다.

(3) 포트 포인트(전망대)

금문교 남단에 있는 포트 포인트는 미국의 남북전쟁(1861년~1865년) 발발 전에 만들어진 군시 시설인데, 현재에도 견고한 모습 그대로 보존되어 있어 한 번쯤 둘러보기 좋은 곳이며, 지금은 금문교를 가까이에서 제대로 볼 수 있는 전망대도 있다.

1958년에 개봉된 '알프레드 히치콕' 감독의 영화 「현기증」에 이곳 포트 포인트에서 금문교를 배경으로 찍은 장면이 등장하면서 유명세를 타기 시작했다.

(4) 2024.1월 금문교에 자살 예방 그물망 설치 완료
(공사비 약 3천억 원)

금문교에서는 1937년 개통 이후 2024년 현재까지 약 2,000명이
다리에서 뛰어내려 목숨을 잃은 것으로 알려졌다. 매년 평균 23
명이 투신해 소중한 생명을 잃었다. 2011년부터 계산하면 10년
동안 335건의 투신 사망이 확인되어 연평균 33.5건이었다.

금문교에서 투신하여 자살한 사람들의 유족들은 지난 수십 년
동안 당국에 대책을 마련하라고 요구해 왔다. 이에 철제 그물망
설치 논의가 시작됐지만, 예산이 지나치게 많이 들고 전망을 훼
손할 것이라는 반대 속에 실행되지 못했는데, 2013년 한 해 금
문교 자살자가 46명에 이르자 2014년 샌프란시스코 교통 당국은

금문교에 자살 예방 그물망 설치를 승인했다. 그로부터 4년 뒤인 2018년에야 그물망 설치 공사가 시작되었고, 공사 시작 5년 만인 2024년 1월에 완공되었다. 공사비는 약 3천억 원이 발생하였다.

자살 예방 그물망은 스테인레스 강철 소재로 만들어졌으며 전체 길이 2.8km 교량의 95%에 해당하는 구간에 다리 양쪽에 설치되었다. 그물망은 다리의 인도 아래 20피트(6.1m) 지점에서 바깥쪽으로 20피트 뻗어 나가는 형태로 설치되었다.

금문교 고속도로·교통국은 "이런 형태는 지역사회의 의견을 수렴하는 공개 절차를 통해 결정되었다. 탁 트인 경관을 그대로 유지하면서 투신을 방지할 수 있다"고 설명했다.

다리 위의 난간을 더 높이자는 의견도 만만치 않았지만, 경관을 해치는 것에 반대하는 의견이 더 우세해 다리 아래에 철망을 설치하는 쪽으로 결론을 내렸다.

의견 수렴 과정에서 "다리 위 투신을 막는다고 해도 결국 그들은 다른 방법으로 자살을 시도할 것"이라며 비용 대비 효과에 회의적인 시선을 보내는 이들도 적지 않았으나, 연구 결과는 그렇지 않다는 것을 보여준다고 뉴욕타임스(NYT)는 보도했다.

1978년 UC버클리의 리처드 세이든의 연구에 따르면 1937년~1971년 투신할 의도로 다리에 갔다가 구조당국 등의 설득으로 포기한 515명을 추적한 결과, 94%가 계속 살아 있거나 자연

사한 것으로 파악됐다.

세이든은 "자살 행동은 본질적으로 위기에서 비롯되고 급작스럽다"고 말했다. 2000년 9월 금문교에서 뛰어내렸다 구조된 케빈 하인즈는 CNN 인터뷰에서 "손이 난간을 떠난 순간 내 행동에 후회가 밀려왔다"고 회고했다. 물 위로 추락하는 4초 동안 그는 우울한 감정이 사라지면서 거의 본능적인 생존 충동이 일어났다고 돌아봤다.

투신 방지 활동을 하는 비영리단체 브리지레일 재단은 하인즈가 당시 금문교에서 시속 75마일(121km)의 속도로 220피트(66m) 아래로 떨어졌으며, 이는 "보행자가 그 정도로 빠르게 달리는 차에 치이는 것과 같다"고 설명했다.

하인즈는 투신 때 받은 충격으로 척추뼈 3개를 티타늄 금속판과 핀으로 교체하는 수술을 받고 한 달 후 퇴원했다. 이후 그는 몇 년 동안 전 세계를 다니며 자신이 겪은 일에 대해 전했다.

그는 "나처럼 자살 시도에서 살아남은 수천 명을 만났는데, 모두 같은 순간에 후회했다고 한다"며 "극단적인 생각이 행동으로 이어질 필요는 없다는 것을 깨달은 것"이라고 했다. 하인즈를 비롯해 금문교에서 투신했다가 살아남은 이들은 "안전망이 앞으로 많은 사람에게 두 번째 삶의 기회를 줄 것"이라고 기대했다.

금문교 고속도로·교통국은 별도로 낸 성명서에서 "그물을 설치한 목적은 다리에서 투신 자살하는 사람들의 수를 줄이기 위함"이라며 "이 그물은 사람들이 뛰어내리는 것을 방지하고, 실의에 빠진 이들에게 보살핌과 희망의 상징으로 작용하며 그들에게 두 번째 기회를 제공하게 될 것"이라고 밝혔다.

금문교가 '세계에서 가장 아름다운 다리이자 세계적인 자살 명소가 되어온 다리'라고 생각하니 다리의 색깔을 초록색이나 파랑색으로 바꾸면 자살율을 낮출 수도 있겠다는 생각이 든다.

실제로 영국의 템즈강에 있는 다리 중 '블랙 프라이어 브리지'라는 다리는 검은색 다리로서 런던의 자살 장소로 유명했었는데, 다리의 색깔을 검은색에서 초록색으로 바꾸었더니 투신을 시도하는 사람의 수가 1/3로 줄어들었다고 한다.

색깔이 사람에게 주는 심리적인 작용은 무시할 수 없을 것 같다. 검은색은 죽음, 우울 등을 연상시키는 반면, 초록색이나 파랑색은 의지력, 청춘 등을 연상시키고, 빨강색은 열정, 힘, 활동성, 따뜻함 등의 긍정적인 이미지를 갖고 있으면서도 자극적, 흥분, 공격성, 분노, 맹렬 등의 부정적인 이미지도 갖고 있는 이중성을 가지고 있는 것 같다.

강렬한 붉은색으로 장식된 금문교는 검정색에 비하면 밝은 색이라고 할 수 있지만 붉은색은 사람의 마음을 부추기는 효과가 있어서 투신을 하려는 사람의 마음을 부추기는 현상이 일어날 수도 있으므로, 금문교의 색깔을 초록색이나 파랑색으로 바꾸는 것을 검토해볼 필요가 있을 것 같다.

16. 『미국 해병대 전쟁기념물(알링턴 국립묘지)』로 재탄생한 이오지마 전투의 성조기 게양 사진 (1945.2.23. 태평양전쟁 말기)

미국의 수도 워싱턴 D.C. 전체를 조망할 수 있는 장소 중 하나가 포토맥강 건너 알링턴 국립묘지(버지니아주) 바로 북쪽의 나지막한 언덕이다. 연방의회의사당, 백악관, 워싱턴 기념탑, 링컨 기념관 등이 한눈에 보이는 이곳에 있는 '미국 해병대 전쟁기념물(U.S. Marine Corps War Memorial)'은 미국 해병대원들의 성조기 게양 장면을 생생하게 묘사한 동상으로 유명하다. 기단에

는 해병대의 구호인 'Semper Fidelis(항상 충성스러운)'이라는 라틴어가 새겨져 있다.

1941년 12월 7일 일본에 의한 미국의 하와이 진주만 기습공격으로 시작된 태평양전쟁은 미국이 일본의 히로시마와 나가사키에 원자폭탄을 투하한 직후인 1945년 8월 15일 일본의 항복으로 끝났다. 4년 가까이 전개된 태평양전쟁 중 가장 치열했던 전투 중 하나가 이오지마 전투(1945.2.19.~1945.3.26.)인데, 일본군이 점령하고 있었던 이오지마 섬을 미군이 5주 만에 빼앗았다.

이 전투에서 미군은 2만 6천여 명의 사상자가 발생하였고, 일본군은 전체 병력의 대부분인 약 1만 8천 명이 전사하거나 실종되고 2백여 명은 포로가 되었다. 이 전투는 태평양전쟁 중 미군의 사상자가 일본군의 사상자보다 많았던 유일한 전투이며, 이 전투에서의 미군의 사상자 규모를 포함한 전황을 보고받은 제32대 미국 대통령 프랭클린 루스벨트는 미군의 사상자 규모에 충격을 받아 보고받은 자리에서 눈물을 흘렸고, 이오지마 전투(1945.2.19.~1945.3.26.)가 미군의 승리한 끝난 때로부터 17일이 지난 1945.4.12. 루스벨트 대통령이 뇌출혈로 사망함에 따라 부통령이었던 해리 트루먼이 제33대 미국 대통령으로 대통령직을 승계하여 일본의 히로시마와 나가사키에 원자폭탄 투하 명령을 내려 일본의 항복을 받아 태평양전쟁에서 미국이 승리하였다.

이처럼 치열했던 이오지마 전투에서 가장 극적인 순간이 1945년 2월 23일에 끝난 스리바치산 고지 전투다. 이 전투는 AP통신 소속의 종군 기자 '조 로젠털'이 촬영한 사진 덕분에 태평양전쟁의 상징이 되었다. 활화산인 스리바치산 정상에 여섯 명의 미군 해병대원들이 거대한 성조기를 게양하는 장면을 생생하게 담은 사신은 그해 언론인에게 주는 최고의 상인 퓰리처상을 받으며 미국인들에게 강렬한 인상을 남겼다.

미국 애국주의의 상징이 된 이 사진은 1954년 알링턴 국립묘지(버지니아주)의 바로 북쪽에 위치한 『미국 해병대 전쟁기념물(U.S. Marine Corps War Memorial)』인 『미국 해병대원들의 성조기 게양 장면을 생생하게 묘사한 동상』으로 재탄생하여 미국인들의 애국심과 자부심의 상징이 되었다.

17. 미국 문화의 상징 "미국의 3대 햄버거"

미국 문화의 상징 중 하나가 햄버거이다. 미국의 3대 햄버거(①
Five Guys, ②In N Out, ③Shake Shack)에 관하여 소개하면
다음과 같다.

첫째, Five Guys는 1986년에 제리 머렐, 제이니 머렐 부부가
개업한 미국의 햄버거 패스트푸드 레스토랑인데, 공식 명칭은 '
파이브 가이즈 버거즈 앤 프라이즈 (Five Guys Burgers and
Fries)'이다. 주로 '파이브 가이즈'로 줄여 부르며 기업 명칭도
동일하다. 첫 번째 음식점은 알링턴 국립묘지로 유명한 버지니아
주의 알링턴시에서 열었고, 현재 본사는 버지니아주 롤톤시에 있

다. Five Guys는 음식 조리에 땅콩 기름을 사용한다는 특징이 있다. 이는 창업자인 제리 머렐이 메릴랜드주 오션 시티에 있을 때 마주친 땅콩 기름에 튀긴 감자튀김에서 영감을 받았기 때문이다. 이 감자튀김에 대한 고집은 브랜드의 핵심이 되었다. 서울의 두 곳(강남, 여의도)에 Five Guys 매장이 있다.

둘째, In N Out은 1948년에 스나이더 부부가 캘리포니아에 처음 문을 연 수제버거 전문점이다. 캘리포니아주에서는 맥도날드를 추월한 햄버거 프랜차이즈인데, 성공 비결은 신선함에 있다고 한다. 냉동이 아닌 냉장 패티를 사용하며, 프렌치 프라이 역시 주문을 받은 직후 통감자를 썰어 튀기므로 신선하여 맛이 좋고, 가격도 저렴한 편이어서 가성비가 좋다. 해외 매장은 전혀 없고, 미국에서도 미국 서부 지역에 있는 캘리포니아주, 오리건주, 네바다주, 유타주, 애리조나주, 텍사스주, 콜로라도주 등 7개주에만 300여 개의 매장이 있는데, LA지역에는 40여 개의 매장이 있다고 한다. 이처럼 미국 서부 지역에만 매장을 운영하는 이유는 식자재를 신속하게 조달하여 신선도를 유지하기 위해서라고 한다.

'In N Out'이라는 상호는 성경 신명기 제28장 제6절에서 나왔다.
『네가 들어와도 복을 받고 나가도 복을 받을 것이니라
(You will be blessed when you come in and blessed when you go out)』
'In N Out' 제품 곳곳(컵, 용기, 포장지 등)에는 성경의 말씀이 적혀 있다. 개신교계 기업답게 부활절과 성탄절에는 모든 매장들이 문을 닫는다.

셋째, Shake Shack은 2001년에 대니 마이어가 뉴욕의 메디슨 스퀘어 공원 복구 기금 마련을 위한 이벤트로 핫도그 카트를 운영하면서 시작했다. 1회성 이벤트였으나 큰 반향을 일으키면서 계속되다가 2004년 6월 이 공원 구내에 매장을 설치하여 정식 오픈하였다. 대니 마이어 본인은 이 가게가 특별히 경쟁력이 있었다기보다는 인터넷 시대에 분위기를 잘 탔음을 성공의 이유로 보았다. 당시에 플래시몹이 유행이었는데, 어느 대규모 눈싸움 플래시몹 행사 참가자들에게 무료로 핫초콜릿을 뿌린 것이 계기가 되어 트위터 상에서 이 가게는 우리 편이라는 이미지가 생겼다고 한다. 정작 Shake Shack 버거를 모르는 뉴요커도 많다고 한다. 우리나라에는 수도권, 대전, 천안, 대구, 부산 등 20여 개의 Shake Shack 매장이 있다.

18. 프랑스의 정통 와인을 능가하는 캘리포니아 와인의 본산, 나파 밸리(Napa Valley)

(1) 캘리포니아 와인의 본산, 나파 밸리(Napa Valley)

나파 밸리(Napa Valley)는 캘리포니아 주(州) 나파 카운티(Napa County)에 위치한 대규모 와인 생산지이자 캘리포니아 와인 생산의 중심지로, 샌프란시스코에서 북동쪽으로 약 60km 떨어진

지역에 위치한다. 1860년대부터 와인이 생산되었으나, 금주법 (1919년~1933년)으로 인해 대부분의 와인 농장이 문을 닫았고, 1940년부터 와인 생산이 재개되어 1960년에는 기업적 와인너리 (Winery: 포도주 양조장) 경영을 통해 대규모로 와인을 생산하게 되었다.

300개 이상의 대규모 와이너리가 있고, 소규모 와이너리까지 총 1800여 개 이상의 와이너리가 있는데, 캘리포니아 최초로 기업적 와이너리로 성장한 로버트 몬다비 와이너리(Robert Mondavi Winery), 샤토 몬틀레나 앤 베링어(Chateau Montelena and Beringer) 등 세계적으로 유명한 와이너리가 주요 관광지이다.

(2) 캘리포니아 와인의 역사를 바꾼 1976년 "파리의 심판 (Judgment of Paris)"

(가) 그리스 신화 "파리스의 심판(Judgement of Paris)"

세 명의 여신 중에서 가장 아름다운 여신을 선택하는 『파리스의 심판(Judgement of Paris)』은 트로이 전쟁(Trojan war)의 불씨가 되었는데 그 이야기는 다음과 같다.

테티스와 펠레우스의 결혼식에 초대받지 못한 불화의 여신 '에리스'가 주고 간 황금사과에 『초대된 여신들 중에 가장 아름다운 여신에게 이 사과를 선물로 드립니다』라는 글귀가 새겨져 있었는데, 그것을 본 결혼의 여신 '헤라', 지혜의 여신 '아테나', 미의 여신 '아프로디테(비너스)'가 서로 자기가 황금사과의 주인이라고 주장하자, 이에 주신(主神) '제우스'는 자기가 결정하기 힘든 일을 트로이 왕자인 '파리스(Paris)'에게 결정권을 준다.

'파리스(Paris)'는 부와 권력을 제안한 '헤라'도 아니고, 전쟁의 승리와 명성을 제안한 '아테나'도 아니고, 세상에서 가장 아름다운 여인을 아내로 삼게 해주겠다고 제안한 '아프로디테(비너스)'를 선택하여 파리스(Paris)의 심판에서 승자는 '아프로디테(비너스)'가 된다.

약속대로 '아프로디테(비너스)'가 '파리스(Paris)'에게 소개해 준 여인이 바로 스파르타의 왕 '메넬라오스'의 부인이었던 왕비 '헬레네'였는데, 파리스(Paris)와 헬레네는 서로 사랑에 빠져 함께 트로이로 도망치게 되고, 그 유명한 트로이 전쟁(Trojan war)이 시작된 것이다. 트로이 전쟁(Trojan war)은 기원 전 1250년 ~ 기원 전 1170년 중 어느 시기에 발생한 것으로 추측되고 있을 뿐 정확한 시기는 아무도 모른다고 한다.

(나) 프랑스 패권에 맞선 마이너리티 와인 혁명, 1976년 "파리의 심판(Judgment of Paris)"

프랑스 패권에 맞선 마이너리티 와인 혁명, 『파리의 심판(Judgment of Paris)』은 1976년 5월 24일 영국인 Steven Spurrier에 의해 프랑스 파리에서 열린 프랑스 와인과 캘리포니아 와인의 시음회에서 캘리포니아 와인이 프랑스 와인을 이긴 사건이다. 이 대회에 유일하게 참석한 Time지 기자 조지 M. 테이버는 결과를 즉시 잡지에 공개하였고, 이 시음회가 미국여론에서 관심을 집중하며 이슈화가 되며 일파만파로 확산되었으며, 프랑스 와인업계도 충격을 받았다. 이 시음회를 소재로 한 영화 『와인 미라클』이 2008년 개봉되었다.

『파리의 심판(Judgment of Paris)』은 1976년 5월 24일 파리 인터컨티넨탈 호텔에서 벌어졌다. 파리에서 와인숍과 아카데미를 운영하던 서른네 살의 영국인 Steven Spurrier는 캘리포니아 와인의 맛에 놀라게 되어 캘리포니아 와인의 수준이 프랑스의 대표 와인에 어디까지 미치는지 확인하고 싶어 프랑스 와인과 캘리포니아 와인의 시음회를 열었다.

이 행사에 저명한 프랑스 전문가들이 심사위원으로 초청되어 프랑스와 캘리포니아의 최고급 와인을 블라인드 테이스팅(Blind Tasting) 방식으로 평가하였다. 그 당시 캘리포니아 와인은 프랑스 와인에 비해 거의 알려져 있지 않았으며, 파리에서 캘리포니아 와인이라고 하면 대용량으로 포장된 저가 와인 몇 가지만 판매될 뿐이었으므로, 아무도 캘리포니아 와인이 승리할 것이라고 예상하지 못했는데, 프랑스 심사위원들은 캘리포니아 나파 밸리(Napa Valley)에서 생산된 두 종류의 와인[◉화이트 와인 : 샤토 몬텔레나(Château Montelena) 1973, ◉레드 와인 : 스택스립 와인 셀러(Stag's Leap Wine Cellars) 1973]에 최고점을 주었고, 현장에 있던 모두가 충격에 빠졌다.

이 사건은 시음회에 온 사람들뿐 아니라 캘리포니아 와인의 품질과 잠재력에 대한 와인 업계 전체의 인식을 변화시킨 '와인 혁명'을 촉발시킨 계기가 되었고, 전 세계의 와인 생산자들에게 새로운 목표의식과 자신감을 갖게 했다.

이 사건으로부터 30년이 지난 2006년, 파리 시음대회 30주년 기념행사가 기획되었다. 30년 전에 시음했던 그 와인을 놓고 시음하는 앙코르 시음이다. 숙성력이 뛰어난 프랑스 보르도 와인은 익으면 익을수록 맛이 더 좋아진다고 사람들이 믿고 있어서 이번 결과는 프랑스의 손쉬운 승리일 거라고 모두들 예상했다. 그러나 예상과 달리 30년이 흐른 후에도 역시 캘리포니아 와인이 더 높은 평가를 받았다. 그것도 레드와인 분야 1~5위를 캘리포니아 와인이 석권했다.

프랑스의 정통 와인을 능가하는 캘리포니아 와인의 본산(本山)이 나파 밸리(Napa Valley)다.

19. 북미 최고봉 "알래스카 디날리산(해발 6,194m)"

　디날리산은 북아메리카의 최고봉이자 미국의 최고봉이며, 미국 알래스카주 디날리 국립공원에 위치한다. 북아메리카의 두 번째 봉우리는 캐나다 최고봉인 유콘 준주에 위치한 로건산(해발 5,959미터)이다. 디날리는 알래스카 중남부에 위치하며, 북위 63도선에 있어서 7대륙 최고봉 중 남극의 빈슨 산괴를 제외하면 적도와 가장 멀다. 북위 66도 이북을 북극권으로 본다는 점을 감안하면 사실상 북극권에 있다고 해도 큰 무리가 없다. 6천 미터가 넘는 봉우리 중에서는 가장 북극과 가깝다. 거대한 빙하 5개가 디날리를 감싸 흐른다.

디날리는 북아메리카의 최고봉이지만 남북아메리카 통합순위는 많이 밀린다. 해발 7천 미터에 근접하는 남북아메리카 통합 최고봉인 아콩카과(해발 6,962m/아르헨티나)를 필두로 디날리보다 높은 6천 미터급 산들이 안데스산맥에 많이 있기 때문이다. 그런데, 산의 높이를 측정하는 여러 기준이 있지만, 산의 기반에서부터 정상까지의 높이를 측정한 기준으로는 디날리가 세계에서 가장 높다. 에베레스트와 다른 8천 미터급 산들이 해발 고도로는 최고이지만 해발 4~5천 미터에 위치한 티베트 고원 위에 솟아있어서 사실상 3~4천 미터 정도의 봉우리에 불과하고, 아콩카과도 해발 4~5천 미터에 위치한 안데스 고원 위에 솟아있어서 사실상 2~3천 미터 정도의 봉우리에 불과하지만, 디날리는 해발 3백 미터부터 솟아있기 때문이다.

이 산의 명칭을 두고 알래스카 주와 연방정부가 오랜 세월 동안 논쟁을 벌였다. 미 연방 지명위원회(US Board on Geographic Names)에는 매킨리산(Mt. McKinley)으로, 알래스카 지명위원회(Alaska Board on Geographic Names)에는 디날리(Denali)로 등록되었다. 당연히 현지에서는 후자로 훨씬 많이 불린다. 현지의 의견을 대체로 존중하고 정치와는 거리가 먼 경향이 있는 국제적 등산가들도 후자를 선호한다. 매킨리산이라는 명칭은 1897년 이 봉우리 발견 당시의 미국의 제25대 대통령 윌리엄 매킨리의 이름을 땄다. 반면 디날리라는 명칭은 알래스카 현지어로 '가장 높은 곳'이란 의미이다.

미국의 최고봉을 둘러싼 명칭 문제는 미국 의회에서 오래 묵은 이슈인데, 전자를 지지하는 윌리엄 매킨리 전 대통령의 정치적 기반인 오하이오 주의 연방 하원의원들과 후자를 지지하는 알래스카 주의 연방 하원의원들이 두 지역 모두 공화당 주이고 연방 하원의원들도 모두 공화당 소속인데도 여러 번 격하게 연방 하원에서 논쟁한 바가 있다.

미국 25센트 주화 중 알래스카 도안에는 디날리라고 표기하였고, 2015년 8월 30일 버락 오바마 미국의 제44대 대통령이 기후변화에 대한 '북극회의'를 위한 알래스카 방문에 맞춰 알래스카 원주민들의 오랜 청원을 받아들여 이 산의 이름을 디날리로 변경한다고 발표하였다. 이로써 미 연방정부와 알래스카 주의 오래된 명칭 논쟁은 알래스카의 판정승으로 일단락되었다.

디날리 정상(해발 6,194m) 세계 최초 등정은 1913년에 영국의 허드슨 스턱과 미국의 해리 카르텐츠가 공동으로 이끈 등반팀이 정상 등정에 성공했다. 난이도로 치면 히말라야 8,000미터급 14좌 다음 수준을 이루는 산이다. 디날리는 전문 등반 기술이 일정 수준 요구되고 악천후로 인해 등정하기가 쉽지 않다. 한국인이 디날리 정상을 등정하면 국내 신문에 보도될 정도이다.

특히, 디날리는 주변에 높은 봉우리가 전혀 없이 홀로 압도적인 높이로 솟아있어서 사방에서 불어오는 바람을 그대로 맞는다. 눈사태도 빈번하고 기상도 심하게 변덕스럽다. 등반 시 큰 문제가 되는 것이 기온인데, 디날리는 사실상 북극권에 위치한 고산이기 때문에 동계에는 영하 60도에 육박하는 혹한이 밀어닥친다. 디날리는 북극권의 그린란드, 오이먀콘과 함께 가장 낮은 기온을 보이는 지역으로, 심할 경우 영하 70도까지 내려간다. 북반구 역사상 최저 기온이 디날리산에서 기록되었는데, 영하 74도였다. 평균적으로 바람이 엄청나게 불기 때문에 체감온도는 영하 80도까지 내려가기도 한다.

2003년까지 디날리를 등반하다 죽은 사람의 수는 100명이 넘는다고 하는데, 히말라야 8,000미터급 14좌와 비교하면 210명이 사망한 에베레스트 바로 다음이다. 2015년까지 85명이 사망한 K2보다 사망자가 많다. 1977년 9월 15일 한국인 최초이자 세계에서 14번째로 에베레스트 정상에 올라 무려 정상에서 1시간을 머물러 당시 세계적인 화제가 된 산악인 故 고상돈 대원조차 1979년 5월 29일에 디날리를 등정한 후 하산하다가 사망했다. 또한 1970년 일본인 최초로 에베레스트 등정에 성공한 일본의 모험가 우에무라 나오미도 1984년 2월 겨울철에 디날리 정상 단독 등정에 성공했지만 하산 도중 악천후 때문에 실종되었다. 또한 디날리는 등산을 하지 않더라도 곰, 엘크 등의 야생동물이 많아 위험한 지역이다.

20. 세계 최고의 마라톤대회, 보스턴마라톤

(1) 우리나라 선수 3명이 우승한 127년 역사의 보스턴 마라톤

1620년 영국의 청교도들이 영국의 종교박해를 피해 메이플라워 호를 타고 미국의 보스턴에 있는 플리머스항에 입항하면서 미국의 역사가 시작되었고, 미국 독립전쟁(1775년~1783년)의 첫 총성이 울린 렉싱턴·콩코드전투(1775. 4. 19)도 보스턴에 주둔하고 있었던 영국군이 보스턴에서 북서쪽으로 약 20km 지점에 있는 렉싱턴에 있는 식민지 민병대의 무기고를 습격하면서 발생하였고, 1636년에 설립된 세계 최고의 대학인 하버드대학교와 세계적인 공과대학인 MIT도 찰스강을 사이에 두고 보스턴과 마주보고 있는 케임브리지에 있고, 1896년 제1회 아테네올림픽에서 영감을 받아 1897년에 시작하여 2024년 현재까지 127년의 역사를 갖고 있는 세계에서 가장 오래된 마라톤대회이자 세계 5대 마라톤대회(보스턴, 뉴욕, 시카고, 베를린, 런던) 중 유일하게 1997년부터 참가자격에 제한(연령별·성별 대회일 기준 과거 1.5년 이내에 일정한 시간 이내에 완주한 기록증이 있어야 참가할 수 있음)을 두고 있어 세계에서 가장 권위 있는 마라톤대회인 보스턴마라톤이 보스턴에서 개최되는 등 보스턴은 미국의 역사와 문화의 수도라고 할 수 있다.

이 중에서도 2002.3월부터 2024.2월까지 22년 동안 42.195km를 95회 완주한 저자가 가장 주목하는 것은 보스턴마라톤이다. 2023.9.27.에 개봉한 영화 '1947 보스턴'은 127년 전통의 보스턴마라톤에서 우승한 한국인 3명(1947년 서윤복, 1950년 함기용, 2001년 이봉주) 중 동양인 최초로 보스턴마라톤(1947년)에서 우승하여 민족지도자 김구 선생으로부터 '足覇天下(발로 천하를 제패했다)'라는 휘호를 선물 받았을 뿐만 아니라 모교인 숭문고의 교정에 '足覇天下'가 새겨진 비석이 세워지게 만든 서윤복 선수의 위업을 그린 영화인데, 천만 관객을 동원한 영화 '쉬리'와 '태극기 휘날리며'의 감독인 강제규 감독이 영화 '1947 보스톤'의 감독이고, 주연 배우는 임시완 님(서윤복 배역)과 하정우님(손기정 배역), 배성우 님(남승룡 배역)이다. 이 영화의 줄거리를 보면, 1936년 일제강점기 베를린올림픽 마라톤에서 2시간 29분 19초의 올림픽 신기록으로 우승하여 한국인의 기상을 세계만방에 떨친 손기정 선수는 해방 후 미군정 시절인 1947년 제51회 보스턴마라톤대회에 참가하는 한국선수단의 감독을 하면서 서윤복 선수가 동양인 최초로 보스턴마라톤에서 우승하는 쾌거를 달성하는 데 크게 기여했다.

1897년에 시작하여 2024년 현재까지 127년의 역사를 가진 보스턴마라톤에서 우리나라 선수 3명이 우승했을 정도로 보스턴마라톤은 우리나라와 인연이 깊은 마라톤이다. 1947년 제51회 보스턴마라톤대회에서는 서윤복 선수가 2시간 25분 39초의 세계 신기록으로 우승을 했고, 1950년 제54회 보스턴마라톤대회에서는 함기용(기록 2:32:39), 송길윤(기록 2:35:58), 최윤칠(기록 2:39:45) 선수가 각각 1위, 2위, 3위로 골인해 당시 경무대로 초청되어 이승만 초대 대통령으로부터 "수십 명의 우리나라 외교관들보다 자네들 3명이 훨씬 강렬하게 국위 선양을 하여 애국을 했다"라는 찬사를 받았고, 2001년 105회 보스턴마라톤대회에서는 이봉주 선수가 2시간 9분 43초의 기록으로 우승하여 마라톤 세계 최강국 케냐의 대회 11연패를 저지했다.

(2) 손기정 선수와 인연이 깊은 보스턴마라톤의 전설 "존 켈리"

1936년 제40회 보스턴마라톤대회에서의 일이다. 그 당시 강력한 우승 후보로는 전년도 우승자인 '존 켈리'라는 선수가 있었다. 아메리칸 인디언인 엘리슨 브라운이라는 선수가 초반부터 치고 나가 속도를 높일 때 대부분의 선수들이나 관계자들은 그가 끝까지 완주하리라고는 예상을 하지 않았다. 드디어 중반을 넘어 27km~28km 쯤부터 엘리슨 브라운 선수의 속도가 느려지고 이

옥고 존 켈리 선수가 엘리슨 브라운 선수를 따라잡아 추월하면서 격려하는 듯이 어깨를 터치하고 나갔다.

하지만 이때부터 상황은 달라지기 시작했다. 엘리슨 브라운 선수가 다시 원기를 되찾아 속도를 높여 존 켈리를 따라갔고 결국 32km 지점 쯤에서 완만하게 올라가는 언덕(약 2km 정도)에서 엘리슨 브라운 선수가 존 켈리 선수를 다시 추월하였다. 엘리슨 브라운 선수는 우승(기록 2:33:40)을 하였고, 존 켈리 선수는 5위(2:38:49)에 그치고 말았다. 엘리슨 브라운 선수는 1939년에도 우승(2:28:51)을 하였다.

이 과정을 취재한 보스턴글로브의 제리 네이슨(Jerry nason)이라는 기자가 기사를 작성하면서 그 언덕을 "상심(傷心)의 언덕 : breaking kelly's heart : 켈리의 마음을 아프게 했다"라고 썼고, 그 이후 이 부근은 "상심의 언덕"이라 불리게 되었다. 우리나라에 소개될 때 위와 같은 사연을 잘 모르는 채 단어의 뜻에 충실하게 "심장파열의 언덕 : Heartbreak hill : 경기 후반부이고 언덕으로 올라가니 심장 박동이 더 올라가 터질 듯함"으로 잘못 알려지게 되었다.

존 켈리(John Kelly, 1907년~2004년)는 보스턴마라톤의 전설이다. 1928년 처음으로 보스턴마라톤대회에 출전했을 때는 완주를 하지 못했으나 1935년 처음 우승(2:37:07)을 했고, 1945년에 두 번째 우승(2:30:40)을 하였다. 2위를 7번이나 기록했으며, 5위 안에 15번 기록했고, 61회 출전하여 58회 완주를 하였다. 25세부터 한 해도 거르지 않고 보스턴마라톤대회에 출전하였으며,

1943년에는 본인의 최고기록(2:30:00)을 세웠고, 59세인 1966년에 sub-3(2:55:00)를 기록했다. 73세인 1980년에는 3:35:21의 기록으로 완주했으며, 81세인 1988년에 4:26:36의 기록으로 완주했고, 85세인 1992년에 5:58:00의 기록으로 생애 마지막 보스턴마라톤대회를 완주하고 은퇴를 하였다. 1936년 베를린올림픽(18위)과 1948년 런던올림픽(21위)에서 마라톤 종목 미국 국가대표로 출전하였다.

특히 존 켈리 선수는 1936년 베를린올림픽 마라톤에서 우승한 손기정 선수와 함께 달렸고, 손기정 선수가 우승할 때 신고 달렸던 운동화를 선물로 받았고, 베를린올림픽이 끝난 다음 2켤레나 추가로 선물 받았을 정도로 존 켈리 선수와 손기정 선수는 서로의 우정이 돈독하였다고 한다.

존 켈리 선수가 보스턴마라톤의 영웅이자 불멸의 전설로 회자되는 것은 우수한 완주 기록뿐만 아니라 한결같은 인내와 꾸준함을 보여주었기 때문이다. 1993년에 보스턴마라톤대회 코스의 32km 지점에 존 켈리 선수의 동상(이름 : 마음은 청춘, young at heart)이 세워졌다. 이 동상은 1935년 보스턴마라톤에서 처음 우승했을 때의 28세의 존 켈리와 1992년 보스턴마라톤에서 마지막으로 완주했을 때의 85세의 존 켈리가 손을 맞잡고 있는 모습이다.

(3) 1967년 제71회 보스턴마라톤대회에서 여성 최초로 42.195km를 완주한 "캐서린 스위처"

2017년 제121회 보스턴마라톤대회에서는 70세 여성이 4시간 44분 31초의 기록으로 42.195km를 완주해서 결승선을 통과하며 관중의 환호와 언론의 관심을 끌어모았다. 사람들이 이 여성에게 주목한 이유는 그가 70세라서가 아니었다. 사람들이 관심을 가졌던 이유는 그 여성이 캐서린 스위처(Katherine Switzer)였기 때문이다. 캐서린 스위처는 1967년 제71회 보스턴마라톤대회에 참가하여 이 대회 최초 42.195km 공식 여성 완주자(완주 기록 : 4시간 20분)가 되었을 뿐만 아니라 인류 역사상 여성 최초로 42.195km를 완주한 사람이 되었고, 2017년 완주는 그 50주년을 기념하기 위한 것이었다.

하지만 엄밀하게 말해 보스턴마라톤을 최초로 완수한 여성은 따로 있다. 로버타 깁(Roberta Gibb)이라는 여성이 한 해 앞선 1966년 이 대회를 완주했다. 그럼에도 불구하고 사람들이 캐서린 스위처를 기억하는 이유는 그가 '공식' 완주자였기 때문이다. 로버타 깁은 캐서린 스위처보다 한 해 먼저 완주하기만 한 것이 아니라 캐서린 스위처보다 훨씬 더 빨랐다. 로버타 깁은 캐서린 스위처가 참가한 1967년 제71회 보스턴마라톤대회 때도 뛰었고 캐서린 스위처보다 거의 한 시간 가까이 빨리 결승선을 통과했다. 그러나 로버타 깁은 대회 참여자 명부에 이름을 올리지 않았기 때문에 그의 기록은 공식 기록이 아니었다.

로버타 깁은 공식적으로 참가하지 않았고, 캐서린 스위처는 어떻게 공식 참가가 가능했을까? 당시만 해도 보스턴마라톤은 여성 참가를 허용하지 않았다. 지금은 터무니없는 소리로 들리지만 여성이 그런 장거리를 뛰면 자궁이 떨어지고 가슴에 털이 자라는 등 '건강상의 문제'가 생긴다는 이유였다. 하지만 1960년대 미국은 거대한 사회 변화를 겪고 있었다. 마틴 루터 킹 목사를 비롯한 흑인 민권운동 지도자들이 이끄는 인종차별 반대 시위가 미국을 휩쓸었고, 그런 사회 변화 분위기에서 여성이 받는 성차별에 대한 불만 역시 서서히 고개를 들기 시작했다. 하지만 가장 유명한 마라톤대회인 보스턴마라톤은 여성 등록 자체를 허용하지 않고 있었고, 그럼에도 이 대회에서 뛰고 싶었던 로버타 깁은 번호표(배번)를 받지 않은 채 수풀 속에 숨어있다가 뛰어나와서 완주를 한 것이다.

캐서린 스위처의 생각은 달랐다. 달리기를 좋아해서 한겨울에도 눈보라 속에서 10㎞를 달리는 운동광이었던 그는 재학 중인 시라큐스대학교 달리기 코치에게 보스턴마라톤에서 뛰고 싶다는 생각을 밝혔다. 그 코치는 이 대학교에서 우편배달부로 일하면서 짬을 내어 학생들에게 장거리 달리기를 훈련시키던 50세의 남성 아니 브릭스였다. 평소 캐서린 스위처의 실력을 인정하던 아니 브릭스였지만 보스턴마라톤에서 뛰겠다는 캐서린 스위처의 생각은 한마디로 일축했다. "여자는 보스턴마라톤에서 뛸 수 없어."

당시 아니 브릭스는 보스턴마라톤만 15차례를 뛴 보스턴마라톤 베테랑이었다. 그런 그는 그 대회가 어떤 대회인지 누구보다 잘 알고 있었다. 하지만 캐서린 스위처는 로버타 깁이 지난 대회에서 완주했다는 사실을 바탕으로 아니 브릭스 코치를 설득했고,

아니 브릭스는 캐서린 스위처에게 "그렇다면 뛸 수 있음을 증명해 보이라"고 말했다. 캐서린 스위처는 이 대회 3주 전 처음으로 아니 브릭스와 함께 42.195㎞를 완주했다. 그런데 풀코스를 뛴 후에도 힘이 남았던 캐서린 스위처는 더 뛰자고 했고, 마지못해 그러자고 했던 아니 브릭스 코치는 캐서린 스위처와 함께 뛰다가 50㎞ 지점에서 지쳐 쓰러졌다.

캐서린 스위처의 실력이 충분함을 확인한 아니 브릭스는 캐서린 스위처가 보스턴마라톤에서 뛰는 것에 동의했지만 로버타 깁처럼 번호표를 받지 않고, 즉 공식적인 참가 등록 없이 뛰는 것에는 반대했다. 이 대회의 규정에 어긋나는 행동을 할 경우 아마추어 체육연맹의 제재를 받게 될 것이라는 이유였다. 하지만 이 대회는 여성의 참가를 허용하지 않는데 어떻게 참가할 수 있을까?

흥미롭게도 보스턴마라톤대회 규정집에는 젠더(성별)와 관련한 내용이 없었다. 즉, 여성이 마라톤대회에 참가할 수 없다는 것은 성문화된 규정이 아니었고, 성문화할 필요도 없을 만큼 당연한 '상식'의 영역이었던 것이다. 하지만 사회적 편견이 이렇게 견고한 것은 두 사람에게는 기회였다. 차별이 너무나 당연시되는 바람에 제도에 구멍이 있었던 것이다. 그래서 캐서린 스위처는 성별을 알 수 있는 이름(Katherine)을 약자로 표기한 'K. V. 스위처'라는 이름으로 보스턴마라톤에 등록했다. 처음에는 반대했던 아니 브릭스 코치는 그 과정을 돕는 '공모자'가 된 셈이다.

캐서린 스위처는 이 '거사'를 계획하면서 고향에 있는 부모님께 전화로 알렸다고 한다. 딸이 어떤 아이인지 잘 알았던 그의 아버지는 "넌 할 수 있어. 너는 강인하고 훈련도 열심히 했으니까. 잘할 거다"라고 응원해주었다고 한다. 캐서린 스위처를 공식 참가자로 만드는 데 도움을 준 남성은 한 명 더 있다. 바로 캐서린 스위처의 남자친구 톰 밀러다. 체중 106㎏의 거구였던 톰 밀러는 미식축구 선수였다가 해머던지기 선수로 전향한 스포츠맨으로 여자친구 옆에서 함께 뛰겠다고 나섰다. 한 번도 마라톤을 뛰어본 적이 없었지만 "여자가 뛰는데 내가 왜 못 뛰겠냐"며 등록한 것이다.

톰 밀러는 캐서린 스위처가 발각될 것을 염려했다. 아니나 다를까, 캐서린 스위처가 6㎞ 구간을 통과할 때 여자가 마라톤을 하고 있다는 사실이 대회조직위원회에 알려졌다. 캐서린 스위처에 따르면 자신을 발견한 사람들의 분위기는 좋았다고 한다. 여성이 뛰고 있는 것을 발견하고 놀란 관중들과 기자들은 캐서린 스위처에게 응원을 보냈다. 하지만 그 사실을 인지한 대회조직위원장이자 감독관인 조크 셈플의 생각은 달랐다. 버스를 타고 선수들을 따르던 그는 차에서 내려 캐서린 스위처를 쫓아가 번호판을 내놓으라고 소리쳤다. "번호표 내놓고 경기에서 나가!"라며 캐서린 스위처의 상의를 움켜쥐었다. 그때 캐서린 스위처 옆에서 달리던 남자친구 톰 밀러가 몸을 날려 조크 셈플을 밀쳐냈고, 캐서린 스위처는 아니 브릭스 코치와 톰 밀러의 호위를 받아 경주를 계속할 수 있었다. 그리고 이 장면은 캐서린 스위처 근처에 있던 기자들의 카메라에 고스란히 담겼고, 영상으로도 생생하게 기록되었다.

대회조직위원장이자 감독관인 조크 셈플이 캐서린 스위처의 상의를 움켜쥐자 캐서린 스위처의 남자친구 톰 밀러가 조크 셈플을 밀쳐낸 장면을 담은 사진이 대서특필되었다. 이 사진을 본 여성들은 '여성에게 마라톤 참가를 허용하지 않는 것은 여성 차별이다'고 주장하면서 여권신장 운동을 전개하게 되었고, 그 결과 1971년에는 뉴욕마라톤에서, 1972년에는 보스턴마라톤에서 각각 여성들의 마라톤 참가를 허용하였고, 1984년 로스앤젤레스올림픽에서 여자마라톤이 신설되었다.

1967년 제71회 보스턴마라톤대회에서 여성 최초 42.195km 공식 완주자(완주 기록 : 4시간 20분)가 된 캐서린 스위처의 용기를 기리기 위해 그 당시 캐서린 스위처가 상의에 부착하고 달렸던 번호표(배번) '261번'은 영구 결번 처리되어 그녀의 전유물이 되었고, 그로부터 50년이 지난 2017년 제121회 보스턴마라톤대회에서 그녀가 70세의 나이에 4시간 44분 31초의 기록으로 42.195km를 완주했을 때도 50년 전에 그녀가 사용했던 번호표(배번) '261번'을 상의에 부착하고 달렸다.

1967년 시라큐스대학교에서 언론학을 공부하던 20세의 여대생 '캐서린 스위처'의 용기와 도전정신이 여권신장에 크게 기여하였고, 남녀평등사회의 실현에도 큰 발자취를 남겼다는 생각이 든다.

(4) 보스턴마라톤 참가자격이 되는 기준기록표

보스턴마라톤은 세계 5대 마라톤내회(보스턴, 뉴욕, 시카고, 베를린, 런던) 중 유일하게 1997년부터 참가자격에 제한[연령별·성별

대회일 기준 과거 1.5년 이내에 일정한 시간 이내(아래 기준기록
표 참조)에 완주한 기록증이 있어야 참가할 수 있음]을 두고 있
어 세계에서 가장 권위 있는 마라톤대회이기도 하다.

만 나이 그룹	남성	여성
18~34	3시간	3시간 30분
35~39	3시간 5분	3시간 35분
40~44	3시간 10분	3시간 40분
45~49	3시간 20분	3시간 50분
50~54	3시간 25분	3시간 55분
55~59	3시간 35분	4시간 5분
60~64	3시간 50분	4시간 20분
65~69	4시간 5분	4시간 35분
70~74	4시간 20분	4시간 50분
75~79	4시간 35분	5시간 5분
80~	4시간 50분	5시간 20분

국내외 유명 인사들의 아래와 같은 42.195km 완주기록을 보면,
위와 같은 보스턴마라톤 참가자격이 되는 기준기록 이내에 완주
하여 보스턴마라톤에 출전하는 것이 상당히 어렵다는 것을 알
수 있다. 따라서 보스턴마라톤에 출전하는 것은 마라토너에게 매
우 명예로운 일이다.

이름	마라톤대회	당시 나이	기록
무라카미 하루키(일본의 대문호)	1991년 뉴욕	42	3:25:26
조지 워커 부시(43대 미국 대통령)	1993년휴스턴	47	3:44:52
오프라 윈프리(토크쇼의 여제)	1994년해병대	40	4:29:15
엘 고어(45대 미국 부통령)	1997년해병대	49	4:58:25
질 바이든(46대 미국 대통령 부인)	1998년해병대	47	4:30:02
유인촌(2008 · 2023년 문체부장관)	2005년 춘천	54	4:40:15
원희룡(2023년 국토교통부장관)	2006년 동아	42	3:59:43
안철수(2023년 국민의힘 의원)	2019년베를린	57	3:46:14
(참고) 박종필 (저자)	*2004년 동아*	*35*	*3:19:48*

21. 9·11 Memorial과
One World Trade Center (Freedom Tower)

(1) 9·11 Memorial

9·11 메모리얼(9·11 Memorial)은 2,977명이 사망한 2001년 9·11 테러와 6명이 사망한 1993년 세계무역센터 폭탄 테러를 기억하고 희생자를 추모하기 위해 건설된 기념관이다. 9·11 메모리얼은 9·11 메모리얼 파크의 일부이고, 9·11 메모리얼 파크는 9·11 테러 10주년을 맞이한 2011년 9월 개장했다. 2006년 3월부터 공사를 시작하여 완공까지 5년이라는 꽤 오랜 시간이 걸렸다. 독일의 베를린 유대인 박물관을 지은 건축가 다니엘 리벤스킨트(Daniel Libeskind)가 마스터 플래너로 참여해 전체 단지 6

만 4736㎡(16에이커)에 원 월드 트레이드 센터(One World Trade Center: 일명 프리덤 타워) 등 초고층 건물 7개 동과 전체 면적의 절반인 8에이커에 추모공원을 배치했다. 이스라엘 출신의 젊은 건축가 마이클 아라드(Michael Arad)와 저명한 조경 디자이너 피터 워커(Peter Walker)가 추모공원의 설계를 담당했다. 이 추모공원의 설계 개념(concept)은 '부재의 반추(Reflecting Absence)'다. 무고한 생명의 희생을 영원토록 기억하겠노라는 살아남은 자들의 약속이다.

9·11 메모리얼 파크의 중심축은 세계무역센터 즉, 쌍둥이빌딩이 있었던 자리에 만들어진 두 개의 초대형 사각형 인공폭포(pool)다. 9.14m(30피트) 깊이에 4046㎡(약 1220평) 면적의 이 인공폭포는 북미에서 가장 큰 규모를 자랑한다. 분당 약 1만 1400리터의 물이 각각 빈 공간의 중심부 속으로 쏟아지는데, 벽의 골을 타고 내려가는 모습이 '그날'의 눈물처럼 보이기도 한다. 이는 테러 공격으로 사라져간 사람들을 상징적으로 표현하고 있다. 미국 월스트리트저널(WSJ)은 "북미 최대 인공폭포가 만들어내는 물보라 소리는 아픔 속에서도 뉴욕이 여전히 생동감을 잃지 않았음을 선포한다"고 보도하기도 했다. 이 폭포는 365일 쉬지 않고 가동되는데, 약품 처리를 해 겨울에도 물이 얼지 않는다. 또 리사이클 워터로 한 번 흘러내린 물을 회수해 다시 사용한다고 한다.

거대한 인공폭포를 응시하고 있노라면 희생자들의 이름이 새겨진 난간 띠에 둘러싸여 있는 자신을 발견하게 된다. 두 개의 인공폭포의 가장자리를 둘러싸고 있는 76개의 동판에는 2001년

9·11 테러로 쌍둥이빌딩에서 목숨을 잃은 2,753명, 펜타곤(국방부)에서 사망한 184명, 1993년 세계무역센터 지하주차장 차량폭탄 테러에서 죽은 6명을 포함해 2,983명의 희생자 이름이 적혀 있다. 이들은 93개국의 사람들인데, 동판에는 한국계 희생자 이름도 21명이나 있다.

건축가 아라드는 희생자들의 이름을 '의미 있는 이웃들'이라는 개념으로 배치했다. 알파벳순이나 임의로 이름을 배열한 것이 아니라 유가족들에게 일일이 물어 희생자의 이름을 생전에 알던 동료, 친구, 가족의 이름과 나란히 새겨주었다. 이렇게 그루핑을 해서 2,983명의 희생자들이 하나하나의 섬을 형성하도록 한 것이다. 희생자들의 이름은 원래 폭포 아래에 새겨질 예정이었지만, 꼭 무덤에 묻는 것 같다는 유족들의 반발로 햇빛을 받을 수 있는 밝은 공간으로 위치를 조정했다.

9·11 메모리얼 파크의 조경은 400그루의 참나무로 채워졌다. 건축가들은 초봄의 화사한 연둣빛이 여름에 짙은 녹음을 이루고 가을에는 붉게 물드는 잎의 변화무쌍함 때문에 참나무를 선택했다고 한다. 이 나무들은 마치 주판처럼 배열돼 있다. 대충 심어진 듯 보이는 나무 사이를 걷다 보면 어느덧 나무가 일렬로 늘어서는 순간을 만나게 된다.

9·11 테러의 희생자들 대부분이 사고 지역에서 500마일 이내인 5개 주에서 거주했기 때문에 공원의 참나무들 역시 해당 5개 주에서만 가지고 왔다. 그러나 여러 지역에서 나무를 가져오다 보니 높이와 모양이 제각각이었다. 가식장에서 큰 나무는 영양분을

적게 주고, 작은 나무는 영양분을 많이 주는 방식으로 3년 동안 관리해 크기와 높이를 비슷하게 맞출 수 있었다고 한다. '부재의 반추(Reflecting Absence)'에서 유일하게 다른 나무인 배나무가 눈에 띈다. 1970년대에 월드트레이드센터 광장에 심어진 것으로, 9·11 테러 당시 폐허 속에서 홀로 살아남은 생존 나무다. 당시 손상된 이 나무는 뉴욕시의 한 공원으로 옮겨져 건강하게 보양된 후 9.14m까지 자라서 돌아왔다. 2010년 3월에 이 나무는 심한 폭풍우로 인해 뿌리째 뽑혔지만, 결국 끝까지 살아남았다. 9·11 메모리얼 파크의 이 배나무는 상처를 딛고 일어나는 미국민의 강력한 회복력을 상징적으로 보여준다.

(2) One World Trade Center (Freedom Tower)

2001년 9·11테러 때 붕괴된 세계무역센터 빌딩 자리에 『9·11 Memorial』을 세워 9·11테러 희생자 2,983명(1993년 세계무역센터 폭탄 테러 희생자 6명 포함)을 기리고 있고, 『9·11 메모리얼』 옆에 건립된 빌딩이 『One World Trade Center』인데, 이 빌딩은 OECD 회원국(38개국) 중에서 우리나라 서울 잠실에 있는 롯데월드타워(123층/높이 555m/세계 5위 높이)에 이어 두 번째로 높은 541.32m(안테나 포함/세계 6위 높이)(1776피트/104층) 높이의 초고층 빌딩이고, 1776피트의 높이는 미국이 영국으로부터의 독립을 선언했던 연도인 1776년을 상징한다.

22. 세계의 교차로 "뉴욕 맨해튼의 타임스 스퀘어 (Times Square)"

타임스 스퀘어(Times Square)는 미국 뉴욕시 맨해튼의 대표적 명소로, 브로드웨이와 7번가가 교차하는 지점 일대의 광고판으로 가득한 광장 지역을 통칭한다. 1900년대부터 1980년대까지의 브로드웨이는 대규모 불법 성매매 사업의 중심지로 악명이 높았다. 국내 집장촌 수준이 아니라 당시 성행하던 모든 종류의 성매매가 난립하면서 하나의 거대한 사업을 이룬 곳이었다. 특히 1970년대는 뉴욕시가 재정난을 이유로 경찰 5천명을 해고하면서 성매매 사업은 더 규모를 키우게 되었고, 거기에 이탈리아 마피아

들이 이 사업을 장악하면서 더 대규모화되고 조직화되었다.

당시 뉴욕시의 성매매 관련 법도 이 사업을 키우는 원인 중 하나였다. 성 노동자 처벌에 집중되어 있을 뿐 성 매수자, 포주, 업주 등은 거의 처벌을 하지 않는 내용이었다. 뿐만 아니라 뉴욕 경찰 역시도 성 노동자가 관련된 사건, 특히 사망 사건은 수사조차 하지 않았다. 이런 시기에 나타난 최악의 결과물 중 하나가 바로 일명 "몸통 살인마" 리처드 코팅햄이라는 연쇄 살인범이었다. 그는 당시 법의 허점을 이용해 성 노동자들이 무방비인 상태를 노려 범행을 저질렀다.

리처드 코팅햄 사건을 기점으로 1980년대 중반 미국 전역에서 일어났던 패미니즘 운동으로 인한 강간법과 성매매 단속법 개정, 뉴욕시의 대대적인 단속과 타임스 스퀘어 일대 재개발로 인해 성매매 사업도 막을 내렸다. 뉴욕시는 재개발을 시작하면서 포르노물을 상영하던 영화관들도 철거하려고 했으나 지역의 역사까지 없어지는 것을 우려해 디즈니사와 계약을 맺는다. 디즈니사는 2,000~3,000만 달러를 투자해 극장들을 리모델링했고, 뮤지컬, 연극의 중심지로 탈바꿈시켰다. 뮤지컬 '라이언 킹'도 리모델링한 브로드웨이 극장에서 1997년 처음으로 개봉했다. 뮤지컬 '라이언 킹'은 1994년 개봉한 디즈니 애니메이션 라이온 킹을 원작으로 하여 1997년 디즈니 시어트리컬 프로덕션에 의해 제작된 뮤지컬이다.

이 지역 일대의 원래 이름은 롱에이커 스퀘어였으나 뉴욕 타임스의 본사 이전으로 타임스 스퀘어로 알려지게 되었다. 타임스 스퀘어는 뉴욕의 성장과 함께 발전한 지역이며, 전세계 굴지의 기업들이 이 일대에 대형 광고판을 설치하여 운영 중이다. 타임스 스퀘어 중심부의 빌딩(One Times Square)의 광고판이 타임스 스퀘어 광고비 중 제일 비싸다고 하며, 이 빌딩은 광고 수익만으로 연간 260억 원 정도의 수익을 창출하기에 고층부는 세입자를 받지 않고 공실로 둘 정도라고 한다.

타임스 스퀘어(Times Square)는 뉴욕을 생각하면 가장 먼저 떠오르는 곳 중 하나이기에 사시사철 사람들로 붐빈다. 처음 뉴욕에 가게 되면 삼성전자, LG전자, 현대자동차 전광판을 찍으며 관광하는 장소이다. 광장 구역은 좌우 보도와 아래쪽 42번가 보도까지 모두 인산인해를 이루기에 걸어 다니기 힘든 지역이다. 특히 크리스마스, 새해 첫날 등 특별한 날에는 입추(立錐)의 여지가 없는 혼잡 상황이 벌어져 거의 이동이 불가능할 정도이다.

타임스 스퀘어(Times Square)는 NYPD(New York Police Department/뉴욕 경찰국) 소속의 경찰관 및 경찰차가 상시 순찰한다. 미국의 상징인 장소이고 민간인 밀집 구역이어서 테러 발생의 위험이 높기 때문이다. 소총으로 중무장한 경찰관들이 심심찮게 서 있고, 택시로 위장한 암행순찰차, 청소부로 위장한 잠복 경찰관이 활약하는 등 NYPD가 범죄 예방 활동을 하고 있기 때문에 타임스 스퀘어는 상당히 안전한 편이라고 한다.

매년 12월 31일에 열리는 볼 드랍(Ball Drop) 새해 전야행사도 매우 유명하다. 인기가수들을 섭외해 공연이 펼쳐지고, 60초 카운트다운을 한 뒤 자정이 되면 불꽃놀이와 엄청난 조명들 사이로 떨어지는 색종이들이 정말 장관이다. 가수 싸이의 강남스타일이 대히트를 쳤던 해인 2012년, 싸이와 무한도전 멤버 유재석, 하하, 노홍철 등이 공연했던 곳도 바로 이 볼 드랍(Ball Drop) 무대이다. 2019년에는 방탄소년단이 여기서 공연을 하였고, 매년 CNN, ABC, NBC 등 주요 방송사에서 중계하기도 한다. 저녁 6시 정각에 행사 시작을 알리는 볼 레이징(Ball Raising, LED 볼을 꼭대기로 올리는 행사)이 이뤄지며, 밤 11시 56분 쯤 존 레논의 <Imagine>이 나오며, 노래가 끝나면 60초 카운트다운을 하면서 볼이 내려오는데 이것을 볼 드랍(Ball Drop)이라고 한다. 0시가 되어 볼이 끝까지 내려오고 새해가 되자마자 스코틀랜드의 민요인 <Auld Lang Syne>, 프랭크 시나트라의 <New York, New York> 등이 순서대로 맨해튼 한복판에 울려 퍼진다. 이 행사 스폰서로는 니베아 등이 참여하기도 했으며, 카운트다운 시계 전광판 스폰서는 도시바, 파나소닉 등 주로 일본 전자회사 등이 참여해 왔다. 2018년 이후 도시바가 일반 소비자를 대상으로 한 광고를 축소하기로 결정한 후, 2019년에는 캐피털원, 2020년에는 폭스바겐이 스폰서로 참여했고, 2021년에는 기아(KIA)가 메인 스폰서로 참여했다. 이 볼 드랍(Ball Drop) 행사는 1903년부터 꾸준히 개최되고 있으며, 1956년부터 영상이나 녹취 음성이 남아있을 정도로 역사와 전통이 있는 행사이다.

23. 프랑스 노르망디 상륙작전(1944. 6. 6)의 영웅
   ″드와이트 아이젠하워″와 필리핀 레이테만 상륙
   작전(1944. 10. 20)의 영웅 ″더글라스 맥아더″

군인이자 전쟁영웅이라는 공통점을 제외하면, 맥아더와 아이젠하
워는 걸어온 길이나 성향이 전혀 달랐다. 맥아더는 미국 육군 장
성 출신이었던 아버지 아서 맥아더 주니어의 아들로 군인 명문
가의 '금수저' 출신이었다. 맥아더 본인 또한 출중한 외모와 체
격에다가, 웨스트포인트 육군사관학교를 만점에 가까운 성적으로
수석 졸업할 정도로 공부도 잘했던 만능 '엄친아'였다.

임관 이후에도 순탄한 속도로 진급 코스를 밟던 맥아더는, 1차
세계대전(1914~1918)을 계기로 전쟁 영웅으로 부상하며 본격적
인 주목을 받기 시작한나. 선쟁 초기에 참전을 주저하던 미국은
'치머만 전보사건(독일이 멕시코에 미국 침공 제안)'을 계기로 독
일에 전쟁을 선포했다.

하지만 당시 주 단위로 병력을 관리하던 미국으로서는, 전쟁에
어떤 주의 병력을 파견할 것인가가 민감한 문제였다. 당시 전쟁
부 소령이었던 맥아더는 장관에게 각 주에서 차출된 혼합 사단
을 창설하자는 해법을 제안했다. 각기 다른 주에서 선정된 부대
들이 모인 모습이 미국 전체 대륙을 가로지는 무지개 같다고 해
서 '레인보우 사단'이라는 명칭이 붙었다. 이들은 1차대전에 참
전한 최초의 미국 육군 사단으로 이름을 남기게 됐다.

맥아더는 소령에서 대령으로 2계급 특진하며 레인보우 사단의 수석참모로 임명되었다. 1918년 레인보우 사단을 이끌고 프랑스로 진격한 맥아더는 병사들과 함께 최전선에 뛰어들어 활약하며 명성을 높였다. 그해 6월, 1차대전이 막을 내리면서 맥아더는 전공을 인정받아 불과 38세의 나이에 준장으로 진급했다. 참전 약 1년 만에 소령에서 일약 모든 군인들에게 선망의 대상인 '장군'의 반열에 오르게 된 것이다. 맥아더가 본격적으로 미군 권력의 핵심부로 편입된 계기다.

한편으로 맥아더는 평생에 걸쳐 '이미지 메이킹'과 '쇼맨십'에 누구보다 능했던 인물로도 유명하다. 1차 대전 당시 전장에서도 지팡이에 롱부츠와 머플러, 철모 대신 가벼운 전투모를 착용하며 모델 뺨치는 맥아더의 폼생폼사 패션은 큰 화제가 됐다. 또한 맥아더는 마치 옛날 유럽의 군주들처럼 자신의 이름을 부르는 3인칭 화법을 즐겨 사용했던 것으로도 유명하다. 누구보다 자기애가 강하고 자신의 개성을 드러내고 싶어하는 맥아더의 과시욕을 잘 보여주는 장면이다.

맥아더는 39세에 육군사학관교 교장(준장)에 임명된 것을 비롯하여 44세에는 소장, 50세에는 육군참모총장(소장)에 임명되는 등 진급할 때마다 미군의 각종 '최연소' 기록을 줄줄이 갈아치웠다.

승승장구하던 맥아더에게도 위기가 찾아온 순간이 있었다. 1930년대 전 세계를 덮친 경제대공황으로 미국 정부는 1차대전 참전용사들에게 지급하기로 약속하고 미뤄 놨던 막대한 피해보상금을 감당하기 어려운 상황에 몰린다. 경제난의 여파로 극빈층으로 전락해버린 참전용사들은 밀린 보상금을 지급하라며 시위를 벌이니 이들은 '보너스 군대'로 불렸다.

당시 허버트 후버 대통령은 육군참모총장이었던 맥아더에게 시위 해산을 지시했다. 맥아더는 시위대를 '폭도'로 규정하고 참전용사들에게 무력을 사용한 강경진압을 지시했다. 맥아더의 가혹한 진압에는 그 배후에 대공황을 틈타 미국에서 세력을 확산해 나가던 공산주의 세력이 있다는 경계심 때문이었다.

하지만 훗날 조사 결과 시위대는 공산주의와 무관하다는 것이 밝혀졌고 후임 루스벨트 대통령은 당선 이후 보너스 군대에게 일자리를 제안하며 겨우 상황을 무마시켰다. 이 사건으로 맥아더는 전쟁영웅에서 일약 '최악의 장군'이라는 오명을 쓰게 된다.

루스벨트 대통령과 맥아더의 갈등은 '군 예산 삭감' 문제로 다시 불거졌다. 맥아더는 백악관으로 루스벨트를 직접 찾아가 항의하며 "우리가 다음 전쟁에서 패전하여 죽어갈 미국 청년이 마지막으로 저주할 이름은 맥아더가 아니라 루스벨트일 것"이라고 독설을 내뱉은 일화는 유명하다. 맥아더는 참모총장직을 내걸고 반대의사를 굽히지 않았고 루스벨트는 결국 예산삭감을 보류하게 된다. 하지만 이 사건으로 맥아더의 호전성을 다시 한번 확인한 루스벨트는 "맥아더는 위험한 인물"이라는 인식이 굳어진다.

예산은 지켰지만 참모총장 연임이 불투명해지며 권력을 잃을 위기에 놓인 맥아더에게, 또다른 일생일대의 기회가 찾아온다. 미국으로부터 독립을 앞둔 필리핀 정부에서 맥아더에게 군대 육성을 제안한 것이다. 1935년 참모총장직에서 내려온 맥아더는 미군 소장직은 유지하면서 필리핀의 군사고문을 겸직하게 된다. 이때 맥아더가 필리핀에서 함께할 측근으로 선택된 인물로 바로 아이젠하워였다.

맥아더의 육사 11년 후배였던 아이젠하워는 '대기만성'의 대표주자로 꼽힌다. 아이젠하워는 전형적인 흙수저 이민자 출신이었고, 참전 경험이 없어서 임관한 지 15년째 만년 소령에 머물러 있었을 만큼 모든 면에서 맥아더와는 상극의 인생을 걸어온 인물이었다. 맥아더는 참모총장 시절 아이젠하워가 군대 양성 방안에 관하여 작성한 보고서를 눈여겨보고 그를 신임하게 되었고, 함께 필리핀까지 가게 된다(아이젠하워는 맥아더가 참모총장이던 시절 워싱턴 D.C에서 5년간 부관을 맡았고 필리핀에서 4년간 부관을 맡으면서 총 9년간 맥아더의 옆에 있었다. 맥아더는 아이젠하워를 "지금까지 만나본 사람 중 최고의 사무원이다"라고 평가하며 그를 중용했고 아이젠하워가 필리핀을 떠났을 때 그의 대령 진급을 요청했다).

초기에 맥아더-아이젠하워는 공식-비공식 석상을 가리지 않고 늘 함께하며 끈끈한 관계를 유지했다. 하지만 처음부터 전혀 달랐던 두 사람의 성향은 시간이 갈수록 점점 악화되기 시작한다. 아이젠하워는 독단적인 맥아더의 성향 때문에 매번 그 뒤처리에 진땀을 빼야 했다.

맥아더는 필리핀 정부로부터 육군 원수직을 정식으로 제안받고 미군 현역 장성직을 포기하려고 했다. 심지어 맥아더는 자신의 위상을 과시하기 위하여 독단적으로 사치스러운 군사 퍼레이드를 추진했으나 이를 알게 된 필리핀 대통령이 강하게 질타하자, 이를 아이젠하워에게 덮어 씌우며 양측간 감정의 골이 더욱 깊어졌다. 맥아더에게 실망한 아이젠하워는 결별을 선택했다.

1939년 발발한 2차 세계대전은 아이젠하워 인생의 전환점이었다. 미국으로 돌아온 아이젠하워는 야전부대 훈련과 조직관리, 전시대비 모의 훈련 등에서 능력을 인정받아 승승장구하기 시작했고, 마침내 대장의 반열에까지 오르게 된다.

특히 아이젠하워가 총괄하고 영국 정보부가 계획한 1944년 '노르망디 상륙작전'은 2차 세계대전 서유럽 전선의 판도를 결정한 최대의 명장면으로 꼽힌다. 아이젠하워는 연합군 총사령관으로서 보여준 탁월한 리더십을 인정받아 가장 주목받는 전쟁영웅으로 급부상했다. 아이젠하워는 영국의 몽고메리, 미국의 조지 패튼 등 하나같이 기라성같고 개성도 강한 장군들을 효과적으로 조율하고 지휘해냈다는 평가를 받는다.

당시 영국 수상 윈스턴 처칠의 보좌관이 남긴 기록에 따르면 『첫째, 아이젠하워는 항상 잘 듣고 핵심을 파악하려 노력했다. 둘째는 그는 절대적으로 공평했다. 편견을 갖고 있더라도 최종결정이 그것에 의하여 흔들리지 않았다. 마음이 메마른 우둔한 영국군 장교들과 비교하면 그는 보석처럼 빛나는 지혜와 포용력을 지녔다』며 아이젠하워의 리더십을 극찬하고 있다. 아이젠하워는

1944년 12월(54세) 마침내 5성 장군인 원수로 진급한다.

한편 필리핀에 남았던 맥아더도 2차 세계대전의 소용돌이를 피하지 못했다. 1941년 일본의 진주만 공습을 시작으로 태평양전쟁이 개전하면서 1942년 필리핀도 일본에게 점령당했다. 맥아더는 급박하게 호주로 탈출했다. 맥아더는 필리핀을 떠나면서 "나는 반드시 돌아올 것입니다(I shall return)."라고 선언하며 강한 수복 의지를 드러냈고, 몇 년 후 실제로 그 약속을 지켰다.

맥아더는 1941년 미 극동군 사령관에 임명되어 태평양 전쟁을 총괄하게 됐다. 미군 수뇌부의 본래 전략은 대만을 통하여 최단 루트로 일본 본토를 공략하는 것이었다. 하지만 맥아더는 이에 반대하며 미국령이던 필리핀에 대한 도덕적 의무를 명분으로 내세워 "필리핀 수복은 미국의 명예와 위신이 달린 문제"라고 주장했다. 루스벨트는 필리핀과 극동전문가인 맥아더의 주장을 수용했다.

맥아더가 이끄는 미군은 1944년 10월 레이테 섬 상륙작전을 성공시키며 2년 7개월 만에 본인의 약속처럼 필리핀에 귀환하는 데 성공했다. 맥아더와 세르히오 오스메냐 필리핀 대통령이 바닷물을 걸어가며 섬에 상륙하는 유명한 장면은 일부러 기자들을 모아놓고 연출된 사진으로 여전한 맥아더의 쇼맨십을 보여주는 장면이다.

오늘날까지 맥아더의 트레이드 마크로 유명해진 옥수수 담배 파이프도 이때부터 등장했다. 실제로 맥아더는 평소에는 원래 고급

파이프를 사용했으나 사진 촬영을 위하여 임시적으로 준비했던 값싼 옥수수 파이프가 더 큰 화제를 불러일으키며 이후 서민적인 이미지를 강조하기 위하여 자주 활용했다. 필리핀 국민들은 드라마틱하게 귀환한 맥아더를 열광적으로 환영했고 레이테 섬에는 지금도 맥아더의 동상이 세워져 있다. 맥아더는 1944년 12월(64세) 미 육군 최고 원수로 승진했다.

1945년 일본이 패망하면서 맥아더는 연합군 최고사령관의 자격으로 도쿄 요코하마에 정박한 USS미주리호에서 일본 정부 사절단을 맞이하여 항복문서 조인식을 주도한다. 길었던 2차 세계대전의 종지부를 찍는 역사적인 순간의 주인공이 된 것이다.

맥아더는 2차 세계대전 이후에는 연합군 총사령부(GHQ)의 사령관으로 일본에 주둔하게 된다. 맥아더는 일본 국민에 자신의 존재감을 알리기 위하여 일본 천황 히로히토와 함께 찍은 사진을 공개하기도 했다.

천황을 신처럼 생각하던 일본 국민들 앞에서 잔뜩 경직된 모습의 히로히토와 달리 여유만만한 표정으로 짝다리까지 짚고 포즈를 취한 맥아더의 모습은 큰 충격을 줬다. 일본에게 다시 천황의 신성성을 내세워 전쟁을 벌일 생각을 하지 말라는 무언의 경고가 담긴 연출이었다.

일부 일본인은 분노하기보다는 오히려 맥아더를 높은 사람으로 받아들이고 숭배까지 하는 현상이 일어나기도 했다. 미군정 기간 동안 일본인이 맥아더에게 보낸 팬레터만 44만여 통에 이른다.

맥아더는 일본 군인의 전역, 무기 폐기 등을 이끌며 일본이 군국주의 국가에서 벗어나는 각종 개혁을 이끌며 점령군 사령관이었음에도 일본에서 높은 평가를 받고 있다.

전쟁 영웅으로 한 시대를 풍미한 맥아더와 아이젠하워의 운명을 바꾼 최후의 전역은 바로 6·25 한국전쟁이었다. 맥아더는 유엔군 사령관으로 임명되어 한국전쟁을 진두지휘하게 됐다. 당시 전세는 대한민국에 극도로 불리했고 방어선이 낙동강까지 밀린 상황에서 맥아더는 전세를 뒤집기 위하여 인천상륙작전을 계획한다.

참모진은 성공확률이 지극히 낮다며 반대했지만 맥아더는 자신의 계획을 밀어붙인다. 까다로운 지형으로 적이 방심한 사이에 허를 찔러야 한다는 것, 서울로 들어가기 위한 가장 빠른 길이라는 것이 맥아더가 인천상륙작전을 밀어붙인 이유였다.

1950년 9월 15일 월미도 점령을 시작으로 치열한 교전 끝에 인천상륙작전은 대성공으로 끝났고, 그로부터 13일 후에는 서울을 수복하는 데 성공했다. 이 작전은 한국전쟁의 판세를 뒤집은 결정적인 전투로 꼽히며, 『아이젠하워에게 노르망디가 있었다면, 맥아더에게는 인천상륙작전이 있었다』고 할 만큼 전략가 맥아더의 진면목을 보여준 전투로 꼽힌다.

하지만 기쁨도 잠시, 이후 중국의 개입으로 전쟁은 교착상태에 빠졌다. 1951년 4월 11일에는 미국의 해리 트루먼 대통령이 기자회견을 열고 맥아더를 전격 해임한다는 충격적인 소식이 전해진다. 트루먼은 "자유진영의 안전과 제3차 세계대전을 막기 위해

서"라는 명분을 제시하며 "전쟁 제한에 동의하지 않은 맥아더 장
군을 해임할 수밖에 없었다"고 설명했다.

반공주의자였던 맥아더는 공산주의 말살을 위해서는 중국과의
전면전도 불사해야 한다는 강경파였고 핵무기 사용까지 제안했
다는 이야기도 있었다. 또다시 제3차 세계대전의 발발을 우려한
트루먼 대통령은 고심 끝에 통제 불가능한 맥아더를 해임할 수
밖에 없었다. 미국으로 돌아온 맥아더는 1951년 4월 19일 미국
상하 양원 합동회의장에서 열린 퇴임 연설에서 미군 군가(軍歌)
의 후렴구를 인용한 『노병은 죽지 않는다. 다만 사라질 뿐이다
(Old soldiers never die; They just fade away)』라는 유명한
어록을 남겼다. 맥아더의 연설이 끝나자 의원들은 일제히 기립박
수로 화답했다.

맥아더가 한국전쟁의 방향을 바꿨다면, 아이젠하워는 한국전쟁을
종결시킨 인물이었다. 당시 전역하고 정치에 입문하여 공화당 대
선 후보가 된 아이젠하워는 선거 기간 동안 한국전쟁 종결을 공
약으로 내걸었다. 한국전쟁이 아직 진행중이던 1952년 11월 제
34대 미국 대통령에 당선된 아이젠하워는 당선인 자격으로 한국
에 방문했다. 1953년 판문점에서 체결된 휴전 협정을 통하여 3
년에 걸친 한국전쟁은 막을 내리고 한반도는 기나긴 휴전 기간
에 돌입하며 지금까지 분단국가로 남아있다.

당시 국제정세에서는 휴전이 최선의 해결책이었다는 평가도 있
다. 다만 아이젠하워의 선택은 철저히 미국의 상황이 우선시된
결정이었음도 분명하다. 그리고 한반도의 평화는 이후로 우리들

에게 남겨진 숙제가 됐다.

신념과 카리스마로 무장한 맥아더, 소통과 화합의 아이젠하워, 두 전쟁 영웅은 성격도 리더십도 전혀 달랐지만 각자의 방식으로 세계사에 큰 영향을 미쳤다. 『어려운 시대가 영웅을 만드는 것이 아니라 그 시대가 우리 안의 영웅을 드러나게 만든다』는 밥 라일리의 격언은 두 사람의 인생을 잘 요약하며 오늘날 우리에게 진정한 리더십의 가치를 돌아보게 만든다.

24. 인류 최초의 원자폭탄 투하와 일본의 항복 (1945. 8. 15)에 따른 제2차 세계대전 태평양전쟁에서의 미국의 승리

1943년 11월 오하이오 주의 라이트 필드에 주둔하고 있던 육군 항공 군수사령부에서 원자폭탄 투하를 위한 B-29 폭격기 부대가 창립되었다. 폭격부대의 작전명은 실버플레이트(Silverplate)였다. 폭격 시험은 캘리포니아 주의 에드워드 공군기지와 해군 항공 무기 시험소에서 실시되었다. 1944년 3월 그로브스는 미국 공군의 전신인 미국 육군 항공대의 대장 헨리 H. 아놀드를 만나 목표지점까지 폭탄을 운반하여 폭격을 완수하는 것에 관하여 논의하였다. 5.2m 길이의 틴 맨이나 직경이 150cm인 팻 맨(Fat Man)을 운반할 수 있는 폭격기로는 영국의 아브로 랭커스터가

유일했지만, 그로브스의 요청으로 B-29 폭격기를 개조하여 폭격에 사용하기로 하였다. 미국은 독일에 원자폭탄 투하를 검토하였으나 실행되기 전에 1945년 5월 8일 독일이 항복하였다.

실버플레이트 소속의 B-29 폭격기 스트레이트 플러쉬(Straight Flush)의 보안을 위해 꼬리에는 제444 폭격대의 문장을 그렸다. 1944년 12월 17일 유타 주의 원도버 육군항공기지에서 제509 혼성대가 편성되었다. 이 기지는 네바다 주와의 접경에 있었고, 작전명은 킹맨 또는 W-47 이라 불렸다. 이 부대에서 폭탄의 수송과 투하 준비가 이루어졌고 1945년 7월 준비가 완료되었다.

리틀 보이(Little Boy)를 구성하는 부품들은 대부분 1945년 7월 16일 샌프란시스코에서 순양함 USS 인디애너폴리스(CA-35)에 실린 후, 7월 26일 서태평양의 북마리아나제도에 속하는 티니안 섬으로 운반되었다. 인디애너폴리스는 운송을 마친 지 나흘 후에 일본군 잠수함에 의해 격침되었다. 이 때문에 우라늄-235를 포함한 나머지 부품들은 더글러스 DC-4 수송기를 통해 운반되었다. 팻 맨(Fat Man)의 부품들은 두 개 분량이 준비되어 B-29에 실려 티니안으로 운반되었다.

맨해튼 프로젝트팀과 미 육군항공대는 고쿠라, 히로시마, 니가타, 교토 등을 폭격 예정지로 선정하였고, 이 가운데 히로시마와 교토를 최종 선정하였다. 그러나 그로브스는 교토가 폭격 실패 위험이 높다고 판단하고 보다 성공할 수 있는 나가사키로 교체하였다.

1945년 7월 26일 포츠담 회담에서 미국의 제33대 대통령 해리 S. 트루먼은 소련의 지도자 이오시프 스탈린에게 자세한 내용은 밝히지 않은 채 미국이 새로운 강력한 무기를 보유하게 되었다고만 언급하였다. 이것은 미국과 소련 사이에 핵폭탄에 관한 최초의 논의였다. 하지만, 이 시점에서 스탈린은 첩보원을 통해 미국의 인류 최초 핵 실험 성공(1945.7.16.)을 이미 알고 있었다. 일본의 무조건 항복을 요구하는 포츠담선언(요지 : 일본이 무조건적인 항복을 하지 않을 경우 일본에게 즉각적이고 완전한 파멸이 있을 뿐이다)을 일본이 거부하자 일본에 대한 원자폭탄 투하는 기정사실이 되었다.

1945년 8월 6일 아침, 폴 티베츠 대령(1915~2007)은 제393 폭격대 소속 B-29 에놀라 게이에 리틀 보이(Little Boy)를 탑재하고 출격하였다. 그는 중간에 공격을 당할 가능성에 크게 우려하고 있었다. 중간에 공격당하면 어떻게 될지 누구도 몰랐기 때문이었다. 그는 일본 육군의 주요 집결지이자 승선지였던 히로시마를 폭격하라는 명령을 받았다. 히로시마 폭격이 여의치 않을 경우 대체할 폭격지는 고쿠라와 나가사키였다. 위험을 최소화하기 위해 원자폭탄은 수송 중에 최종적으로 조립되었다. 히로시마에 투하된 리틀 보이(Little Boy)가 폭발하자 530m에 달하는 구름 기둥이 솟아올랐다. 폭발력은 13킬로 톤의 TNT에 상응하는 것이었다. 12㎢ 지역이 완전히 파괴되었고, 폭발 당시 약 8만 명이 사망하였고, 부상자 역시 약 8만 명에 달했다.

1945년 8월 9일 아침, 찰스 W. 스위니 소령(1919~2004)이 B-29 벅스카에 올랐다. 그는 팻 맨(Fat Man)을 탑재하고 이륙

하였다. 이륙 당시 B-29에 탑승했던 사람들 중에서 탑재된 폭탄이 무슨 폭탄인지 아는 사람은 폭탄의 위력을 보고하기 위해 로스앨러모스에서 온 과학자 한 명뿐이었다. 다른 승무원들은 가장 위력이 센 폭탄이라고만 알고 있었다. 팻 맨(Fat Man)은 조립이 완료된 상태에서 탑재되었다. 첫 번째 목표는 고쿠라였지만 구름 낀 날씨 때문에 시계가 좋지 않아 대체 폭격지인 나가사키에 팻 맨(Fat Man)을 투하하였다. 폭발력은 21킬로 톤의 TNT와 상응하였고 나가사키는 전체 시 면적의 약 44%가 파괴되었다. 폭발 당시 사망자는 3만 5천여 명이었고, 6만여 명이 부상을 당했다.

그로브스는 세 번째 원자폭탄을 1945년 8월 19일 투하하기로 계획하여 두었다. 이미 두 발의 팻 맨(Fat Man)의 조립이 완료되어 있었다. 그러나, 1945년 8월 15일 일본이 무조건 항복함에 따라 실제 폭격은 이루어지지 않았다. 일본이 항복할 당시 한 일본 관리는 '만일 원자폭탄이 떨어지지 않았다면 우리는 항복의 이유를 찾는 데에 엄청난 노력을 했어야만 했다.'라는 말을 남겼다.

일본의 항복을 가져온 원자폭탄의 사용이 꼭 필요했느냐에 관해서는 오늘날까지도 논쟁이 계속되고 있다. 이를 찬성하는 사람들은 원자폭탄 투하가 태평양전쟁을 일찍 종식시켜 수십 만 미국인의 소중한 생명을 구했다고 주장한다. 반면 이를 비판하는 사람들은 일본의 항복이 임박한 상황에서 원자폭탄 투하는 불필요했다고 주장한다.

지금 세계 각국이 보유하고 있는 핵무기의 양과 성능은 태평양

전쟁 당시의 원자폭탄보다 훨씬 많고 강력하다. 인류의 종말(아마겟돈<Harmagedon>)을 초래할 수 있는 핵무기의 사용은 절대 있어서는 안 될 것이다.

25. 제16대 대통령 "에이브러햄 링컨(1809~1865년)"
과 제35대 대통령 "존 F. 케네디(1917~1963년)"
의 공통점

(1) 100년 차이로 연방 하원의원에 당선
   (링컨 : 1846년, 케네디 : 1946년)
(2) 100년 차이로 대통령에 당선
   (링컨 : 1860년, 케네디 : 1960년)
   (모두 '테쿰세의 저주'의 희생자)
(3) 프랑스어를 할 수 있는 24세의 여성과 결혼
   (링컨 부인 : 메리 토드 링컨, 케네디 부인 : 재클린 케네디)
   (부인들은 결혼 시점으로부터 40년 뒤인 만 64세에 사망함)

(4) 백악관 생활 전에 자녀 한 명씩 사망하고(링컨 : 차남,　케네디 : 장녀),　백악관 생활 중에 자녀 한 명씩 또 사망함 (링컨 : 3남,　케네디 : 차남)

(5) 로버트와 에드워드라는 가족이 있었음(링컨 : 아들들의 이름, 케네디 : 동생들의 이름)

(6) 링컨 대통령의 암살에 따라 대통령직을 승계한 '앤드루 존슨' 부통령은 1808년생이고, 케네디 대통령의 암살에 따라 대통령직을 승계한 '린든 존슨' 부통령은 1908년생으로 이들은 100년 차이로 출생함.

(7) 링컨 대통령의 승계자 '앤드루 존슨(Andrew Johnson)'과 케네디 대통령의 승계자 '린든 존슨(Lyndon Johnson)'은 성명의 알파벳 숫자가 13자로 일치하고, 성이 '존슨'임.

(8) 링컨 대통령의 승계자 '앤드루 존슨'과 케네디 대통령의 승계자 '린든 존슨'은 대통령직 승계 시점으로부터 10년 후 사망하였고, 그들의 사망 당시 그들은 유일하게 생존해 있던 선직 대통령이었음.

(9) 링컨과 케네디의 암살 당시 모두 금요일에 총격을 받음 (링컨 : 1865년 4월 14일,　케네디 : 1963년 11월 22일)

(10) 링컨과 케네디의 암살 당시 모두 뒷머리에 총을 맞아 링컨과 케네디는 암살범이 누군지를 알 수 없었음.

(11) 링컨과 케네디의 암살 당시 영부인이 옆에 앉아 있었음.

(12) 링컨의 암살범 ' 존 윌크스 부스'와 케네디의 암살범 '리 하비 오즈월드'는 재판을 받지 않고 사살됨(부스 : 암살 후 12일 동안 도주하다가 추격하던 기병과의 총격전에서 사살됨. 오즈월드 : 암살 후 2일 뒤 호송 중에 '잭 루비'에게 사살됨).

(13) 암살 장소가 자동차왕 '헨리 포드'와 관련됨 (링컨 : 포드 극장에서 암살됨. 케네디 : 포드 자동차에서 제작한 '링컨 컨티넨탈' 리무진에서 암살됨).

(14) 링컨의 암살범 '존 월크스 부스'는 극장에서 암살을 하고 창고로 도주하였고, 케네디의 암살범 '리 하비 오즈월드'는 창고에서 암살을 하고 극장으로 도주하였음.

26. 미국 헌정사상 유일하게 제37대 대통령 '리처드 닉슨'을 사임하게 만든 『워터게이트 사건』 (1972. 6. 17)

(1) 개요

워터게이트 사건(Watergate scandal)은 1972년 6월 17일 백악관과 리처드 닉슨(제37대 대통령/공화당) 재선위원회의 사주를 받은 5명의 괴한이 1972년 미국 대통령 선거를 앞두고 워싱턴

D.C.의 '워터게이트'라는 호텔에 있는 민주당 전국위원회 (Democratic National Committee; DNC) 사무실에 침입해 불법적인 도감청과 상대 후보자 사보타주를 한 사건을 뜻한다. 권력형 비리 사건에 붙는 접미사 OO게이트의 어원이 된 사건으로도 유명하다.

미국 역사상 가장 큰 정치 스캔들이었다. 1972년 사건이 드러났을 당시에는 큰 관심을 모으지 못했지만 1973년 2월 리처드 닉슨 대통령이 재선 임기를 시작한 직후 미국 상원에 의해 진상조사 위원회가 설치되고 각종 언론들이 보도를 하기 시작하며 사건이 커졌다. 닉슨 대통령이 직접적으로 연루된 것은 아니었지만, 사건이 드러나자 닉슨이 대통령의 권한을 남용해 사건을 은폐하려 하고 국민들에게 거짓말을 한 것이 드러나 대통령에 대한 여론이 크게 악화되었고, 상하원에서는 대통령 탄핵 절차를 밟았다.

후폭풍을 감당할 수 없어진 리처드 닉슨 대통령은 1974년 8월 9일, 현직 대통령으로서는 미국 역사에서 유례가 없는 사임을 하였다. 닉슨 대통령의 사임 후, 제럴드 포드 부통령이 대통령직을 승계했으며, 포드 대통령은 대통령의 직권으로 닉슨의 워터게이트 사건에 대한 모든 혐의를 사면하였다. 그러나 이로 인해 포드 대통령의 지지율은 크게 떨어졌고, 1976년 미국 대통령 선거에서 청렴함과 도덕성을 내세운 지미 카터 조지아 주지사가 대통령으로 당선되며 공화당은 8년 만에 민주당에게 정권을 내어주게 되었다.

(2) 배경 : 1972년 미국 대통령 선거

1968년 미국 대통령 선거에서 리처드 닉슨은 민주당의 대통령 후보 휴버트 험프리를 불과 0.7%p 차이로 꺾고 당선되었다. 당초 여론조사에서는 닉슨의 압도적 대승이 예견되었으나 휴버트 험프리가 뒤늦게 "북베트남 폭격 중지"를 슬로건으로 반전좌파의 표를 규합시켜 매우 선전한 것이다. 선거 흐름상 일주일만 늦게 선거가 치러졌더라도 휴버트 험프리가 이길 수 있었다는 말도 나오던 상황이었다. 근소한 차이에 민주당은 고무되었고, 1972년 대선에 경쟁력 있는 후보를 내보낸다면 68혁명과 베트남 전쟁의 영향으로 만신창이가 된 지지층을 결집시켜 정권을 탈환할 수 있을 것이라는 예측이 나돌았다.

당초 민주당에서는 테드 케네디(*에드워드 무어 케네디/Edward Moore Kennedy/1932년 2월 22일~2009년 8월 25일/제35대 대통령 존 F. 케네디의 막내동생이며, 1962년부터 2009년 세상을 떠날 때까지 47년간 매사추세츠주 연방 상원의원을 지냄*) 상원의원이 가장 유력한 후보였다. 그러나 테드 케네디는 1969년 자동차가 바닷물에 빠지는 사고에서 동승했던 여비서를 구출하지 않고 무려 10시간 동안이나 경찰에 신고를 하지 않은 "차파퀴딕 사건"에 휘말렸다. 당연히 사람들은 테드 케네디가 여비서와의 문란한 관계를 숨기려고 경찰에 신고를 주저했다는 의심을 하게 되었고 그렇게 테드 케네디는 허망하게 정치생명이 침몰하고 만다. 또한, 1970년 맥거번-프레이저 위원회의 출범으로 민주당은 이전과 달리 당원의 표심이 대통령 후보 선출에 직접적인 영향을 주도록 개혁을 한 상태였다. 이렇게 예비선거 룰의 변동과 가장 유력한 선두주자의 침몰로 인해 1972년 대선을 앞둔 민주당의 상황은 점입가경에 빠져들었다. 조지 맥거번 상원의원, 헨리 M. 잭슨 상원의원, 휴버트 험프리 전 부통령(제36대 대통령 '린든 존슨' 시절의 부통령 역임), 존 린지 뉴욕시장, 셜리 치좀 하원의원, 에드먼드 머스키 상원의원, 유진 매카시 상원의원 등 수많은 후보가 뛰어든 상황이었다.

이러한 상황을 노린 리처드 닉슨의 재선위원회(CRP)는 닉슨 대통령을 위협할만한 후보를 민주당의 내분을 이용해 쳐내는 계획을 세웠다. 재선위원회는 1972년 연초 설립되었고 회장은 닉슨의 측근이자 법무장관이었던 존 미첼(John Mitchell)이었다. 이 조직은 전현직 CIA 요원이었던 E. 하워드 헌트(E. Howard Hunt), G. 고든 리디(G. Gordon Liddy), 제임스 매코드(James McCord) 등으로 이루어져 있었고 닉슨의 최측근이었던 존 얼리크먼(John Ehrlichman), H. R. 홀더먼(H. R. Haldeman; 이하 밥 홀더먼으로 칭함) 등 리처드 닉슨의 문고리 권력과 긴밀하게 연관되어 있었다. 리처드 닉슨 대통령은 대다수의 정치인들을 불신해 존 코널리 재무장관, 헨리 키신저 보좌관, 멜빈 레어드 국방장관 등의 공적인 측근과는 진지한 이야기만 했지만 상기 "문고리 권력"들과는 가볍고 개인적인 대화를 하곤 했는데, 재선위원회 조직의 일부는 1968년 대통령 선거와 다른 압도적인 승리를 바라던 닉슨의 심리에 맞추기 위해 공작을 저지르기로 결정한다.

가장 먼저 타깃이 된 인물은 1968년 대선에서 부통령 후보로 출마한 메인주 상원의원 에드먼드 머스키였다. 닉슨의 재선위원회는 에드먼드 머스키가 프랑스계 미국인을 차별한다는 근거 없는 소문을 퍼트리는가 하면 그의 아내를 공격하는 등 비열한 술수로 에드먼드 머스키를 선두주자 자리에서 제거한다. 1972년 6월, 민주당 대선 후보를 선출하는 전당대회를 한 달 앞두고 선거는 더욱 치열해졌다. 당은 반전좌파를 대변하던 조지 맥거번과 기성 세력을 대표하던 휴버트 험프리로 분열되어 있었고, 비록 맥거번이 대의원 수에서 앞서 있었지만 험프리 측은 맥거번의 대의원 일부를 무효표 처리해 그가 과반 득표를 할 수 없게 한 후 결선에 진출해 나머지 후보의 대의원 표를 쓸어와 맥거번을 이긴다는 전략을 세웠다. 이 때문에 많은 언론들이 누가 민주당의 대선 후보가 될지 쉽사리 예상하지 못하던 상황이었다.

닉슨의 재선위원회는 이러한 상황에서 민주당 대선 주자들의 약점을 캐낸다면, 이를 리처드 닉슨의 재선에 유리하게 활용하고 민주당의 내분을 일으킬 수 있다는 전략적인 판단을 하게 되었다. 리처드 닉슨은 이에 대해 전혀 알지 못했지만 닉슨의 "문고리 권력"들은 1972년 5월, 전 FBI 요원 앨프리드 C. 볼드윈 3세(Alfred C. Baldwin III)를 시켜 6~7월에 민주당 전당대회(DNC) 사무실을 도청하는 계획을 세웠다.

(3) 1972년 6월 17일 밤

1972년 6월에 문제가 생겼다. 닉슨 재선위원회(CRP)의 요원 일부가 지난 5월 민주당 전당대회 의장 래리 오브라이언(Larry

O'Brien)의 전화기에 설치한 도청기가 고장이 났다는 사실을 알아챈 것이다. 그래서 CRP의 요원이었던 하워드 헌트와 고든 리디는 1972년 6월 17일 토요일 새벽, 피그스만(쿠바) 침공 때 같이 일했던 쿠바인 망명자 5인, 이른바 "배관공"에게 주말을 맞아 민주당 직원이 모두 퇴근한 틈을 타 워싱턴 D.C.의 워터게이트 복합단지(Watergate Complex)에 위치한 민주당 전국위원회(Democratic National Committee; DNC) 사무실에 몰래 침투하도록 하였다.

그런데 새벽 2시 쯤, 워터게이트 복합단지의 야간 경비원 프랭크 윌스(Frank Wills)는 기밀 누설 방지를 위해 민주당 직원들이 퇴근하면서 문에 붙여둔 테이프가 아주 섬세하게 잘려져 있다는 사실을 발견했다. 이는 누군가가 문의 테이프를 자르고 사무실에 침입했다는 뜻이 된다. 프랭크 윌스는 워싱턴 D.C. 경찰 당국에 조심스럽게 워터게이트 복합단지에 강도가 든 것 같다는 신고전화를 했다. 워싱턴 D.C. 경찰 당국은 근처에 있던 경찰에게 워터게이트 복합단지로 출동하라고 명령했지만 관할 경찰관들은 주말을 맞아 인근 술집에서 만취한 상태여서 연락이 되지 않았다. 그래서 대신 히피들의 성매매 및 마약 거래 단속을 주목적으로 했던 히피 차림의 사복 경찰을 워터게이트 복합단지로 출동하게 하였다. 한편, 도청 프로젝트의 총 책임자이자 주위에서 망보는 역할을 맡고 있던 앨프리드 볼드윈은 주변 식당에서 TV 연속극을 보는데 정신이 팔려있었다. 물론 볼드윈도 몇몇 히피 차림의 젊은이들이 건물에 몰래 들어가는 것을 목격하기는 했지만, 그 당시는 베트남전쟁 반대 시위로 워싱턴 D.C.의 치안이 매우 안 좋았던 시절이라 그저 좀도둑이 든 줄로만 알았다고 한다.

뒤늦게 워터게이트 복합단지 6층에서 3명의 히피 차림 사복경찰이 손전등을 들고 이리저리 돌아다니는 것을 보게 된 앨프리드 볼드윈은 긴급 전화를 걸어 어서 철수하라고 명령했지만 때는 이미 늦었다. 5명의 쿠바인 망명자 그룹은 도망치지 못하고 1972년 6월 17일 새벽 2시 30분 워싱턴 D.C. 경찰에게 현행범으로 붙잡혔다. 이들의 이름은 버질리오 곤살레스(Virgilio Gonzalez), 버나드 베이커(Bernard Barker), 제임스 매코드(James McCord), 유제니오 마르티네스(Eugenio Martínez), 프랭크 스투지스(Frank Sturgis)였는데, 이중 곤살레스, 베이커, 마르티네스는 쿠바인 망명자였고, 스투지스는 쿠바혁명 당시 참전했던 군인, 매코드는 총책임자이자 쿠바 사건 때 광범위하게 관여한 인물이었다.

(4) 5인조 배관공의 체포와 보도의 시작

워싱턴 D.C. 경찰 당국은 처음에는 체포된 이들을 단순 절도범으로 간주하고 있었으나 이들의 신원이 밝혀지자 수상함을 느꼈다. 이들이 2,300달러의 현금, 35mm 카메라 2개, 단파 수신기를 들고 있는 것은 경찰관들의 의심을 더욱 증폭시켰다. 무엇보다 버나드 베이커의 수첩에서 닉슨 재선위원회(CRP)의 요원이었던 하워드 헌트의 이름과 전화번호가 적혀 있는 것이 밝혀졌다. 수상함을 지우지 못한 워싱턴 D.C. 경찰은 수사를 종결시키는 대신 이를 연방 법무부에 알렸다.

6월 18일, 냄새를 맡은 워싱턴 포스트는 이 사건에 대한 취재를 시작했다. 바로 다음날 조간신문에 젊은 신참기자 칼 번스타인 (Carl Bernstein)과 밥 우드워드(Bob Woodward)가 기사를 작성해 사건을 단독보도하였다. 이들은 5인조 절도범이 공화당의 닉슨 재선위원회, 특히 존 미첼 위원장과 깊이 연관되어있으며 절도범 중 한 명인 버나드 베이커 앞으로 지나치게 많은 수상한 돈이 입금되었다는 사실도 보도하였다. 뒤이어 로스앤젤레스 타임스, 뉴욕 타임스와 같은 유명 일간지도 사건을 보도하기 시작했다. 그러나, 이 당시까지만 하더라도 사건의 전모가 드러난 것이 아니었기에 대게 짧은 기사로만 그쳤으며, 오로지 워싱턴 포스트만이 심층적인 탐사보도로 사건의 진실을 파헤치고자 했다.

리처드 닉슨 대통령은 자신도 알지 못하던 공작에 깜짝 놀라 얼리크먼, 홀더먼에게 전화를 걸어 크게 화를 내고 누가 이런 짓을 했는지 알아내라고 지시함과 동시에 이것이 언론에서 크게 보도되어 11월 대통령 선거에 방해가 되지 않도록 사건을 은폐하라는 지시도 내렸다. 당황한 존 얼리크먼 고문과 밥 홀더먼 비서실장은 즉시 존 딘(John Dean) 법률고문에게 어떤 수를 써서라도 이 사건을 덮으라고 명령하였다. 사건 5일 후, 백악관 대변인 론 지글러(Ron Ziegler)는 이 모든 정황이 특종 기사를 노린 워싱턴 포스트의 과장이며 5인조 배관공은 그저 3류 절도범에 불과하다며 닉슨 재선위원회에 쏟아지던 의혹을 부인했다.

이에 대하여 워싱턴 포스트는 말도 안 되는 변명이라며 취재를 계속하였지만, 다른 언론사들은 워싱턴 포스트와 달리 지글러 대변인의 반박 이후 관심을 접고 말았다. 민주당의 전당대회가 불과 보름 앞으로 다가온 시점에서 불명확한 거대한 음모를 파헤치는 것은 무리수였다고 판단한 것이다. 1972년 7월, 사우스다코타 주의 연방 상원의원 조지 맥거번은 유효 대의원 수의 58%를 얻어 휴버트 험프리를 꺾고 민주당의 대통령 후보로 지명되었다. 맥거번은 부통령 러닝메이트로 토머스 이글턴 미주리 주 연방 상원의원을 지명했다. 공화당 역시 예상대로 닉슨 대통령과 애그뉴 부통령을 후보로 재지명했다.

1972년 11월 대통령 선거 결과는 리처드 닉슨의 너무나도 압도적인 대승이었다. 닉슨은 1970년 단기 공황을 극복하고 만끽한 경제적 호황에 더해, 닉슨-마오쩌둥 회담으로 대표되는 외교적인 성과까지 겹쳐 최고의 인기를 누리고 있었다. 재선 당시 그의 지지율은 거의 70%에 육박했을 정도였다. 반면 조지 맥거번은 너무 급진적인 진보 공약으로 민주당 내에서두 지지를 받지 못하던 상황이었고 선거 캠페인 자체도 그야말로 아수라장에 가까울 정도로 엉망이었다. 결국 닉슨은 케네디 가문의 정치적 근거지인 매사추세츠 주를 제외한 49개 주에서 승리하고 총 득표율 60.7%를 달성하는 엄청난 기록을 세웠다. 심지어 맥거번의 고향인 사우스다코타에서도 10%p 격차로 닉슨이 승리했다. 조지 맥거번은 엄청난 참패에 할 말을 잃었고 부인과 함께 영국으로 이민을 가는 계획까지 진지하게 세울 정도로 충격을 받았다.

조지 맥거번은 상대 후보에 대한 네거티브 대신 진보적인 정책을 내세운 "정책 선거"를 원하고 있었고, 워터게이트 사건으로 민주당의 정보가 누설된 것은 없다며 워터게이트 사건을 적극적으로 언급하지 않았다. 물론 선거 운동 도중 수상쩍은 닉슨의 행보에 대해 규탄하기는 했지만 언론은 물론 유권자들의 관심조차 받지 못했다. 그 결과, 한 여론조사에 의하면 선거일 때까지 무려 50%가 넘는 미국인들이 워터게이트 사건에 대해 전혀 알지 못한다고 답했다는 충격적인 조사 결과가 나오기도 했다.

(5) 조여오는 수사망

이러한 압도적인 닉슨의 인기에도 불구하고, 워싱턴 포스트의 밥 우드워드와 칼 번스타인 기자는 워터게이트 사건에 대한 취재를 이어나갔다. 이들에게 가장 도움이 된 것은 딥 스로트(Deep Throat)라고 불린 비밀 내부고발자였다. 당시 유행하던 포르노 영화의 제목을 따 붙인 것이고, 밥 우드워드와 번스타인은 내부 고발자가 죽거나 스스로 정체를 밝히기 전에는 그가 누구인지 절대 밝히지 않는다고 합의하였다. "딥 스로트"는 워터게이트 사건이 일어나고 우드워드와 번스타인이 취재를 시작했다는 사실을 알게 되자 그들에게 비밀의 루트로 진실을 알려줄 테니 자신에게 연락하라고 말했다. 이 만남은 1972년 6월부터 1973년까지 몇 차례 반복되었고 CIA와 FBI의 감시를 피하기 위해 갖가지 수법을 써서 이루어졌다. "딥 스로트"의 기밀 정보 제공은 워싱턴 포스트 입장에서 큰 도움이 되었다.

"딥 스로트"와 밥 우드워드, 칼 번스타인은 기상천외한 방식으로 닉슨의 감시망을 피해 만났는데, 주로 밥 우드워드가 인터뷰를 하면 칼 번스타인이 인터뷰를 기사로 옮겨쓰는 식으로 역할 분담이 이루어졌다. 우드워드가 자기가 사는 아파트 발코니에 붉은 깃발이 달린 화분을 내놓으면 "딥 스로트"에게 만나자는 신호였다. 반대로 "딥 스로트"는 뉴욕 타임스의 기사 20면에 시계바늘을 그려놓는 방식으로 의사표시를 했는데, 우드워드는 그것이 어떻게 가능했는지 자기는 알지 못한다고 회고했다. 이들은 종종 워싱턴 D.C. 교외 버지니아 주의 한 주차장 맨 지하층에서 새벽에 만났다.

리처드 닉슨은 워싱턴 포스트로 새어나간 정보의 정교함으로 미루어 보아 "딥 스로트"가 FBI의 고위 간부일 것이라고 추측했지만, 그렇다고 FBI를 대놓고 추궁할 수는 없었다. 아주 결정적인 증거가 발견되지 않았기 때문이다. 결국 닉슨은 혼자 끙끙댔고, CIA에 FBI의 사건 수사를 방해하고 최대한 은폐하라고 지시했다. 하지만 잘 되지는 않았다. 1973년 6월 23일 존 얼리크먼은 CIA 부국장인 버논 월터스(Vernon Walters)를 백악관으로 호출해 국가 안보와 관련된 일이니 FBI의 수사를 CIA 차원에서 방해해달라고 부탁했다. 그러나 월터스는 이를 거부했다. 백악관 측은 다시 증인 매수와 입단속에 필요한 돈을 CIA 자체 자금으로 처리해줄 수 없겠냐며 유화된 입장을 보냈다. 그러나 평소에 닉슨에 불만이 많았던 리처드 헬름스(Richard Helms) CIA 국장은 전 국민적 이익이 주목된 상황에서 이런 부담스러운 일을 할 수 없다며 단칼에 요구를 거절했다.

"딥 스로트" 외에도 닉슨에게 또 다른 치명상을 가한 인물은 마사 미첼(Martha Michell)이었다. 마사 미첼은 존 미첼 법무장관 겸 재선위원장의 아내였고 평소 수다스러운 입담으로 사교계에서 유명했다. 자신이 어떤 정보를 접하는지 알지 못하고 떠벌리는 경향이 있었고 닉슨은 이런 마사 미첼이 자신의 기밀을 심각하게 누설할 것이라고 생각했는데, 이는 사실이 되었다. 닉슨은 궁지에 몰려 마사 미첼을 납치하라고 지시했다. 몇 명의 비밀 요원들은 마사 미첼을 납치해 정신병원에 감금하려고 시도했지만, 이는 실패했다. 마사 미첼은 이 사건을 언론에 떠들어대면서 닉슨을 납치 미수범이라고 마구 비난했다. 평소 그녀의 평판이 나빴기 때문에 언론은 이를 진지하게 다루지 않았지만, 존 미첼과 닉슨의 속은 타들어갔다. 결국 아내와의 불화를 이기지 못한 존 미첼은 그 무게를 감당할 수 없어 법무장관 직위를 사퇴하고, 부인과도 이혼했다.

미국에서 법무장관(Attorney General)은 한국의 법무장관과 달리 검찰총장의 역할도 맡는다. 한국의 법무장관은 법무부를 총괄한다는 인식이 있지만(*검찰청법 제8조<법무부장관의 지휘·감독> 법무부장관은 검찰사무의 최고 감독자로서 일반적으로 검사를 지휘·감독하고, 구체적 사건에 대하여는 검찰총장만을 지휘·감독한다*), 미국의 법무장관은 법무부를 총괄하는 것과 동시에 검찰총장으로서 정부의 기소를 담당하고, 동시에 백악관의 공식 변호인으로서 정부에게 쏟아지는 법적 조치를 막아내는 역할을 한다. 제35대 대통령 '존 F. 케네디'가 자신의 동생인 '로버트 F. 케네디'를 법무장관으로 임명한 것 역시 이런 맥락에서 이루어진 것이다. 리처드 닉슨의 경우 가장 믿을 수 있는 법률 동료였던 존 미첼을 법무장관으로 임명한 것이었지만, 가장 믿을 수 있는 닉슨의 방패가 그의 아내라는 예상치 못한 변수로 날아가버리면서 닉슨은 정치적으로 엄청난 타격을 입게 되었다. 더구나 마사 미첼이 떠벌린 기밀 자료는 그대로 매스컴을 탔고 이는 워터게이트 사건에 대한 관심을 높이게 되었다.

(6) 존 시리카, 상원 조사위원회, 아치볼드 콕스

해를 넘긴 1973년부터 상황은 급변하기 시작했다. 1972년 연말부터 시작되었던 워터게이트 배관공 5명에 대한 재판을 담당한 판사는 존 시리카(John Sirica)였다. 그는 전국적으로 거의 알려지지 않은 인물이었고 단지 워터게이트 복합단지가 위치한 지역이 자신의 담당 구역이었기에 사건을 떠맡은 것에 불과했다. 그러나 존 시리카 판사는 1957년부터 15년 넘게 워싱턴 D.C. 지역의 지방 판사를 담당하면서, 정치인들의 음모와 술수를 꿰뚫어 보는 능력을 가지고 있었다. 리처드 닉슨과 밥 홀더먼, 존 얼리크먼 모두 돈을 쥐어주고 입막음을 해 배관공 5명과 하워드 힌트, 고든 리디를 처벌하는 선에서 사건을 끊어내고자 했고 이는 거의 성공할 뻔했다. 하지만 존 시리카 판사는 이들이 침묵할 것을 예상하고, 배관공 5명 모두에게 40년형이라는 엄청난 징역형을 선고했는데, 이는 단순 절도 행위에 대하여 내려질 수 있었던 법정 최고형이었다. 당연히 이는 "배관공"들로부터 진심어린 자백을 듣고자 한 존 시리카 판사의 강수였다. 존 시리카 판사의 예상대로, 배관공들은 자신들의 "절도"가 단순한 절도가 아니며 훨씬 위의 누군가에 의해 사주를 받았다는 사실을 순순히 인정했다. 존 시리키는 이런 사건 진행으로 자칫 닉슨에 의해 종결될 수도 있었던 워터게이트 사건을 다시 수면 위로 드러냈고, "법정 최고형 존"이라는 별명도 얻었으며, 1973년 타임지 올해의 인물로 선정되기도 하였다(놀랍게도 존 시리카 판사는 공화당의 당원이었다. 미국의 삼권분립을 실감할 수 있는 부분이다).

존 시리카 판사의 40년형 선고는 즉각적으로 전국적인 관심을 불러 일으켰다. 이는 민주당원들에게도 예외가 아니었다. 일단 민주당은 1972년 대통령 선거에서 압도적인 패배를 당했지만, 상·하원에서는 의외의 선방을 거둔 상황이었다. 민주당은 하원에서는 15석을 잃었지만 여전히 과반 의석을 사수했고, 상원에서는 오히려 의석을 2석 늘렸다(현재 미국의 제46대 대통령 '조 바이든'도 이때 29세의 나이로 델라웨어주에서 초선 연방 상원의원으로 당선되었다). 민주당은 지방 조직과 의회 권력이 여전히 건재한 상태에서 존 시리카 판사에 의해 화제가 되고 있던 워터게이트 사건을 잘 활용하면 당세를 금방 재건할 수 있을 것이라는 판단을 내렸고, 상원 원내대표 마이크 맨스필드와 원내총무 로버트 버드는 즉각 상원 선별위원회를 설치해 워터게이트 사건을 상원 차원에서도 조사하기로 결정한다. 그렇게 존 시리카 판사의 재판이 시작된 때로부터 약 한 달 후인 1973년 2월 7일, 상원 대통령 선거 캠페인 활동 선별위원회(United States Senate Watergate Committee)가 구성된다. 민주당 4인과 공화당 3인으로 구성된 이 위원회의 위원장은 5선 중진의원인 샘 어빈 상원의원(1974년 은퇴할 예정이었기에 초당적인 위원회를 이끌기에 적합한 인물이었다)이 맡았다.

상원이 주도한 청문회는 1973년 5월부터 시작되었으며, 이 청문회는 대다수 미국인들로부터 관심을 받았다. 무려 85%에 달하는 미국인들이 상원 청문회를 시청했다고 한다. 워터게이트 사건에 대한 관심이 집중되자 부담감을 느낀 닉슨 대통령은 측근 일부에게 사임을 권유했다. 밥 홀더먼 비서실장이 사임하고 그 자리를 알렉산더 헤이그(Alexander Haig)가 뒷따랐으며 존 미첼의 사임으로 임명한 리처드 클라인딘스트(Richard Kleindienst) 신임 법무장관도 사임해버렸다. 닉슨 대통령은 급한대로 국방장관 엘리엇 리처드슨(Elliot Richardson)을 신임 법무장관으로 임명한다. 엘리엇 리처드슨은 1973년 5월 청문회를 앞두고 특별검사를 선임해야 했는데, 자신의 대학교 은사인 아치볼드 콕스(Archibald Cox)를 포함한 몇몇 인사를 별 생각 없이 추천했다. 민주당이 이끄는 상원은 존 F. 케네디(제35대 대통령/1963.11.22. 암살)와 그의 동생 로버트 F. 케네디(1968.6.6. 암살)의 측근이자 그들의 친구이기도 했던 아치볼드 콕스(Archibald Cox)를 특별검사로 승인했다. 리처드 닉슨은 공개적으로 콕스 특별검사의 출범을 축하했다. 하지만 백악관에 돌아와서는 케네디의 측근이 워터게이트를 수사한다니 믿을 수 없다고 소리를 질렀으며 리처드슨 법무장관이 자신을 분노하게 하려는 의도로 콕스를 추천한 것이라면 그야말로 대성공이라며 길길이 날뛰었다. 존 F. 케네디에게 열등감을 가지고 있었던 닉슨(1960년 대통령 선거에서 닉슨은 존 F. 케네디에게 패배함)에게 케네디의 최측근이었던 콕스가 특별검사로 임명된 것은 닉슨에게 심각한 정신적 타격을 입혔다. 아치볼드 콕스는 은퇴를 고려하던 연로한 교수였지만, 로스쿨을 졸업한 지 얼마 안 된 열정적인 변호사와 검사를 자신의 팀에 포진시켰다.

콕스 특별검사의 출범으로 수사망은 점점 좁혀왔고, FBI는 난처한 입장에 처해졌다. 마침 존 에드거 후버 FBI 국장의 사망으로

FBI 내부도 혼란한 상황이었다. FBI는 이런 상황에서 수사 진행 보고를 백악관의 존 딘 법률고문에게 하기로 결정했다. 백악관의 법률고문인 존 딘은 1938년생으로 1973년 당시 불과 35세로 매우 젊은 인물이었으며, 단지 닉슨 캠프에 있었다는 이유만으로 임명된 "문고리 권력"에 가까웠다. 존 딘 역시 워터게이트 사건 은폐에 핵심적인 역할을 했고, FBI로부터 보고받은 수사 결과를 닉슨에게 전달하였다. 그런데 존 딘은 워터게이트 사건으로 인한 사법 처리가 자신의 생각보다 매우 심각해질 수 있으며, 여차할 경우 얼리크먼 고문과 홀더먼 전 비서실장, 닉슨 대통령이 "버려도 될 사람"을 버리고 자기들끼리만 살아남을 것이라는 점을 깨달았다. 존 딘은 고민 끝에 차라리 자수하여 상원과 협의를 하여 형량을 낮추자는 생각을 하게 되었고, 1973년 2월부터 상원과 접촉하고 특검팀과도 손을 잡았다. 이 사실을 알아챈 닉슨은 존 딘을 해임했지만 존 딘은 상원 조사위원회로부터 면책특권을 부여받게 되었다. 1973년 6월 25일, 존 딘은 상원 조사위원회 청문회에 출석해 총 4일간 자신이 아는 모든 것을 청문회에서 털어놓았다. 그의 폭로는 사건의 전환점이 되었다. 존 딘은 닉슨과 그의 참모들이 이 사건에 연루되어있으며 이를 조직적으로 은폐하려는 시도가 있다고 증언했다. 그리고 무엇보다 핵심적으로 '자신과 닉슨 및 백악관 참모들의 대화가 녹음되는 것 같았다'라는 결정적인 증언을 내놓았다.

상원은 그 즉시 알렉산더 버터필드(Alexander Butterfield) 백악관 부보좌관을 7월 16일 청문회로 출석시켜 백악관에 모든 대화가 녹음되는 장치가 있는지 질문했다. 버터필드는 1971년 백악관이 모든 대화 및 전화를 녹음하는 장치를 설치했으며 거기에 닉슨, 홀더먼, 얼리크먼, 존 딘 등 모든 관계자의 대화가 녹음되어 있을 것이라는 폭탄과도 같은 증언을 내놓았다. 이때부터 워터게이트의 국면은 결정적인 증거가 되는 닉슨의 지시가 담긴 테이프를 찾는 것으로 전환된다.

(7) 녹음 테이프를 찾아라

버터필드의 폭탄 증언이 나온 지 이틀 만에 아치볼드 콕스 특별검사와 그의 팀은 리처드 닉슨 대통령에게 존 시리카 판사 앞으로 워터게이트 사건에 대한 명확한 증거가 담겨있는 녹음 테이프 8개를 제출하라고 명령하였다. 이에 대해 닉슨 측은 증거를 제출하거나 제출하지 않는 것은 법률상의 영역이 아니라 대통령 고유의 권한에 있는 것이며, 국익에 따라 굳이 기밀을 공개할 필요가 없다라는 이유로 이를 거부하였다. 하지만 존 시리카 판사는 8월 29일 오랜 심의를 거쳐 닉슨이 콕스 검사의 명령을 거부할 권한이 없으며 닉슨이 즉시 녹음 테이프를 제출해야 한다는 명령을 내렸다. 이는 1807년 존 마셜 대법관이 토머스 제퍼슨(제3대 대통령)에게 증거를 제출하라고 명령한 판결 이후 166년 만에 미국의 법원이 대통령에게 증거 제출을 명령한 판결이었다. 닉슨은 즉각 항소하였으며 녹음 테이프 제출은 그만큼 계속 연기되었다.

1973년 9월~10월은 그야말로 닉슨이 정신없을 정도로 혼란을 겪은 시기였다. 10월 10일에는 스피로 애그뉴 부통령이 워터게이트와 상관이 없는 사건으로 사퇴하는 일까지 생겼다. 메릴랜드 주지사와 부통령을 지내면서 받은 막대한 불법 자금이 논란이 된 것이다. 인정사정 없이 닉슨을 강타하는 아치볼드 콕스 특별검사와 존 시리카 판사의 전방위 공격을 견디지 못한 닉슨은 리처드슨 법무장관을 통해 콕스 특검과의 녹음 테이프 제출 협상 절차를 밟는다.

그러나 리처드슨 법무장관이 협상에 매우 비협조적이어서 결국 협상은 결렬되고, 1973년 10월 19일, 존 시리카 판사가 제시한 항소기한이 지나버리면서 닉슨은 반드시 녹음 테이프를 제출해야 하는 운명에 처했다.

(8) 토요일 밤의 대학살

1973년 10월 19일은 금요일이었고 그 다음 날인 1973년 10월 20일은 토요일이었다. 주말 이틀 동안 존 시리카 판사와 콕스 특별검사 팀이 모두 휴식에 들어갔다. 궁지에 몰린 닉슨은 이 시간을 이용해 아치볼드 콕스 특검팀을 대통령 직권으로 해산하기로 결정했다. 닉슨은 아치볼드 콕스 특별검사를 해임하고, 대통령은 만약 공개된다면 국가 안보에 해를 끼칠 수 있는 기밀 문건 및 녹음 자료를 직권으로 공개하지 않을 수 있다는 주장으로 시간을 끌어 대법원 판결까지 받으려고 한 것이다.

그러나 리처드슨 법무장관은 닉슨 대통령이 명령한 아치볼드 콕스 특별검사 해임을 거부하고 법무장관직을 전격 사임한다. 닉슨은 법무장관 대행이 된 법무차관 윌리엄 러켈스하우스(William Ruckelshaus)에게 다시 아치볼드 콕스를 해임하라는 명령을 내렸으나 러켈스하우스 차관 역시 이를 거부하고 사임한다. 이제 법무장관 대행직을 맡는 인물은 법정에서 정부를 대변하는 역할을 맡는 송무차관(Solicitor General) 로버트 보크(Robert Bork)가 맡게 되었다. 로버트 보크는 사임을 고려했으나, 사임하지 않고 닉슨 대통령의 명령대로 아치볼드 콕스 검사를 해임하고 특검팀을 해체시켰다. 그러나 이로 인해 하루아침에 특별검사, 법무장관, 법무차관 직이 모두 공석이 되는 사상 초유의 사태가 발생했고, 워싱턴 포스트지는 이를 "토요일 밤의 대학살"(Saturday Night Massacre)"이라고 부르며 강도 높게 비판했다.

"토요일 밤의 대학살"은 워터게이트 사건의 전환점이 되었다. "토요일 밤의 대학살" 전까지는 닉슨 대통령이 상대 후보 도감청을 직접적으로 지시한 것도 아닌데도 탄핵까지 갈 필요가 있겠냐는 여론이 다수였다. 그러나, 대통령이 직권으로 특검 팀을 무너트린 것은 대다수의 미국인들에게 대통령이 무엇인가를 숨기고 싶은 것이 있어 특검 팀을 해체시킨 것으로 받아들여졌다. 또한 삼권분립을 매우 중시하는 국가인 미국에서는 대통령이 사법권을 심각하게 침해한 것으로 받아들여질 수밖에 없었다. 워싱턴 포스트뿐 아니라 다른 언론들도 탄핵을 거론하게 되었고, 전미 최대의 주간 잡지인 타임지마저 닉슨의 사임을 촉구하는 장문의 사설을 실어 닉슨을 비판하게 되었다.

이를 반영하듯, 1973년 6월까지만 하더라도 갤럽의 여론조사에서 닉슨이 탄핵당해야 한다는 여론은 19%에 그친 반면, "토요일 밤의 대학살" 직후 치러진 NBC의 여론조사에서는 탄핵 찬성 44%, 탄핵 반대 43%로, 처음으로 탄핵 찬성 여론이 탄핵 반대

여론을 앞서게 되었다.

"토요일 밤의 대학살"의 당사자들이 겪은 운명은 엇갈렸다. 우선 리처드슨 법무장관은 법무장관 사퇴 이후 미국 언론의 찬사를 받으며 제럴드 포드(제38대 대통령/공화당) 행정부 시절 주영대사와 상무장관을 지냈고 지미 카터(제39대 대통령/민주당) 정권 때도 특사로 임명되는 등 초당적인 존경을 받았다. 비록 경선에서 떨어지긴 했지만 1984년 매사추세츠주 연방 상원의원 보궐선거에 출마하기도 했다. 러켈스하우스 법무차관도 레이건(제40대 대통령/공화당)·부시(제41대 대통령/공화당) 행정부 때 여러 공공기관장을 역임했다. 또한 두 사람 모두 말년에 대통령 자유훈장을 수여받는 영광을 누렸다. 반면 로버트 보크 송무차관은 1987년 로널드 레이건(제40대 대통령/공화당)이 대법관으로 지명했음에도 워터게이트 사건 때의 행적이 문제가 되어 이례적으로 당파적인 이유 때문에 상원의 대법관 인준을 받지 못하는 굴욕을 당했다.

여론이 심각하게 나빠지자 닉슨은 서둘러 레온 자워스키(Leon Jaworski) 특별검사의 출범을 다시 승인하였다. 그리고 1973년 11월 17일, 동요하는 여론을 잠재우기 위해 디즈니 컨템포러리 리조트의 회견장에서 기자회견을 연 닉슨은 "나는 사기꾼이 아닙니다(I'm not a crook)"라는 전설적인 망언을 남기게 된다. "사기꾼"이라는 단어는 워터게이트 사건과 함께 제기된 세금 탈루 의혹을 잠재우기 위해 사용된 것이었다. 그러나 문맥이 어떻든 사람들에게는 "사기꾼"이라는 단어만 뇌리에 남아 미국인들뿐 아니라 전세계인들이 닉슨을 사기꾼이라고 인식하게 되었다. 이 발언 직후 리처드 닉슨의 지지율은 20%대로 추락했다.

(9) 1974년: 미합중국 대 닉슨

스피로 애그뉴의 사임으로 공석이 된 부통령 자리를 정하는 것으로 연말 화제가 잠시 옮겨갔다. 새 부통령 임명에 대해 많은 토론이 있었지만 닉슨이 새 부통령을 지명하고 상하원이 이를 인준하기로 하였다. 리처드 닉슨은 텍사스 주지사와 재무장관을 지낸 존 코널리를 개인적으로 선호했으나, 민주당 대부분의 의원들과 뜻이 맞지 않는 보수적인 정책을 추진해 이미 민주당 의원들에게 밉보여있던 존 코널리가 부통령으로 인준될 가능성은 거의 없었다. 2순위였던 넬슨 록펠러는 공화당 강성 지지층에게 인기가 없었고, 3순위였던 로널드 레이건은 민주당 강성 지지층에게 인기가 없었다. 그래서 하원 원내대표를 지냈으며 온화하고 청렴한 성격으로 광범위하게 인기 있었던 제럴드 포드(제38대 대통령/공화당)가 부통령으로 임명되었다. 1973년 11월 27일 상원은 92대 3으로 포드 부통령 인준안을 통과시켰고 12월 6일에는 하원에서 387 대 35로 통과시켰다. 제럴드 포드는 청문회를 무난히 통과했고 스피로 애그뉴와 달리 깨끗한 경력을 가지고 있었기 때문에 미국인들이 안심할 수 있었다.

해를 넘긴 1974년부터 워터게이트 사건에 대한 법정 공방은 심화되었다. 리처드 닉슨은 녹음 테이프를 제출해야 한다는 여론을 무마시키기 위해 몇백 쪽에 달하는 녹취록을 공개했는데 이는 완전한 역효과를 초래하였다. 닉슨이 정적을 욕하는 내용이 그대로 담겨있었기 때문에 보수층 사이에서 닉슨에 대한 여론이 급격하게 악화되었고, 진보층은 워터게이트와 관련된 핵심적인 내용이 모두 빠진 녹취록의 공개는 의미가 없다고 여겼기 때문이다.

1974년 3월 4일, "워터게이트 7인방"(미첼 법무장관, 홀더먼 비서실장, 얼리크먼 보좌관 등)이 워싱턴 D.C. 지방법원에 공식적으로 기소되었으며, 3월 18일 존 시리카 판사는 대배심 보고서를 하원 사법위원회에 보내도록 하였다. 1974년 4월 16일, 자워스키 특검은 8개의 녹음 테이프 제출만을 요구한 아치볼드 콕스 전 특별검사와 대조되게 64개의 녹음 테이프를 제출하라고 요구하였다. 존 시리카 판사는 5월 31일까지 녹음 테이프를 넘기라고 명령했다. 닉슨은 이에 거세게 반발하며, "특검은 대통령에게 명령할 권한이 없으며, 그 대화는 공개 시 국가의 안보에 해를 끼칠 수도 있는 기밀이 담긴 것이다"라는 내용으로 미국 연방대법원에 항소하였다.

1974년 들어 탄핵을 요구하는 여론은 오차범위 밖에서 탄핵 반대 여론을 앞서고 있었다. 1974년 5월 9일 하원 법사위에서 탄핵 청문회가 시작되었다. 그러나 이때까지만 하더라도 상원에서 확실하게 탄핵에 찬성하는 의원은 약 60명 정도로, 탄핵에 필요한 66명에 이르지 못했으므로, 닉슨은 연방대법원에서 녹음 테이프 제출을 무력화시켜 이를 토대로 여론을 반등시킬 생각이었다. 리처드 닉슨은 국가 기밀이 들어있는 녹음 테이프를 제출하지 않을 수 있다는 자신의 주장을 다음과 같은 주장으로 뒷받침했다.

> The President wants me to argue that he is as
> powerful a monarch as Louis XIV, only four years at
> a time, and is not subject to the processes of any
> court in the land except the court of impeachment.
>
> 미국의 대통령은 재임 도중 루이 14세와 같은 강력한 권한을
> 갖는다. 이는 미국 대통령이 탄핵 심판을 제외하고 그 어떠
> 한 법원의 명령에도 굴복하지 않을 수 있음을 의미한다.

즉, 리처드 닉슨은 미국 대통령이 일종의 면책특권을 가지며 법원의 명령에 구애받지 않고 막강한 권력을 사용할 수 있는 자리라고 생각한 것이다. 이는 과거 오하이오 켄트 주립대학교 발포 사건에서도 닉슨이 개인적으로 보인 신념이었으며, 죽기 일보 직전의 인터뷰에서도 이를 강력하게 주장한 바 있다.

그러나 닉슨의 변론 3주 후 연방대법원은 이러한 닉슨의 주장이 헌법에 전면적으로 위배되는 것이며, '닉슨은 존 시리카 판사 및 자워스키 특검의 말대로 녹음 테이프를 넘겨줘야 한다'라고 대법관 8대 0으로 판결을 내렸다. 연방대법원의 의견은 다음과 같았다.

United States v. Nixon (418 US 683)

사법 심의의 기밀 유지 주장과 같이 대통령이 자신의 대화와 서신의 기밀성을 기대하는 것은 소시민들이 사생활을 요구하는 것과 같은 가치를 지닌다. 여기에 더하자면, 대통령의 의사결정은 솔직하고, 객관적이며, 직설적이거나 심지어 가혹할지라도 모든 종류에 있어 기밀이 유지되어야 할 필요가 있다. 대통령과 그를 보좌하는 사람들이 설령 험한 말을 하면서라도, 정책을 형성하고, 결정을 내리는 과정에서는 대안이 자유롭게 모색되어야 하기 때문이다.

그러나 이러한 대통령의 특권은 법치주의에 대한 역사적인 헌신에 비추어 고려되어야 할 필요 역시 존재한다. 미국은 당사자들이 법정에서 모든 문제에 대해 이의를 제기하는 형사 사법의 당사자주의를 채택하기로 결정하였다. 당사자주의 체계에서 모든 사건과 관련된 사실이 법정에서 공개되어야 할 필요성은 근본적이고 또 포괄적이나. 만약 사실이 부분적이고 추측적으로 제시된다면 형사 사법의 목적은 무너지고 말 것이다. 사법 시스템의 완전성과 또 그러한 시스템에 대한 대중의 신뢰는 증거 규칙의 틀 내에서 모든 사실이 완전하게 공개되는 것에 기반한다. 정의가 실현될 수 있게 하기 위해서라면, 검찰이나 피고인이 필요로 하는 증거를 확보하기 위해 (시민의 권리를 침해하는) 강제적인 절차를 시행하는 것도 법원의 기능에 필수적인 것이다.

수정헌법 제6조는 형사 재판에서 모든 피고인이 자신에게 불리한 증인과 대면할 권리와 유리한 증인을 확보할 수 있는 권리를 명시적으로 부여한다. 더욱이 수정헌법 제5조는 적법

한 절차 없이 그 누구도 시민 자유를 박탈당하지 않을 권리를 부여한다. 이러한 점을 감안하면서 증거를 제시하는 것이 사법 처리에 있어 필수적인 것을 입증하는 것이 법원의 의무이다.

그러나 형사 재판에서 명백한 관련성이 있어보이는 증거를 제출하지 "않을 수" 있는 대통령의 특권을 허용하는 것은 다른 이야기이며, 이는 법원의 기본적인 기능을 심각하게 훼손시킬 것이다. 대통령의 직무상 의사소통이 기밀로 유지된다는 것은 일반적인 경우에 국한되는 반면, 형사 소송에서 관련 증거를 제시해야 하는 헌법적인 필요성은 특정한 형사 재판의 공정한 판결과 관련되어있기 때문에 일반적인 경우로 분류할 수 없는 예외적 경우에 해당된다. 의사소통의 기밀성에 대한 대통령의 특권은 그러한 예외적인 형사 사건으로 인하여 일부 대화가 공개된다고 해서 훼손되지 않을 것이다.

워런 E. 버거 대법원장의 의견서, 1974년 7월 24일

정리하자면, 대법원은 '대통령의 특권은 보호되어야 마땅하나, 법치주의와 특권이 상충한다면 법치가 우선시되어야 한다'라는 입장을 표명한 것이다. 아무리 대통령이라고 할지라도 증거를 제출할 수 있는 상황에서 제출하지 않는다면 증거 불충분의 상태에서 재판을 할 수밖에 없고, 이는 필연적으로 형사법제도의 붕괴로 이어질 것이라는 이유에서이다. 물론 사생활과 기밀이라는 두가지 측면에서 대통령이 자신의 특권인 기밀 유지를 행사하는 것은 문제가 없지만 워터게이트 사건과 같은 형사 사건은 예외에 속한다는 것이 대법원의 의견이었다. 이 판결은 미국의 권력자들이 가진 막강한 권력이 결국 법치주의의 토대 위에 있어야 한다는 것을 명시한 중요한 판례로, 미국에서 법학과 역사학을 공부하는 학생들이 반드시 외우고 갈 정도로 기념비적인 판결로 남았다.

더욱 놀라운 것은 심의에 참여한 대법관 9명 중 3명이 리처드 닉슨이 임명한 중도 내지 보수 성향의 대법관이었다는 점이다. 윌리엄 렌퀴스트 대법관은 닉슨 행정부에서 일한 경력이 있어 최종 판결에 참여하지 않았으나, 닉슨이 임명한 해리 블랙번 대법관과 루이스 파월 주니어 대법관은 모두 닉슨에게 불리한 판결을 내렸다. 앞서 닉슨을 궁지로 몰아넣은 존 시리카 판사 역시 공화당 소속이었다는 점을 감안하면 미국의 강력한 삼권분립의 특징을 잘 보여주는 사례라고 할 수 있겠다.

(10) 1974년 8월 9일: 리처드 닉슨의 사임

리처드 닉슨은 자포자기하는 심정으로 녹음 테이프를 존 시리카 판사에게 제출하였고, 이 녹음 테이프에서 닉슨이 워터게이트 사건의 은폐를 명령한 것이 확인되었다. 이로서 닉슨은 국민에게는 거짓말을, 판사에게는 위증을 한 것이 확인되었다. 미국의 사법제도는 위증을 큰 죄로 인식한다. 닉슨이 탄핵에까지 이르게 된 것은 워터게이트 사건에 자신이 관여한 것이 없고 아는 것도 없다고 거짓말을 했기 때문이다.

이때 약 18분 30초 분량의 녹음 테이프가 삭제되어서 논란이 된 적이 있다. 백악관 직원이 전화를 받다가 실수로 지운 것이라고 했는데, 전화기 위치상 테이프가 지워지려면 팔다리 길이가 기린 만큼 길어야 한다는 것이 밝혀져서 닉슨만 망신을 산 바 있다. 현재는 약 3,000시간 분량의 녹음 테이프가 공개된 상태고, 이 중 겨우 200시간 만이 워터게이트 사건과 관련된 것이기 때문에, 전문가들은 이 약 18분 30초 분량의 녹음 테이프가 공개된다고 하더라도 별다른 얘기는 없고 지나치게 예민한 감정을 가지고 있던 닉슨이 과민반응으로 별것 아닌 것을 지운 것이라고 추정하고 있다.

닉슨이 거짓말을 한 것도 큰 문제였지만, 다른 문제도 속속 드러났다. 1974년 연초부터 계속 쏟아져 나온 녹취록과 8월 초 공개된 녹음 테이프의 육성에서 리처드 닉슨과 그의 고문이 저급한 욕설을 섞어가며 민주당의 유력 정치가를 비난하고, 심지어 주무 부처의 장관까지 뒷담화를 한 것이 드러난 것이다. 또 존 F. 케네디에 대해 비정상적일 정도로 열등감을 가지고(1960년 대통령 선거에서 닉슨은 존 F. 케네디에게 패배함) 욕설을 퍼부은 것도 공개되면서 리처드 닉슨의 대중적인 이미지는 "열등감과 대인기피증에 사로잡혀 동료 정치인들을 욕하는, 대통령으로는 매우 부적합한 인물"로 추락하고 말았다.

결국 1974년 7월 말 하원 상임위원회의 심의 결과, 다수의 혐의를 이유로 탄핵안이 통과되었다. 미국은 상임위원회에서 표결을 거친 후 본회의에서 표결을 하게 되어 있는데, 7월 말에 실시된 것은 하원 상임위원회에서 탄핵을 본회의 표결에 회부할 것인지에 관한 것이었다. 절반에 가까운 공화당 상임위원이 많은 혐의에 대하여 탄핵에 찬성했다. 하원의원 중에서는 후일 대선에 도전하게 되는 공화당 존 B. 앤더슨 하원의원이 앞장서 닉슨의 탄핵을 지지했다. 상원의원 중에서는 에드워드 브룩 상원의원이 공화당 내 탄핵 찬성 여론을 주도했다.

대법원 판결 및 녹음 테이프 공개 전까지는 민주당의 상원 지도부는 하원에서는 탄핵안이 통과되겠지만 상원에서는 60 대 40으로 탄핵에 필요한 66표에서 6표 정도가 부족하여 부결될 것으로 예상하였다. 그러나 1974년 7월 말에 상원 내 여론이 급반전되었는데, 공화당의 상원 지도부는 15명 이하만이 탄핵 반대에 투표할 것이라고 전망했다.

결국 하원 상임위원회에서 탄핵 본회의 상정안이 압도적으로 통과된 이상 상하원에서 압도적인 표차로 탄핵안이 통과될 가능성이 높아졌다. 공화당의 일부 의원은 의회가 필요 이상으로 대통령을 간섭하게 될 선례를 남기지 않도록 닉슨이 사퇴해달라고 부탁했다. 닉슨은 처음에는 사퇴할 의향이 결코 없다고 밝혔지만, 공화당은 당내에서 가장 존경을 받던 중진의원 배리 골드워터가 상원 지도부를 이끌고 백악관을 방문하도록 했다. 골드워터는 닉슨에게 사퇴하도록 설득했고, 회의는 순조롭게 풀렸다. 그날 저녁 닉슨은 그의 딸과 아끼는 사위(드와이트 아이젠하워<제34대 대통령>의 손자이자 유명한 노래 "Fortunate Son"의 모티브가 된 것으로 유명한 데이비드 아이젠하워다. 드와이트 아이젠하워 대통령은 사랑하는 손자 '데이비드'의 이름으로 미국의 대통령 별장 '캠프 데이비드'를 명명했다)와 식사를 하였고 그 자리에서도 딸 부부가 사퇴를 요구했다. 결국 닉슨은 기존의 입장을 뒤집고 사퇴에 뜻을 두게 되었다.

닉슨 대통령이 백악관에서 보낸 마지막 날은 매우 극적이었고 영화의 소재로도 활용되었다. 닉슨은 헨리 키신저(국무장관)에게 같이 무릎을 꿇고 기도하자고 했고, 닉슨은 기도하던 중 결국 오열을 하고 말았다. 닉슨은 키신저에게 누구에게도 자기가 어린 아이처럼 울었다는 사실을 말하지 말아달라고 했지만 키신저는 약속을 깨고 언론에 이를 떠들어대서 유명한 일화가 되었다. 또 닉슨은 한밤중에 존 F. 케네디(제35대 대통령/민주당)의 초상화와 대화를 하는 등 정신적으로 매우 힘든 상황으로 내몰렸고, 미군 참모들은 닉슨이 우발적으로 핵전쟁을 일으킬 것을 우려해 핵단추를 사퇴 결정 몇 시간 전에 미리 **빼앗았고** 자살하지 **않도**록 감시를 붙였다.

1974년 8월 8일, 닉슨은 대통령직 사퇴 의향을 공개적으로 밝혔다. 닉슨은 개인적으로 중도에 포기하는 것을 혐오하며, 포기하는 자가 아니라 끝까지 버티는 자가 승리하는 것이기 때문에 사퇴는 자신의 몸이 바라는 모든 것에 반한다고 했다. 그러나 국익과 참모들의 진지한 설득을 고려하여 사퇴하는 것이라고 밝혔다. 닉슨은 이날 밤에 잠을 이루지 못했다. 새벽 4시, 전자시계 배터리가 소진된 후에야 잠에 **빠져들었다.** 닉슨은 짧은 잠을 자고 일어나 자신이 너무 늦게 일어난 것은 아닌지 궁금해했다. 그날 아침 닉슨은 자신이 가장 좋아하는 코티지 치즈를 올린 통조림 파인애플을 우유와 곁들여 먹은 후 백악관을 나섰다.

1974년 8월 9일 정오 닉슨은 백악관 직원들과 마지막으로 인사했고, 이 자리에서 짧은 연설을 했다. 닉슨의 마지막 말은 이것이었다. "나는 이 자리에서 그 누구보다도 어머니를 기억하고자 한다. 어머니가 결핵에 걸린 내 형을 간호하느라 3년 동안 애리조나에서 고군분투했던 것이 떠오른다. 아무도 내 어머니에 대한 책을 쓰지는 않겠지만, 그녀는 성자였다."

닉슨은 마지막으로 제럴드 포드 대통령(부통령으로서 미국 역사상 유일하게 사임한 닉슨 대통령을 승계하여 제38대 대통령이 됨)에게 짧은 인사를 한 후, 대통령 전용 헬기에 탑승하기 직전 환하게 웃으며 승리의 V 사인을 그었다. 그렇게 2년에 걸친 워터게이트 사건은 막을 내렸다.

27. 미국의 대통령 선거 제도

(1) 개요

2024년 11월 5일은 미국의 대통령 선거일이다. 현직 대통령인 민주당의 조 바이든(제46대 대통령)과 전직 대통령인 공화당의 도널드 트럼프(제45대 대통령)의 리턴매치(Return match)가 될 가능성이 유력한 상황이다. CNN과 미국 시장조사기관 SSRS이 2024년 2월 1일 공개한 미국 전역 여론조사에 따르면 바이든은 트럼프와의 가상 대결에서 45%의 지지율로 49%의 트럼프에게 뒤지는 것으로 나왔지만, 9개월 후 실시되는 미국의 대통령 선거에서 누가 미국의 차기 대통령에 당선될 것인지는 예측하기 쉽지 않다.

전 세계 유일의 초강대국인 미국이라는 국가가 세계에 끼치는 영향력을 볼 때 미국의 대통령 선거는 단순히 미국 국민들의 관심사에 그치지 않는다. 누가 미국의 대통령이 되는가에 관한 문제는 전 세계에 가장 막대한 영향력을 끼치는 미국의 특성상 미국의 대통령에 따라 세계가 휘청일 수도, 세계가 안정될 수도 있기 때문에 전 세계의 초미의 관심사다.

이런 상황에서 국민들은 선거인단을 선출하고, 선출된 선거인단이 대통령을 선출하는 간접선거 방식의 미국의 대통령 선거 제도에 관하여 살펴본다.

(2) 방식

선거를 2번 치르는 간접 선거 형태를 취한다.

(가) 1차 선거(선거인단 선출)

각 주별 유권자가 선거인단을 선출하는 투표를 한다. 워싱턴 D.C.와 48개 주에서는 100:0으로 이기든 50.1:49.9로 진땀승을 거두든 불문하고 이기면 선거인단을 모두 차지하는 승자독식제(Unit Rule System)를 채택하고 있다. 예를 들어, 텍사스주의 선거인단 숫자는 총 40명인데 텍사스주의 유권자는 본인이 지지하는 당에 투표하고 투표결과 민주당이 1000표를, 공화당이 1001표를 획득하게 된다면 공화당이 텍사스주의 선거인단 숫자 40명을 전부 차지하게 되는 것이다.
승자독식제(Unit Rule System)를 채택하지 않고 있는 네브래스카주(5명의 선거인단)와 메인주(4명의 선거인단)에서는 주 전체의 승자에게 2명을 주고, 나머지는 하원 지역구 1개당 선거인단 1명을 할당하여 그 지역구의 승자에게 선거인단을 준다.

이 승자독식제(Unit Rule System) 덕분에 조지 W. 부시(제43대 대통령)는 2000년 미국 대통령 선거 당시 앨 고어보다 적은 득표수로 당선되었으며, 도널드 트럼프(제45대 대통령) 역시 2016년 미국 대통령 선거에서 힐러리 클린턴보다 적은 득표수로 대통령에 당선되었다.

(나) 2차 선거(대통령 선출)

이렇게 선출된 선거인단이 대통령을 선출한다. 원칙적으로 선거인단 구성원은 자기가 소속된 정당의 대통령 후보에게 투표를 하는 것이 원칙이지만, 중간에 배신표를 행사하는 것도 가능하다. 주에서 특별히 이를 금지하지 않으면 인정되기 때문이다. 도널드 트럼프는 2020년 미국 대통령 선거에서 조 바이든에게 선거인단 싸움에서 패배하자 '선거인단 회유작전'으로 배신표를 얻으려 애를 썼으나 선거인단이 아무도 배신하지 않아서 조 바이든이 대통령으로 최종 당선되었다.

(3) 절차

(가) 선거일

① 선거인단 선출

선거인단 선출일은 선거가 실시되는 해의 11월 첫째 월요일이 있는 주의 화요일이다. 2024년 대통령 선거일이 2024년 11월 5일인 이유는 11월 첫째 월요일(11월 4일)이 있는 주의 화요일이 11월 5일이기 때문이다. 이 날은 엄밀히 말하면 선거인단만을 선출하는 날이어서 대통령을 선출하는 날이 아니지만, 선거인단이 확정되었을 때 이미 대통령이 확정된 것으로 간주하므로 실질적으로 중요한 날은 이 날이다. 따라서 사람들과 언론의 관심도 이 날에 집중되며, '미국 대통령 선거일'이라고 하면 이 날을 가리키는 것이 된다.

② 대통령 선출

대통령 선출일은 선거가 실시되는 해의 12월 둘째 수요일 다음의 첫 월요일이다(2024년 대통령 선출일은 2024년 12월 16일). 법적 기준으로 대통령이 선출되는 날은 이날이지만, 미국 대통령 선거 역사상 과반수의 선거인단을 확보하고 대통령이 되지 못한 인물은 없었으므로 이날은 아무런 긴장감 없는 형식적인 절차에 불과하다. 이듬해 1월 20일에 당선된 대통령이 취임선서를 하고 이날 정오부터 임기가 된다.

(나) 선거권

18세 이상의 유권자 등록을 마친 미국 시민으로서 거주하는 주, 카운티 또는 시의 투표 기준에 적합한 사람이 선거권을 갖게 된다.

괌, 푸에르토리코 등 미국 속령의 시민은 선거인단 선거권이 없다. 그 지역에 배정된 선거인이 없기 때문이다. 이들은 본토로 거주지를 옮기면 선거권이 생기며, 반대로 본토 주민이 속령으로 거주지를 옮기면 선거권이 사라진다. 1964년까지는 같은 이유로 미국의 수도인 워싱턴 D.C.(미국의 50개 주 가운데 어디에도 속하지 않는 의회 직할령)의 주민들도 선거권이 없었다.

(다) 피선거권

35세 이상이고, 출생을 통해 자연적으로 미국 시민(Natural American)이 된 14년 이상 미국 내에서 거주한 사람이 피선거권을 갖는다.

이는 거의 미국 50개 주 내에서 태어난 사람을 의미한다. 괌 등의 속령 출생자는 피선거권이 없다. 캘리포니아 주지사를 역임했던 아놀드 슈워제네거(영화 배우)는 미국 출생이 아닌 오스트리아 출생이기 때문에 대통령 피선거권이 없다. 그런데 속지주의를 원칙으로 하되 속인주의를 부분적으로 인정하는 미국 국적법상 몇몇 조차지 및 군 주둔지에서 태어난 사람에게도 자연적인 미국 시민의 지위를 부여했기 때문에 미국에서 태어나지 않았는데 대통령 선거에 출마한 사례도 있다. 미국의 조차지였던 파나마 운하 지대에 주둔 중이던 군인 가족의 아들인 존 매케인(2008년 대통령 선거에서 공화당 후보로 출마하였으나 민주당 후보였던 버락 오바마에게 패배함)이 그 사례이다. 반대로 선거권은 귀화로 미국 시민권을 획득하거나, 미국 시민권과 다른 국가 국적을 모두 갖고 있는 경우에도 행사할 수 있다.

재선에 도전하는 미국 대통령들이 많은데, 이때 출마 자격은 중임 1회로 제한된다. 즉 4년 임기를 1회 마친 경우에만 재선에 도전할 수 있다. 대통령의 사망, 사임 등으로 인해 부통령이 대통령직을 승계했을 경우 전임 대통령의 잔여 임기가 2년 이상 남아 있다면 승계 대통령은 차기 대통령 선거에 1회만 출마할 수 있는 반면, 전임 대통령의 잔여 임기가 2년 미만 남아 있다면 승계 대통령은 차기 대통령 선거에 2회까지 출마할 수 있다 (수정헌법 제22조/1951년 2월 27일 발효).

한 번 재선에 실패했다고 해서 중임할 기회가 완전히 사라지는 것은 아니다. 이런 사례로 그로버 클리블랜드(제22대, 제24대 대통령/민주당)는 1884년에 처음 제22대 대통령에 당선되고, 1888년에 재선에 실패한 다음, 4년 후인 1892년에 다시 출마해서 제24대 대통령에 당선됨으로써 역대 45명의 미국 대통령들 중에서 유일하게 두 번의 임기를 나누어 수행한 소위 '징검다리 임기' 대통령으로 기록되었다. 만약 2024년 11월 5일 미국 대통령 선거에서 제45대 대통령을 역임한 '도널드 트럼프'가 당선된다면 미국 헌정사상 두 번째 '징검다리 임기' 대통령으로 기록된다.

(라) 선거인단

미국의 대통령 선거는 국민이 특정 대통령 후보를 지지할 것을 약속하는 선거인단을 선출하고 그 선거인단이 대통령을 선출하는 간접선거 방식으로 이루어진다.

각 주의 선거인단의 수는 각 주가 가진 연방 상원의원 의석(100명)과 연방 하원의원 의석(435명)의 합으로 결정되며, 주가 아닌 워싱턴 D.C.는 헌법에 따라 선거인단의 수가 가장 적은 주와 동일한 선거인단(3명)을 배분받는다. 현재 선거인단의 수는 총 538명이다.

선거인단 배분 방식은 각 주에서 결정하는데, 50개 주 중 네브래스카주와 메인주를 제외한 48개 주와 워싱턴 D.C.에서 가장 많은 표를 얻은 후보에게 선거인단을 몰아주는 승자독식제(Unit Rule System)를 채택하고 있다.

총 538명의 선거인단 수의 과반수(270명 이상)를 확보하면 대통령에 당선되므로 선거인단 수 상위 12개 주(캘리포니아 54명/텍사스 40명/플로리다 30명/뉴욕 28명/일리노이 19명/펜실베이니아 19명/오하이오 17명/조지아 16명/노스캐롤라이나 16명/미시간 15명/뉴저지 14명/버지니아 13명)에서 모두 승리하면 281명의 선거인단을 확보하기 때문에 나머지 38개 주와 워싱턴 D.C.에서 모두 패배하더라도 미국의 대통령에 당선된다.

미국은 연방제 국가인 만큼 주별로 투표하는 방식도 다르다. ① 터치스크린 투표방식인 DRE(Directing Recording Electronic)만 실시, ②종이 투표만 실시, ③DRE와 종이 투표 병행, ④우편 투표만 실시 등 4가지 방식 중 하나를 채택하고 있다.

(마) 승자독식제라는 선거인단 제도 특성상 유권자 총득표에서는 앞섰지만 선거인단 확보에서는 뒤져 대통령 선거에서 패배했던 5번의 사례

승자독식제라는 선거인단 제도 특성상 유권자 총득표에서는 앞섰지만 선거인단 확보에서는 뒤져 대통령 선거에서 패배했던 5번의 사례는 다음과 같은데, 나중에 민주당을 창당하는 앤드루 잭슨을 포함하면 전부 민주당 후보가 패배했다.

① 1824년 대통령 선거 (앤드루 잭슨 - 존 퀸시 애덤스)

1824년 대통령 선거에서는 유권자 총득표 수와 선거인단 수 모두 앤드루 잭슨이 1위였지만 선거인단 수가 과반수가 되지 않아 하원에 넘겨졌고, 2위 후보 애덤스와 4위 후보 클레이의 담합으로 애덤스가 승리했다. 이 대가로 헨리 클레이는 국무장관으로 임명되었고, 잭슨은 4년 내내 애덤스와 클레이를 비판했다.

1828년 대통령 선거에서는 현직 대통령인 존 퀸시 애덤스와 앤드루 잭슨의 리턴매치(Return match)로 진행되었는데, 1824년 대통령 선거에서 패배했던 앤드루 잭슨이 당선됨으로써 미국 헌정사상 최초의 父子 대통령(父: 제2대 대통령 '존 애덤스'/子: 제6대 대통령 '존 퀸시 애덤스')인 존 퀸시 애덤스에게 미국 헌정사상 최초의 재선 실패라는 불명예를 안겨주었다.

앤드루 잭슨은 미영전쟁 중 뉴올리언스 전투(1815.1.8.)의 영웅으로서 이처럼 미국의 제7대 대통령에 당선되었을 뿐만 아니라 미국 달러 지폐 7가지 권종 중 20달러의 초상화 주인공이기도 하다.

② 1876년 대통령 선거 (새뮤얼 J. 틸던 - 러더퍼드 B. 헤이스)

전임 대통령 율리시스 그랜트(제18대 대통령/공화당/남북전쟁 당시 북부군 총사령관/연방의회의사당 앞 기마상의 주인공/미국 달러 지폐 7가지 권종 중 50달러의 초상화 주인공) 정부의 무능과 부패로 공화당에 등을 돌린 유권자들이 새뮤얼 틸던에 투표했고, 대부분의 주의 개표 결과, 민주당의 틸던은 51%의 유권자 지지율과 184명의 선거인단을 확보한 반면, 공화당의 헤이스는 48%의 유권자 지지율과 166명의 선거인단 확보에 그쳤다.

그러나 공화당이 장악하고 있던 3개 주(사우스캐롤라이나, 플로리다, 루이지애나)의 선거인단(총 19명)을 어떤 후보가 차지할지 아직 결정되지 않아 그 개표 결과가 전 미국인들의 관심을 집중시켰고, 15명의 의원과 대법관으로 구성된 특별개표관리위원회는 수십 번 재검표해도 매번 결과가 달라 지루한 토론과 공방 끝에 대통령 취임식 이틀 전에야 기묘한 결론을 도출했는데, 전체 하원의원 의석비율(공화당과 민주당이 8대 7의 비율)이 공화당이 우세하므로 승자독식제(Unit Rule System)를 적용하여 아직 결정되지 않은 선거인단 19명은 공화당 후보인 헤이스가 차지함으로써 민주당의 틸던(184명)보다 공화당의 헤이스(166명 + 19명 = 185명)가 선거인단을 1명 더 확보하여 헤이스가 과반수의 선거인단을 확보했기 때문에 헤이스가 미국의 제19대 대통령에 당선되었다고 선포하였다.

이에 대하여 남부에서는 폭동이 일어날 기미까지 보이자 헤이스는 남부에서는 군정을 끝내고 남부의 경제기반시설을 재건할 것이며, 민주당 인사들을 대거 장관으로 기용할 것을 약속하면서 간신히 제19대 대통령에 취임할 수 있었다.

③ 1888년 대통령 선거 (그로버 클리블랜드 - 벤저민 해리슨)

유권자 지지율은 클리블랜드가 근소하게(클리블랜드 48.6% vs 해리슨 47.8%) 승리하였으나, 선거인단 확보에서 패배하여(클리블랜드 168명 vs 해리슨 233명) 해리슨이 미국의 제23대 대통령에 당선되었다. 벤저민 해리슨은 미국의 제9대 대통령 윌리엄 해리슨의 손자이다.

1888년 대통령 선거 당시, 타락한 부패정당이라는 이미지에서 벗어날 청렴결백한 후보가 필요했던 공화당은 개혁적인 민주당의 현직 대통령인 그로버 클리블랜드(제22대, 제24대 대통령/민주당)에 맞설 후보를 찾고 있었는데, 벤저민 해리슨(제23대 대통령/공화당)은 뇌물과 부정부패로 찌든 대부분의 공화당원들과는 달리 상원에서 두드러질 만큼 청렴결백한 의원으로 널리 알려져 있었고, 공화당은 결국 해리슨을 1888년 대통령 선거의 공화당 후보로 지명했다.

민주당에게 빼앗긴 정권을 되찾기 위한 치열한 선거전이 시작되었을 때 공화당은 온갖 비방과 트집으로 클리블랜드를 끌어내리는 흑색선전을 총동원하였는데, 가장 비열하고 음침한 흑색선전은 바로 영국계와 아일랜드계 유권자들을 이간질한 행태였다. 공화당의 대선 전략가가 주미 영국 대사에게 '영국의 입장에서는 어느 후보가 당선되는 것을 환영하십니까?'라고 질문하자 주미 영국대사가 '자유무역주의자인 클리블랜드를 선호한다'는 답변을 하였고, 공화당이 이를 근거로 선거전에서 '영국은 클리블랜드를 지지한다. 클리블랜드는 친영국파다'라고 대대적으로 선전하자

인구가 많은 뉴욕주에서 영국과 앙숙인 아일랜드계 유권자들이 클리블랜드에게 등을 돌려 클리블랜드는 1888년 여론조사는 물론 실제 대통령 선거에서도 벤저민 해리슨보다 유권자 지지율에서는 앞섰지만 선거인단 확보에서는 뒤져 결국 정권을 해리슨에게 넘겨줄 수밖에 없었다.

그러나, 1892년 대통령 선거에서는 현직 대통령인 벤저민 해리슨(제23대 대통령/공화당)과 전직 대통령인 그로버 클리블랜드(제22대, 제24대 대통령/민주당)의 리턴매치(Return match)로 진행되었는데, 1888년 대통령 선거에서 패배했던 그로버 클리블랜드가 당선됨으로써 미국 헌정사상 유일한 祖父-孫子 대통령(祖父: 제9대 대통령 '윌리엄 해리슨'/孫子: 제23대 대통령 '벤저민 해리슨')인 벤저민 해리슨에게 재선 실패라는 불명예를 안겨주었다.

④ 2000년 대통령 선거 (앨 고어 - 조지 워커 부시)

2000년 대통령 선거는 역대 대통령 선거 중에서 매우 치열했던 선거로, 유권자 지지율에서는 민주당의 앨 고어(제42대 대통령 '빌 클린턴' 재임 시 부통령)가 근소하게 승리하였지만(앨 고어 48.4% vs 조지 워커 부시 47.9%), 선거인단 확보에서는 공화당의 조지 워커 부시(제43대 대통령)가 5명 차이로 승리하여(앨 고어 266명 vs 조지 워커 부시 271명) 조지 워커 부시가 미국의 제43대 대통령에 당선됨으로써 미국 헌정사상 두 번째의 父子 대통령(父: 제41대 대통령 '조지 허버트 워커 부시'/子: 제43대 대통령 '조지 워커 부시')이 되었다.

아버지인 '조지 허버트 워커 부시'는 걸프전의 승리에도 불구하고 재임기간 동안 인플레이션, 실업 등 경제문제가 전혀 호전되지 않아 1992년 대통령 선거에서 대통령 재선에 실패하였지만(조지 허버트 워커 부시의 선거인단 168명 vs 빌 클린턴의 선거인단 370명), 아들인 '조지 워커 부시'는 2004년 대통령 선거에서 '안전한 미국'이라는 캐치프레이즈(Catchphrase)를 외쳐 2001.9.11. 발생한 9·11테러의 재발 공포에 떨고 있던 미국인들로부터 지지를 받아, 미국의 3대 명연설 중 하나로 평가받는 버락 오바마(제44대 대통령/민주당/연설 당시에는 일리노이주 주 상원의원이었음)의 2004.7.27. 민주당 전당대회(존 케리를 민주당의 대통령 후보로 지명한 전당대회) 기조 연설 지원하에 경제회복을 호소한 민주당의 존 케리에게 승리하여 대통령 재선에 성공하였다(조지 워커 부시의 선거인단 274명 vs 존 케리의 선거인단 252명).

2000년 대통령 선거에서 조지 워커 부시가 근소한 차이로 승리(앨 고어의 선거인단 266명 vs 조지 워커 부시의 선거인단 271명)했기 때문에 플로리다주(선거인단 25명)의 재검표 공방이 전 미국인들의 관심을 받았다.

개표 초반 공화당 강세지역인 남부 주들의 개표가 먼저 종료되면서 부시 후보가 먼저 54대 3으로 앞서나갔다. 그러나 저녁 7시 50분 경(미국 동부 시각 기준) CNN을 포함한 미국의 각 방송사가 플로리다주를 고어 우세 지역으로 판정하면서 분위기가 반전되었고, 8시에 미시간, 일리노이, 뉴저지 등 민주당 우세 지역의 개표가 시작되면서 이 지역에서 승기를 잡은 고어 후보가 조지아, 노스캐롤라이나, 텍사스를 가져간 부시 후보를 119대 121까지 따라붙었다. 뒤이어 펜실베이니아도 고어의 우세가 확실시되면서 고어 후보가 역전에 성공했다. 9시에는 뉴욕에서 개표가 시작되어 고어 후보가 192대 153으로 크게 앞서나가기 시작했다.

그런데 부시 후보가 오하이오를 이기고 192 대 185까지 따라붙은 데 이어 밤 10시를 전후해 플로리다주(선거인단 25명)가 고어 우세에서 경합 지역으로 번복되면서 다시 선거 판세가 요동쳤고, 이후 부시 후보가 서부와 남부의 공화당 우세 지역을, 고어 후보가 뉴멕시코와 캘리포니아 등 태평양 해안 주를 확보하면서 확보 선거인단 수는 고어 249 대 부시 246이 되었다. 이렇게 됨으로써 선거인단 25명의 플로리다의 개표 결과에 따라 대선의 승자가 결정되는 상황이 되었다.

이런 상황에서 다음날 새벽 2시 30분, 이번에는 플로리다가 부시 우세 지역으로 변경되면서 각 방송사가 부시의 당선을 선언했다. 이때 고어도 부시에게 "선거 결과에 승복한다"는 전화를 걸었다. 이렇게 대선은 부시의 승리로 끝나는 듯 했다.

그런데 개표가 마무리 단계에 접어들면서 플로리다 내 두 후보 간 격차가 0.05% 이내로 줄어들어 플로리다주의 법률상 자동 재검표에 들어가게 되었다. 플로리다의 결과가 뒤집히면 당선자가 바뀌는 상황이었기 때문에, 이를 파악한 고어 후보 측이 새벽 4시에 결과 승복을 철회하면서 2000년 미국 대선은 그 후 한 달이 넘는 재검표 소동에 휘말리게 되었다.

선거 당일 부시와 고어의 플로리다주에서의 득표차는 불과 1,784표였다. 이러한 초박빙의 상황에서 플로리다 개표를 두고 논란이 거세지자 현장 투표 재검표 및 법정 공방 끝에 실시된 해외 부재자 투표 재검표 결과, 표차가 줄어들어 부시 후보가 537표차로 고어 후보를 앞선 것으로 나타났다. 플로리다주 대법원이 민주당 측이 제기한 전면 수작업 재검표 주장의 손을 들어주면서 대선의 향방이 다시 안개 속에 빠지는 듯 했으나, 대통령 선거일(2000.11.7.)로부터 35일 만인 2000년 12월 12일 연방대법원이 수작업 재검표의 유효성을 인정하지 않으면서 부시 후보의 당선이 확정되었다.

승자가 최종적으로 결정되고 부시 대통령이 취임(2001.1.20)한 후, 여러 학자들과 미디어가 합동으로 약 17만여 표를 표본으로 재검표했는데, 그 결과는 표차가 줄어들긴 했지만 여전히 부시의 우세였다. 하지만 만약 이 표본을 바탕으로 예측한 결과, 전면 재검표를 했었다면 고어가 이겼을 것이라고 예측했다.

이 재검표 공방이 거세진 이유는 하필 당시 플로리다주의 주지사가 부시의 동생인 젭 부시인 점도 한몫했다. 젭 부시가 형의 당선을 돕기 위해서 부정선거를 치른 것이 아니냐는 음모론이 나돌았는데, 젭 부시는 당연히 이를 부정했다.

사실 뉴멕시코에서도 고어가 부시를 336표차로 이기긴 했는데, 득표율차로는 0.06% 차이였고, 선거인단 수가 5명에 불과해 승부에 영향을 미치진 않는 결과여서 별 이슈는 되지 못했다.

⑤ 2016년 대통령 선거 (힐러리 클린턴 - 도널드 트럼프)

유권자 지지율에서는 민주당의 힐러리 클린턴(제42대 대통령 '빌 클린턴'의 영부인/민주당/제44대 대통령 '버락 오바마'의 첫 번째 임기 당시 국무장관)이 승리하였지만(힐러리 클린턴 48.2% vs 도널드 트럼프 46.1%), 선거인단 확보에서는 공화당의 도널드 트럼프(제45대 대통령/공화당)가 큰 차이로 승리하여(힐러리 클린턴 227명 vs 도널드 트럼프 304명) 도널드 트럼프가 미국의 역대 대통령들 중에서 가장 부자인 대통령에 당선되었다(*블룸버그 억만장자 지수가 최근 평가한 트럼프의 순자산은 31억 달러 <약 4조 1354억 원>이며 이중 현금이 6억 달러<약 8004억 원>이다. 2023년 WP 추정에 따르면 대통령에서 물러난 뒤 벌어들인 돈이 10억 달러<약 1조 3340억 원>에 달한다*).

2016년 대통령 선거에서 캘리포니아, 뉴욕 등 인구가 많고 민주당의 텃밭인 서부와 북동부만 힐러리가 승리하고, 나머지 중소 규모의 주와 경합주에서는 트럼프가 근소하게 승리했다. 특히 힐러리 클린턴의 남편인 빌 클린턴(제42대 대통령/민주당)은 플로리다와 미시간, 위스콘신 등 러스트 벨트를 잘 공략해 승리한 반면, 힐러리 클린턴은 러스트 벨트에서 패배했다. 반면 2020년 대통령 선거에서 조 바이든(제46대 대통령/민주당)이 러스트 벨트에서 승리하여 당선된 것을 보면(조 바이든의 선거인단 306명/유권자 득표율 51.3% vs 도널드 트럼프의 선거인단 232명/유

권자 득표율 46.9%) 힐러리 클린턴의 선거전략이 실패하였음을
증명한다.

러스트 벨트(Rust Belt/녹슨 지역)란 19세기 후반부터 20세기
전반까지 미국 제조업의 호황을 구가했던 중심지였으나 제조업
의 사양 등으로 인해 불황을 맞은 지역으로, 도시 기준으로는 자
동차 산업의 중심지인 디트로이트, 철강 산업의 메카인 피츠버
그, 그 외 필라델피아, 볼티모어, 멤피스 등이 이에 속하고, 주
기준으로는 미시간주, 위스콘신주, 인디애나주, 오하이오주, 펜실
베이니아주 등이 이에 속한다.

(바) 불확정 선거(Contingent election)

대통령의 경우에는 선거인단(538명) 중 과반수(270명 이상)를 확
보한 후보가 없을 경우에는 최상위 득표자 3명에 대해 연방 하
원이 대통령을 결정하게 된다. 이 경우에는 각 주별로 1표씩 행
사한다. 정확히는 각 주별 하원의원들이 투표하여 이 중 가장 많
은 득표를 얻은 후보가 그 주의 지지 후보가 되는 것이다. 하원
의원 수가 52명인 캘리포니아주에서 A후보에 투표한 사람이 27
명이고 B후보에 투표한 사람이 25명이라면 캘리포니아주 전체로
는 A후보에 1표를 투표하게 되는 것이다. 이 선거를 미국에서는
불확정 선거(Contingent election)라 한다. 이렇게 주별로 행사
된 표에서 과반수의 득표를 받은 대통령 후보가 대통령이 된다.

부통령의 경우에는 선거인단(538명) 중 과반수(270명 이상)를 확

보한 후보가 없을 경우에는 연방 상원에서 표결을 진행하는데 대통령을 결정하는 연방 하원과는 달리 상원의원 1명당 한 표씩 행사해 부통령을 결정한다.

미국의 역대 대통령 선거에서 선거인단 중 과반수를 확보한 후보가 없어 연방 하원에서 대통령을 선출한 경우는 두 번 발생하였다.

첫 번째는 1800년 대통령 선거였다. 토머스 제퍼슨(제3대 대통령/미국 달러 지폐 7가지 권종 중 2달러의 초상화 주인공)과 에런 버(제3대 부통령)가 선거인단을 동수(73명)를 확보하여 연방 하원에서 대통령을 선출하게 되었는데, 연방 하원에서 35번이나 투표를 하고도 대통령을 선출하지 못하다가 36번째 투표에서 메릴랜드주, 버몬트주, 델라웨어주, 사우스캐롤라이나주 등이 토머스 제퍼슨에게 투표함으로써 토머스 제퍼슨이 미국의 제3대 대통령으로 선출되었고, 2위인 에런 버가 부통령이 되었다(현재는 대통령 후보가 부통령 후보를 지명하여 러닝메이트로 출마하는데, 미국 건국 초기에는 대통령 선거에서 1위 득표자가 대통령이 되고, 2위 득표자가 부통령이 되었음).

두 번째는 1824년 대통령 선거였다. 앤드루 잭슨(제7대 대통령/미국 달러 지폐 7가지 권종 중 20달러의 초상화 주인공)이 유권자 득표율과 선거인단 확보에서 1위를 하였지만 선거인단 중 과반수를 확보하지 못하여 2위였던 존 퀸시 애덤스(제6대 대통령/최초의 父子 대통령 중 子)와 연방 하원에서 겨루게 되었는데 선거인단 확보에서 2위였던 존 퀸시 애덤스가 4위였던 헨리 클레이와 타협하여 헨리 클레이가 존 퀸시 애덤스를 지지함으로써 연방 하원에서 한 번의 투표로 존 퀸시 애덤스가 미국의 제6대 대통령으로 선출되었다.

그 외에도 1836년 대통령 선거에서는 버지니아주의 선거인단이 마틴 밴뷰런(제8대 대통령)을 대통령으로 찍고도 러닝메이트 부통령 후보인 리처드 멘터 존슨(Richard Mentor Johnson)을 부통령으로 찍지 않아 부통령 선거가 연방 상원으로 넘어간 적이 있었는데, 연방 상원에서는 리처드 멘터 존슨을 부통령으로 선출했다.

(사) 취임선서

1789년 4월 30일 미국의 초대 대통령 '조지 워싱턴'은 대통령직을 수락하는 취임선서를 할 때 "신이여 저를 도우소서!"라고 마무리하면서 성경에 입을 맞추었다. 그 후로 대통령 취임식이 4년마다 3월 4일에 거행되다가 제32대 대통령 프랭클린 루스벨트의 재선 임기가 시작된 1937년부터 1월 20일로 변경되어 현재까지 유지되고 있다.

취임식이 거행되는 연방의회의사당 앞 계단에서 정오 직전에 부통령이 먼저 취임선서를 한 다음 대통령은 정오에 아래와 같은 내용으로 취임선서를 하면서 정오에 임기가 시작된다.

【원문】 "I, <President's name> do solemnly swear that I will faithfully execute the office of President of the United States, and will do the best of my ability, preserve, protect and defend the Constitution of the United States."

【번역】 "저 <대통령 이름>은 최선을 다해 미합중국의 헌법을 준수하고, 보전하며, 수호하여, 미합중국의 대통령으로서의 직책을 성실하게 수행할 것을 엄숙히 선서합니다."

28. 미국 대통령 선거결과 예측 '족집게' 역사학자 "현재로선 조 바이든이 앞서"

1984년부터 2024년 현재까지 40년 동안 미국 대통령 선거 결과를 대부분 맞혔던 '족집게' 역사학자인 앨런 릭트먼 아메리칸대 역사학과 석좌교수가 2024.2.5. 미국 경제전문매체 마켓워치와의 인터뷰에서 '2024.11.5.에 실시되는 미국 대통령 선거에서 현재로선 조 바이든 대통령(제46대 대통령)이 약간 우세하다'고 전망했다. 이러한 전망은 최근의 여론조사 결과와는 반대여서 귀추가 주목된다.

릭트먼 교수는 미국 선거사를 분석해 개발한 모델로 대통령 선거 결과를 예측한다.

이 모델은 ① 집권당의 입지 ② 대선 경선 ③ 후보의 현직 여부 ④ 제3 후보 ⑤ 단기 경제성과 ⑥ 장기 경제성과 ⑦ 정책 변화 ⑧ 사회 불안 ⑨ 스캔들 ⑩ 외교·군사 실패 ⑪ 외교·군사 성공 ⑫ 현직자의 카리스마 ⑬ 도전자의 카리스마 등 총 13개 항목으로 구성된다.

지금까지는 조 바이든 현 대통령(제46대 대통령)이 5개, 도널드 트럼프 전 대통령(제45대 대통령)이 3개 항목에서 점수를 땄다고 릭트먼 교수는 말했다.

릭트먼 교수는 조 바이든 현 대통령이 ①재선에 도전하는 현직 대통령이라는 점, ②소속당이 그의 후보 지명을 두고 심각한 도전에 직면하지 않았다는 점, ③주요 정책 변화를 단행해왔다는 점, ④최근 4년간 1인당 실질 경제성장률은 이전 대통령 두 임기(2012~2020년) 간의 평균 성장률과 같거나 그보다 높았다는 점, ⑤공화당의 후보가 카리스마도 없고 국민적 영웅도 아니라는 점 등에서 각각 3번, 2번, 7번, 6번, 13번 항목에서 유리하다고 설명했다.

반면, 도널드 트럼프 전 대통령은 ①소속 공화당이 하원에서 다수당인 점, ②바이든 대통령 역시 카리스마가 없고 국민적 영웅도 아니라는 점, ③바이든 정부에서 주요 외교·군사적 성공을 꼽기는 어려울 것이라는 점 등에서 각각 1번, 12번, 11번 항목에서 유리하다고 설명했다.

릭트먼 교수는 1984년 대선에서 로널드 레이건 대통령의 재선을 예측한 이후 모두 10차례에 걸쳐 조지 H.W. 부시, 빌 클린턴, 버락 오바마, 도널드 트럼프 전 대통령과 조 바이든 현 대통령까지 대부분의 당선 결과를 정확하게 맞혔다.
특히 2016년 대선에서 힐러리 클린턴 전 국무부 장관의 당선을 유력하게 보는 여론조사가 쏟아졌지만, 그는 트럼프 당시 공화당 후보의 당선을 예상했다.

그의 예측이 빗나간 것은 조지 W. 부시와 앨 고어가 맞붙은 가운데 플로리다주의 재검표 논란까지 불거졌던 2000년 대선이 유일하다.

29. 미국을 움직이는 유대인

미국 내 유대인의 인구는 대략 6백만 명이다. 미국 내 전체 인구의 약 2%에 불과하지만 미국에서 유대인이 가지는 영향력은 막강하다.

유대인이 움직이는 미국의 기관·기업은 어디?

친이스라엘계 로비 단체	미국·이스라엘 공공문제위원회(AIPAC), 반비방동맹(ADL), 미국기업연구소(AEI), 미국 내 중동 문제의 정확한 보도를 위한 위원회(CAMERA), 유대인단체대표자회의(CPMJO), 안보정책센터(CSP), 이스라엘을 위한 기독교도 연합(CUFI), 민주주의 수호재단(FDD), 이스라엘 정책포럼(IPF), 국가안전보장을 위한 유대인연구소(JINSA), 중동 포럼(MEF), 미국의 세기를 위한 프로젝트(PNAC), 워싱턴중동정책연구소(WINEP), 미국 시온주의 단체(ZOA), 미국 유대인협회(AJC), 히드슨 연구소
IT	인텔, 델, 컴팩, 오라클, MS, 퀄컴
금융	AIG, 씨티그룹, 체이스맨해튼, 메릴린치, 모건 스탠리, 리먼 브러더스, 라자르 프레르, 골드만 삭스, 솔로몬 브라더스, 베이치 앤드 컴퍼니
영화	MGM, 20세기 폭스, 워너브라더스, 파라마운트, 유니버셜
방송	CBS, 바이아컴(방송미디어그룹), 월트디즈니, 블룸버그
신문·잡지·통신사	AP, UPI, 뉴욕타임즈, 워싱턴포스트, 뉴스위크, 월스트리트 저널, 뉴욕포스트, 유에스뉴스앤월드리포트, 타임, 뉴하우스 그룹(보그, W, GQ 등 발간, 49개 신문, 12개 텔레비전 방송, 87개 케이블 방송 소유)
기타	뒤퐁, US스틸, 에스티로더, 레브론, 갭, 리바이스, 폴로 랄프 로렌, 캘빈클라인, 던킨도너츠, 스타벅스, 마텔, 라이오넬 등

유대인들이 미국 사회의 심장부에 진출하게 된 과정을 알려면 역사적인 맥락을 살펴보아야 한다.

(1) 유대인의 미국 입성

미국에 처음으로 이주한 유대인은 가톨릭 국가인 스페인과 포르투갈에서 추방된 사람들이었다. 이들은 1654년, 브라질을 경유해 처음으로 지금의 뉴욕 지방에 도착했다. 유대인들은 인디언을 막기 위한 바리케이트를 건설하는 데 헌금하거나 경비대에 직접 참가하며 시민으로 인정받기 위해 노력했다. 미국 독립전쟁(1775.4.19.~1783.9.3.)에는 많은 유대인이 총을 들고 참가했다. 이들 초기 이주자 가운데는 크리스트교로 개종하고 상류 계급과 혼인하는 등 각고의 노력을 거쳐 WASP(백인, 앵글로색슨, 개신교/미국 주류 지배 계급)에 포함된 이들도 많았다.

1820년대부터 1870년대까지는 독일에서 유대인들이 몰려왔다. 독일에서 1848년 일어난 3월 혁명의 패배로 탈출한 사람들이었다. 이들은 스페인, 포르투갈에서 온 유대인들의 멸시를 뒤로하고 새로운 곳을 개척하기 시작했다. 면화, 금광, 철도, 토지 등에 투자했고 당시에는 마치 유곽처럼 취급받던 뉴욕 맨해튼의 월스트리트에도 본격적으로 진출했다.

독일계 유대인은 모국인 독일과 유럽 각지의 유대계 자본과의 연결 고리, 즉 중개인으로 활약했다. '골드만삭스'의 창시자인 독일계 유대인 마커스 골드만은 이 시기의 대표적인 성공 표본이었다. 그는 1848년 필라델피아에 도착해 2년간 행상을 한 뒤 의복점을 열어 자금을 모았다. 1869년에 만든 골드만삭스는 현재 세계 최대의 자산운용사로 성장했다. 독일계 유대인은 백화점에도 진출했다. 현재 미국의 유명백화점인 브루밍데일, 니만마커스, 파이린즈 등은 독일계 유대인이 설립한 과거 소매상점에 기원을 두고 있다.

스페인계 유대인 사회에 독일계 유대인이 합류한 결과, 유대인계 인구는 눈에 띄게 증가했다. 유대인의 수는 1848년에는 5만 명이었지만 1860년대 중반에는 20만 명 가까이 급증했다. 하지만 여전히 미국 인구의 0.5%에 불과한 소수 인종이었다.

독일계 유대인은 민족·종교를 드러내며 배타적으로 행동하는 것을 싫어했다. 유대인 정치 클럽을 조직하거나 유대인의 정치적 견해를 표명하는 것 등을 혐오했다. 그들이 내세운 방식은 전형적인 '동화주의'였다. 유대인이 소유했던 백화점들은 결코 유대계의 색깔을 내보이지 않고 어디까지나 지역 사회의 문화적·종교적 테두리에 녹아들려는 경영 방침을 갖고 있었다.

유대인 인구는 1900년이 넘어서자 100만 명을 돌파했다. 이전 20년간 미국의 총 인구가 1.5배 증가한 데 반해 유대인 인구는 4.4배가 증가했다. 이들은 주로 동유럽에서 넘어왔다. 1910년 무렵 유대인의 미국 내 인구는 2백 80만 명에 달했다.

미국은 1924년 이민법을 제정하며 동유럽 유대인들의 이민을 막았다. 닫혔던 문이 다시 열린 시기는 독일과 오스트리아로부터 나치의 박해를 피해 25만 명의 유대인이 미국으로 건너왔을 때이다. 이때 온 무리에는 알버트 아인슈타인 등의 과학자와 작가 등이 대부분이었다.

많은 독일계 유대인 지식인들이 이주하면서 생긴 미국의 힘은 통계에서도 드러난다. 1901년부터 1939년 사이에 물리학, 화학, 의학 분야에서 노벨상을 받은 미국인의 수는 14명에 불과했다. 그런데 1943년부터 1955년까지, 즉 독일계 유대인들이 미국으로 이주한 뒤 이 분야에서 노벨상을 받은 미국인은 29명으로 늘어났다. 독일에서는 반대의 현상이 일어났다. 독일은 같은 기간 35명의 수상자가 5명으로 급감했다.

여전히 소수 인종이지만 유대인 사회는 알토란 같은 분야들을 짐유하며 역동적으로 움직이고 있다. 유대인들의 힘은 각자 보유하고 있는 부분이 네트워크를 이루면서 나온다. 소수 인종이지만 금융, 학회, 미디어, 영화 등 각 분야에서 막강한 힘을 발휘하고 있다. 돈과 인맥으로 역대 미국 정권이 친이스라엘적인 외교를 유지하는 데 버팀목이 되어왔다. 중동에서 섬처럼 고립되어 있는 이스라엘을 대신해 미국 내에서는 유대인들이 미국 행정부를 포위하는 전략을 사용해왔다.

(2) 미국 정치권에 뻗은 강력한 네트워크

네트워크의 힘은 압력 단체의 힘으로 드러난다. 유대인의 힘을 보려면 미국·이스라엘 공공문제위원회(AIPAC)를 보면 된다. 매년

6월에 열리는 연례 총회에는 주요 정당의 인사들이 모두 참석해 대성황을 이룬다. 회비가 최저 10만 달러인 엘리트 회원이 되면, 부통령 등 정권의 요직에 있는 사람들이 주최하는 저녁 식사에도 갈 수 있다. AIPAC은 로비 단체이기도 하지만 동시에 정책을 제언하는 싱크탱크의 역할도 한다. 이스라엘의 국익을 미국의 정책에 반영시키는 모든 일을 수행한다.

2023.10.7. 팔레스타인 무장정파 하마스가 이스라엘을 기습공격한 직후인 2023.10.12. 이스라엘을 방문한 미국의 토니 블링컨 국무장관이 "이번 이스라엘 방문은 미국을 대표하는 장관인 동시에 유대인으로서 왔다"고 발언하면서 이스라엘 지지 뜻을 명확히 했고, 자신의 할아버지가 러시아의 반유대주의 학살에서 도망쳤고, 자신의 부모가 나치 강제수용소에서 생존했던 과거를 소개했다. 또한 그는 "미국은 항상 이스라엘을 지원할 것이다. 미국이 존재하는 한 여러분(이스라엘)은 걱정할 필요가 없다. 우리가 항상 곁에 있겠다"고 강조했다. 미국의 권력 서열(대통령~부통령 겸 상원의장~하원의장~국무장관) 4위인 국무장관의 이와 같은 발언을 통해 유대인의 나라 이스라엘과 미국의 긴밀한 관계를 확인할 수 있다.

(3) 금융·IT·영화 등 산업 전반에 막강 영향력

미국·이스라엘 공공문제위원회(AIPAC)가 단순히 표만을 가지고 워싱턴에 압력을 행사할 수는 없다. AIPAC의 뒤에는 유대인들이 소유한 수많은 산업들이 있다. 대표적인 부문이 금융이다. 유대인들의 힘이 더욱 막강해진 것은 힘의 기준이 '토지 소유'에서 '자본 소유'로 이동하면서부터이다. 특히 자본의 이동에 국경이 없어지고 금융공학이 발달하면서 자본을 이용해 자본을 증가시키는 방법이 확산되면서 일찍부터 금융에 투신한 유대인들의 힘은 기하급수적으로 커졌다. '이들이 세계를 지배한다'라며 음모론의 중심에 매번 등장하는 세계적인 금융 부호 로스차일드가 (家) 역시 유대계로 세계 1, 2위를 다투는 투자 은행인 골드만삭스와 모건스탠리를 운영하고 있다. 국제 금융이야말로 유대인들의 가장 큰 힘인 셈이다.

IT 분야에서도 유대인이 차지하는 비율은 높다. '오라클'의 창업자 랠리 앨리슨, 세계적인 PC메이커 '델'의 마이클 델, '컴팩'의 벤서민 로젠도 유대인으로 알려져 있다. 세계 최대 반도체 회사인 '인텔'을 공동 창업한 앤드류 글로브도 헝가리 출신의 유대인이며, 빌 게이츠가 물러난 이후 '마이크로소프트'의 CEO에 오른 스티븐 발머도, 매킨토시를 발명한 제프 러스킨도 유대인이다. 우리나라에는 CDMA 기술의 보유사로 잘 알려진 퀄컴의 어윈 제이콥스 회장 역시 마찬가지이다.

금융과 IT 등 현대 사회의 총아라고 불리는 산업에 이어 언론도 미국의 유대인들이 장악하고 있는 것은 잘 알려진 사실이다. 우리에게 낯익은 뉴욕타임스, 워싱턴포스트, 월스트리트 저널 등의 지분을 유대인이 갖고 있다는 사실도 새삼스럽지 않다. <뉴스위크> 등의 시사 잡지와 AP, UPI 등의 통신사도 해당된다. <보그> 등 유명 잡지로 잘 알려진 유대계 미디어 재벌인 '뉴하우스 그룹'은 미국 최대의 케이블 네트워크 중 하나이다. CBS나 방송미디어그룹인 바이아컴, 월트디즈니 등도 유대인이 소유하거나 CEO로 재직했던 곳이다.

현실을 재구성하는 신문과 방송뿐만이 아니라 영화 역시 유대인이 독점하는 분야이다. 1900년대 초반만 하더라도 영화는 '니켈로디온(5센트짜리 볼거리)'이라 불리며 하류문화 취급을 받았다. 유대인은 여기에 뛰어들었다. 100여 년이 흐른 지금 MGM, 20세기 폭스, 워너브라더스, 파라마운트, 유니버설 등 주요 영화 제작사와 배급사는 유대인의 소유가 되었다. 이미지가 중요한 시대에 이미지를 만들어내는 주요 산업들이 유대인의 소유가 된 것만으로도 그들의 힘은 더할 나위 없이 막강해진 셈이다.

(4) 세계 경제의 중심 뉴욕을 움직이는 유대인

맨해튼 남단은 월스트리트(Wall Street)로 불리는 금융가이다. 17세기 초 네델란드인들이 이곳에 정착하면서 인디언과 영국군의 습격을 막기 위해 높이 4m 정도의 말뚝으로 벽(Wall)을 건설한 것에서 '월가(Wall Street)'라는 이름이 나왔다. 미국 건국의 아버지들이 농업국을 지향했을 때 초대 재무장관이었던 알렉산더 해밀턴은 상공업과 금융자본을 주창하여 미국 자본주의의 기틀을 쌓았기에 지금까지도 10달러 지폐의 초상화 주인공으로 추앙받고 있다. 1804. 7. 11. 초대 대통령 조지 워싱턴 시절의 초대 재무장관 알렉산더 해밀턴은 제3대 대통령 토머스 제퍼슨 시절의 부통령 에런 버와 권총결투를 벌여 목숨을 잃었지만, 그의 무덤은 월스트리트의 출발선인 트리니티 교회에 있다.

알렉산더 해밀턴과 함께 뉴욕 금융시장의 초석이 된 사람은 J. P. 모건(John Pierpont Morgan)이다. 월가를 지배한 은행가이자 흡수합병의 귀재인 모건은 1912년 4월 타이타닉호 출발 직전에 승선을 취소함으로써 목숨을 건졌지만, 1913년 3월 생일기념으로 로마 여행 중 사망했다. 그의 별세를 접한 월스트리트는 조기를 내걸었고, 장례식 때는 2시간 동안 주식 거래를 중지하기도 했다.

세계 경제의 중심이자 세계 3대 도시(뉴욕, 런던, 도쿄) 중 하나이자 미국의 제1의 도시인 뉴욕은 미국의 명암을 모두 갖고 있다. 최첨단 도시답게 가구 중위소득은 높은 편이지만, 소득 불평등도 최고여서 인구 880만 명 중 8만여 명이 노숙자이다. 전체 시민의 절반은 집에서 영어를 쓰지 않고 있으며 인구의 37%가 외국에서 태어난 이민자이다. 뉴욕 인구의 10%가 의료보험이 없으며 코로나로 인한 미국 사망자의 20% 이상이 뉴요커였다. 영화 '배트맨'과 '조커'의 배경인 가상의 범죄도시 고담(Gotham)은 바로 뉴욕이다. 과거 뉴욕에서 염소를 많이 키웠기에 goat's town에서 유래한 것이다. 고담이 god damn이라는 새로운 해석도 있다.

뉴욕에는 세계 170여 개의 언어가 난무한다고 하는데, 선진강국이라고 해서 반드시 언어가 그에 상응하는 대우를 받는 것은 아닌 것 같다. 뉴욕에 있는 UN본부에서는 영어, 프랑스어, 중국어, 스페인어, 러시아어, 아랍어 등 6개 언어가 UN의 공식 언어로 사용되고 있다. 선진 7개국 모임인 G7(미국, 캐나다, 영국, 프랑스, 독일, 이탈리아, 일본) 중 독일어, 이탈리아어, 일본어가 UN 공식 언어에서 빠져 있는 이유는 제2차 세계대전의 전범국가라는 오명 때문이다.

미국의 관문인 뉴욕의 허드슨강에 1886년에 세워진 자유의 여신상의 오른손은 계몽의 빛을 밝히는 횃불을, 왼손은 "모든 인간은 평등하게 태어났으며 누구도 침범할 수 없는 생명과 자유, 행복의 권리를 신으로부터 부여받았다"는 문구를 담고 있는 독립선언서를 들고 있다. 원래 구리색 동상이었으나 138년 동안 염분이 있는 대서양의 해풍에 산화되어 이제는 하늘색으로 변색되었다. 내부의 철골구조는 1889년에 프랑스 파리에 에펠탑을 세운 에펠이 설계했다.

영국과 숙적 관계였던 프랑스가 물심양면으로 미국의 독립전쟁(1775.4.19.~1783.9.3.)을 지원했는데, 그중에서도 가장 큰 공을 세운 사람은 프랑스의 귀족 라파예트 후작이다. 그는 지원병으로 미국에 건너가 조지 워싱턴 휘하에서 수많은 전투에 참전한 공로로 백악관에 초대 대통령 조지 워싱턴의 사진과 나란히 자리하고 있다. 미국 명예시민 1호인 라파예트를 지명으로 사용하는 도시가 미국에는 20여 개나 되며, 거리 이름은 무수히 많다. 또한 그는 1789년 프랑스 혁명 당시 프랑스 민병대 '프랑스 내셔널 가드'를 이끌면서 혁명군에 참여했으며, 미국의 주 방위군(National Guard) 명칭도 '프랑스 내셔널 가드'에서 이름을 따왔다.

미국은 원래 부패한 가톨릭에 반기를 들고 하나님의 새로운 나라를 건설하기 위해 1620년 영국에서 건너온 청교도들이 세운 나라이므로 아일랜드나 이탈리아, 독일 등의 가톨릭교도들이 뉴욕으로 대거 몰려오는 것에 반감을 갖지 않을 수 없었지만, 이민자들은 아메리칸 드림을 꿈꾸며 드넓은 신세계를 향해 뉴욕으로 계속해서 몰려왔다. 영화 '갱스 오브 뉴욕'에도 잘 묘사되어 있듯이 1840년대 초반 뉴욕의 가장 빈민촌인 월스트리트 북쪽의 5거리 '파이브 포인츠(Five Points)'에는 매일 수천 명씩 몰려드는 아일랜드 이민자들로 들끓는 범죄의 소굴이었다. 당시 언론은 뉴욕의 빈민촌을 '단테 <신곡>의 지옥이 지상에 재현된 모습'이라고 묘사했다. 유럽의 구악으로 취급받은 이민자들은 정상적인 법의 보호보다 자경단의 주먹에 기대고 살아야 했다. 아일랜드의 갱단에 이어 이탈리아의 마피아, 중국의 삼합회, 네덜란드의 페노제, 일본의 야쿠자 등이 자국의 이민 물결에 실려 들어왔다. 뉴욕의 갱단들은 소방대원, 노조외 결탁하고 금주법 시대(1919년~1933년)에 밀주를 통해 거액을 마련한 후 정계로 손을 뻗기 시작했다. 이민자들은 가톨릭에다 민주당 성향이라 남북전쟁(1861년~1865년) 때 공화당인 링컨의 북군에 참전하기를 거부했다.

미국은 이민의 나라다. 제44대 대통령 버락 오바마, 철강왕 카네기, 물리학자 아인슈타인, 국무장관 헨리 키신저, 영화배우 오드리 헵번과 아놀드 슈워저네거, 애플 창업자 스티브 잡스, 테슬라의 일런 머스크, 세계은행 총재 김용 등이 아메리칸 드림을 이룬 이민자이거나 그 자녀들이다.

흔히 세계를 움직이는 국가가 미국이고, 미국을 움직이는 사람이 유대인이라고 한다. 세계 인구의 0.2%에 불과한 유대인이 노벨상의 22%, 아이비리그(미국 북동부 지역의 명문 8개 사립대) 교수의 30%, 미국 대법관의 3분의 1, 미국 부자 20명 중 8명이 유대인이다. 심지어 코미디언도 유대인이 가장 많다. 이처럼 정치, 경제, 언론, 문화 등 전 영역에서 유대인의 힘은 막강하다.

미국의 아이비리그의 대학입시에서 입학사정관제를 도입한 것은 미국의 주류 상류층인 WASP(백인, 앵글로 색슨, 개신교)가 시험 성적만으로는 유대인을 당할 수 없으므로 고안해낸 방편이라는 이야기가 설득력이 있다. 그런데 현재 뉴욕에는 우리나라의 특목고에 해당하는 명문고 8개가 있는데, 전체 인구의 5% 정도밖에 안 되는 아시아계의 입학이 51.7%를 차지하고, 백인 27%, 히스패닉 7%, 흑인 5%에 그치자 아시아인에 대한 새로운 규제책을 준비하고 있는 것도 같은 맥락에서 나온 방책이라고 한다.

뉴욕은 이스라엘의 예루살렘 다음으로 유대인이 가장 많이 사는 곳이다. 세계 최대 규모의 유대교 회당(Synagogue)도 뉴욕에 있다. 뉴욕은 유대인이 움직이는 도시라고 해서 'Jew York'이라고도 한다.

30. 2024.11.5. 미국 대통령 선거에 미칠 테일러 스위프트 신드롬

 2024.2.4. 제66회 '그래미 어워즈'에서 네 번째 '올해의 앨범 (Album Of The Year)'상을 수상하는 대기록을 쓴 팝스타 테일러 스위프트는 뛰어난 음악적 재능을 바탕으로 대중의 공감을 끌어내며 팬덤을 넘어서 신드롬의 영역을 만들어 냈다. 이로써 34세의 스위프트는 네 번째로 이 트로피를 들어올리면서 프랭크 시내트라, 폴 사이먼, 스티비 원더 등 역대 그래미상을 3번 수상한 기라성같은 '전설'들의 아성을 무너트리며 새로운 전설이 됐다.

진솔한 감정과 경험을 녹인 스위프트의 음악은 대중으로 하여금 그녀와 강력한 유대감을 갖도록 이끌었고, 이는 '나비효과'와도 같은 사회적 영향력 확대로 이어졌다는 평가다. 그녀는 2023년 국내 및 월드 투어 콘서트로 수조 원의 경제적 효과를 유발하여 '스위프트노믹스'라는 신조어까지 탄생시키며 그 자체로 하나의 '사회·경제적 현상'이 됐다.

1989년 미국 펜실베이니아에서 태어난 스위프트는 10살 때 작곡가가 되기로 결심했다. 특히 컨트리 음악에 매력을 느낀 그녀는 13살 무렵, 부모님을 설득해 고향을 떠나 컨트리 음악의 본고장인 테네시주 내슈빌로 이사했고, 2006년 자신의 데뷔 앨범 '테일러 스위프트'를 발표했다. 그 뒤 2024년 초까지 11장의 정규 앨범과 4장의 재녹음 앨범을 낸 스위프트는 그래미 어워즈, 빌보드 뮤직 어워즈, 아메리칸 뮤직 어워즈 등을 휩쓸며 신드롬급 인기를 구가하고 있다.

전문가들은 대중을 매료하는 스위프트의 힘은 무엇보다 그의 탁월한 작곡·작사 능력에서 나온다고 평가했다. 스테파니 버트 미국 하버드대 영문학과 교수는 "스위프트가 단어들이 서로 어떻게 조화를 이루는지 아는 뛰어난 귀를 지녔다"며 "이야기를 전달하고 캐릭터를 창조하는 방법도 알고 있다"고 설명했다. 미국 음악지 롤링스톤은 "스위프트는 노래의 절(verse)과 코러스, 브리지를 연결하는 구조에 대한 직관적인 재능을 지녔다"고 평가했다.

전문가들은 스위프트의 팬들이 그녀와 특별한 연대감을 형성한다는 점에 주목한다. 특히 자전적 이야기를 가사로 쓰며 자신의 감정을 노래에 솔직히 담는 스위프트의 스타일은 '보편성의 힘'을 갖는다. 그 결과, 1980년 이후 태어난 밀레니얼 세대는 자신들의 10대 시절 성장통을 어루만져 준 스위프트에 충성스러운 팬이 됐다. 또한 Z세대(1990년대 중반~2000년대 초 출생) 역시 코로나19 팬데믹 시기 3장의 정규 앨범 등을 내며 왕성히 활동한 스위프트를 사회관계망서비스(SNS)에서 접할 기회를 얻으며 팬층으로 합류했다.

하버드 의학대학원 연구원 알렉산드라 골드는 "스위프트의 가사에 많은 사람들은 공감한다. 그것이 보통 삶에서 겪을 만한 경험이기 때문에 그녀의 팬들은 스위프트와 강한 사회적·감정적 유대감을 느낀다"고 평가했다. 실제, 스위프트의 곡 중에는 유명 배우·음악가 등과 사귀며 겪은 개인적인 이야기인 것으로 추정되는 내용도 많아 팬들 사이에 누구에 관한 내용인지에 대한 '논쟁'이 오가곤 한다고 미국 주간지 '더 위크'(The Week)는 전했다.

스위프트의 파워는 2024.11.5. 미국 대통령 선거를 앞두고 판을 흔드는 변수로 떠올랐다. 민주당과 공화당은 모두 스위프트의 '입'에 주목하고 있다. 스위프트와 팬들 사이의 두터운 유대감은 그녀의 사회적 파급력을 더욱 확대했다. 정치권은 큰 선거가 있을 때마다 스위프트의 '입'에 주목해왔다. 스위프트가 밝히는 신념·가치에 관한 한 마디, 한 마디가 표로 연결될 수 있다는 점에서다.

스위프트는 2018년 11월 중간선거를 앞두고 인스타그램에 "나는 항상 어떤 후보가 인권을 보호하고 인권을 위해 싸우느냐에 따라 투표할 것이다. LGBTQ(성소수자) 권리 투쟁을 믿으며, 성적 지향이나 성별에 근거한 모든 형태의 차별은 옳지 않다고 믿는다"고 밝혔다. 이는 사실상 민주당에 힘을 싣는 발언으로 해석됐다. 2020년 대통령 선거에서 도널드 트럼프 당시 대통령과 조 바이든 후보가 맞붙었을 때는 재선에 나선 트럼프를 향해 "백인 우월주의와 인종차별의 불을 지폈다"고 비판하면서 바이든 후보를 지지했었다. 또한 2020년 스위프트는 넷플릭스에서 공개된 자신에 관한 다큐멘터리 '미스 아메리카나(Miss Americana)'에서 트럼프의 2016년 첫 대선 도전 당시, 침묵을 택했던 일에 대해 개인적 괴로움이 있었음을 토로하기도 했다.

2024.11.5. 실시되는 대통령 선거를 앞두고 스위프트는 아직 특

정 후보에 대한 지지나 비토 의견을 밝히지 않았다. 하지만 공화당은 스위프트의 '전적'을 고려해 경계의 날을 바짝 세우고 있다. 최근 몇 달간 트럼프 전 대통령과 공화당은 스위프트의 바이든 대통령 지지 가능성을 염두에 두고, 대응 계획을 세운 것으로 전해졌다.

실제, 최근 미국 보수 매체 폭스뉴스의 친(親)트럼프 진행자와 논객들은 스위프트를 향해 '정치에 관여하지 말라'며 일제히 견제구를 날리고 있다. 여기에 트럼프 전 대통령의 강성 지지층은 SNS 등에 스위프트와 관련한 음모론을 전파하는 중이다. 스위프트가 미국 국방부(펜타곤) 비밀요원이라는 음모론, 스위프트와 그녀의 연인인 미국프로풋볼(NFL) 선수 트래비스 켈시가 실제론 민주당 지지를 위해 만들어진 거짓 커플이라는 주장 등이 그 내용이다. 여기에 스위프트의 얼굴을 합성한 딥페이크 음란물이 SNS에서 확산해 큰 논란이 발생하기노 했다. 전문가들은 스위프트가 겪는 이같은 수난은 음악계는 물론이고 사회·경제·정치 영역에까지 미치는 그녀의 존재감을 방증한다고 분석했다.

스위프트는 지금이 '전성기 중의 전성기'다. 인기 소셜미디어(SNS) 중 하나인 인스타그램 팔로워가 2억 명이 넘고, 2023년 미국 시사주간지 타임이 선정한 '2023 올해의 인물'로 뽑혔다. 미국 성인 53%는 '스위프트의 팬'임을 자처한다. 그의 월드투어 콘서트(에라스 투어)는 투어 역사상 최초로 매출 10억 달러(약 1조 4000억 원)를 돌파했다.

스위프트의 '정치적 파급력'은 익히 알려진 터다. 2023년 9월 스위프트는 '전국 유권자 등록의 날'을 맞아 자신의 인스타그램에 유권자 등록을 독려하는 글을 게재했다. 이때 스위프트는 관련 사이트를 함께 적었는데, 이후 이곳에서 무려 3만5000건의 유권자 등록이 이뤄졌다. 사이트를 담당하는 단체 측은 이 중 몇 건이 직접적으로 스위프트 때문인지는 불분명하지만, 스위프트가 게시물을 올린 후 1시간 만에 등록자가 1,226% 증가했다고 밝혔다.

스위프트는 2024.11.5. 대통령 선거에서 누구를 지지할지 아직 의사를 밝히지는 않았으나, 이미 조 바이든 대통령의 선거캠프가 자신의 노래 '온리 디 영(Only The Young)'을 사용할 수 있도록 허가한 상태다. 간접적으로나마 바이든 대통령을 지지하는 모습을 보여준 셈이다. 다만 '지지율 하락세'를 겪고 있는 조 바이든 대통령 측은 스위프트의 '직접적 지지'를 바라는 모양새다.

한편, 영국의 유력지 가디언에서는 2024.2.6. '테일러 스위프트의 정치적 영향력'에 대해 어떻게 생각하는지를 6명의 미국 유권자들에게 묻고, 이들에게서 받은 답변을 정리해 보도하기도 했다. 이에 따르면 다수는 스위프트가 정치적 입장 표명을 하는 것을 지지하고 그에 영향을 받을 가능성이 높다고 답했다. 다만 일부 응답자들은 "유명인들이 정치인이 돼 자신의 특권을 이용하는 새로운 추세가 싫다"거나 "그가 특정 후보를 지지하는 대신, 팬들에게 이슈에 대해 공부하고 스스로 결정을 내리라고 말하는 것이 훨씬 더 효과적일 것"이라고 말했다.

31. 미국 흑인 민권 운동사에 기념비적인
『브라운 대 교육위원회』 연방대법원 판결(1954년)
과 리틀록 사건(1957년)

(1) 『브라운 대 교육위원회』 연방대법원 판결(1954년)

(가) 개요

『Brown v. Board of Education』 사건은 1954년에 내려진 미국의 연방대법원의 판결로, 피부색에 따라 학생들의 교육을 분리하거나 차별하는 것은 헌법에 어긋난다는 내용이다. 인종 차별 문제 개선에 큰 공헌을 한 기념비적인 판결로, 당시 사회적으로 통용되던 '분리하되 평등하다(Seperate but equal)'는 관념이 공립학교에서의 인종 분리에 적용되는 것에 대해 '분리된 교육시설 그 자체가 불평등'하다며 만장일치로 위헌 판결하였다.

> 공립 교육에서 '분리하되 평등'이라는 원칙은 더 이상 존재할 여지가 없다는 결론을 내린다. 분리된 교육 시설은 본질적으로 불평등하다. 그러므로 원고 및 이러한 차별로 인해 수정헌법 14조에 의해 보장된 공평한 권리를 박탈당한 다른 이들의 의견을 인용한다.

이 판결은 1896년에 있었던 『플레시 대 퍼거슨 사건(인종 분리 정책에 대해 '분리하되 평등하다<separate but equal>'고 판시한 연방대법원의 판결이다)』을 58년 만에 폐기한 판결이다.

(나) 배경

당시 미국에서는 학교조차 흑인 전용과 백인 전용으로 분리되어 있었는데, 이는 1896년에 있었던 『Plessy vs Ferguson』 연방 대법원 판결에 근거한 것이다. 이 판결을 한 마디로 요약하면 '분리하되 평등(Separate but Equal)'이라고 할 수 있는데, 피부색을 이유로 분리시켜 교육을 하더라도 제공 시설이 동등한 한 수정헌법 14조에 어긋나지 않는다는 의미였다.

현재의 시각에서 보면 불합리한 판결로 보이지만 당시에는 합리적인 판결로 받아들여졌다. 하지만 말이 '공평한 시설의 제공'이었지 흑인 학교의 시설이나 제공 서비스는 백인 학교보다 열악했다. 흑인 학생들은 이런 인종 분리 정책으로 인해 상당한 고통을 감내해야 했다.

(다) 재판 개시

캔자스주의 토페카시에 살던 흑인 용접공 올리버 브라운(Oliver L. Brown, 1918~1961년)에게는 두 딸이 있었다. 이 중 큰딸인 린다 브라운은 당시 3학년이었는데 학교에 가기 위해서 매일 아침 6블록을 걸어 버스 정류장까지 간 뒤 거기서 다시 버스를 타고 1마일이나 떨어진 먼로 초등학교(Monroe Elementary)까지 가야 했다. 하지만 근처에는 걸어서 7블록이면 도달하는 섬너 초등학교(Sumner Elementary)가 있었다. 브라운은 당연히 자신의 아이가 섬너 초등학교에 가야 한다고 생각했지만 토페카 교육위원회는 이를 거부했다. 이유는 섬너 초등학교는 백인 전용 초등학교이기 때문에 흑인인 린다가 다닐 수 없다는 것이었다. 이에 브라운은 다른 흑인 부모 13명(흑인 자녀 20명)과 함께 토페카 교육위원회를 상대로 소송을 제기했다.

(라) 재판 과정

이 사건은 판결이 선고되기까지 2년의 시간이 소요되었다. 구술 변론이 처음으로 진행된 1952년에는 프레드 빈슨이 대법원장으로 재직해 있었다. 첫 번째 구술 변론 이후 대법관들은 의견이 여러 갈래로 나뉘게 되었고, 프랭크 푸르터 대법관은 대법관들의 의견을 모을 시간을 벌기 위해 프레드 빈슨 대법원장이 갑자기 사망하고 얼 워렌이 대법원장으로 취임한 후인 1953년 12월에 구술 변론을 한 번 더 하자고 제안하었다.

합의 과정에서 작성된 노트 및 대법관들이 남긴 기록에 의하면, 다수의견이 나오기 힘들 정도로 대법관들 사이에서 의견이 첨예하게 갈렸다. 프레드 빈슨 대법원장은 의회에서 인종 분리 철폐 법안이 발의되지 않았음을 지적하며 인종 분리 철폐에 소극적인 입장이었고, 리드 대법관은 흑인들은 백인들의 문화에 충분히 동화되지 않았으며 주의 권리(states' rights)도 있으니 인종 분리는 오히려 흑인들에게 도움이 된다고 생각하였다. 클라크 대법관은 『Plessy vs Ferguson』 판결이 인종 분리는 괜찮다는 메시지를 각 주에게 보낸 것이나 다름없으니 각 주들이 알아서 해결하게 해야 한다고 주장하였다. 잭슨 대법관과 프랭크 푸르터 대법관은 인종 분리를 철폐해야 한다고 주장했으나 1896년에 만들어진 『Plessy vs Ferguson』 판결을 폐기하는 것에 조심스러워하는 입장이었다. 끝으로 블랙, 더글라스, 버튼, 민튼 대법관은 『Plessy vs Ferguson』 판결은 잘못된 판결이므로 폐기해야 한다고 주장하였다.

프레드 빈슨 대법원장의 갑작스런 사망(1953년 9월 8일)으로 취임하게 된 얼 워렌 대법원장은 반대의견이 나온다면 남부에서 반대의견을 무기 삼아 연방대법원의 판결에 따르지 않을 것이라고 생각했기 때문에 반대의견이 하나도 나오지 않을 때까지 회의를 지속하면서 협상을 이어나갈 것을 주문하였다. 얼 워렌 대법원장은 인종 분리를 합헌 판결할 명분은 흑인들은 열등하다는 믿음뿐이며 연방대법원이 자유를 수호하는 최후의 보루라는 명성을 유지하기 위해서 『Plessy vs Ferguson』 판결은 반드시 폐기되어야 하며 남부의 반발을 막기 위해 보충의견과 반대의견 없이 만장일치로 결정되어야 한다고 주장하였다. 대부분의 대법관들은 얼 워렌 대법원장의 주장에 대체로 동조하는 입장이었다. 얼 워렌 대법원장이 가장 설득하기 힘들었던 대법관은 사법소극주의자인 잭슨 대법관과 인종 분리 철폐에 반대한 리드 대법관으로, 다섯 달에 거친 치열한 협상 끝에 보충의견을 쓰겠다고 주장하던 잭슨 대법관과 반대의견을 쓰겠다고 주장했던 리드 대법관까지 설득에 성공해 천신만고 끝에 대법관 전원 만장일치 의견을 낼 수 있었다.

(마) 영향

1954년에 선고된 『브라운 대 교육위원회』 사건에 대한 연방대법원 판결은 미국 흑인 민권 운동사에 기념비적인 판결로 이후 다른 사회적 사건들에 지대한 영향을 미치게 되었다. 이 재판에 청구인 측 변호인으로 참여한 서굿 마셜(Thurgood Marshall)은 이 사건 판결선고 시점으로부터 13년 후 미국 흑인 최초의 연방대법원 대법관(재직기간 : 1967년 10월 2일 ~ 1991년 10월 1일)이 되었다.

(2) 리틀록 사건(1957년)

(가) 개요

리틀록 사건은 1957년 아칸소주의 리틀록 센트럴 고등학교(Little Rock Central High School)에서 미국 흑인 학생들의 미국 백인 학교 등교를 둘러싸고 일어났던 일련의 사건으로, 미국 흑인 민권 운동사에 한 획을 그은 사건으로 평가된다.

(나) 발단

1954년 미국 연방대법원은 『브라운 대 교육위원회(Brown v. Board of Education, 347 U.S. 483)』 사건에서 『피부색을 이유로 학생들의 교육을 분리하거나 차별할 수 없다』는 판결을 내렸다. 이에 NAACP(National Association for the Advancement of Colored People/당대 최대 규모의 유색인종 차별 폐지 운동 단체)에서는 인종차별이 심하던 남부의 아칸소주의 주도인 리틀록(Little Rock)에서 백인 학교에 성적이 우수한 흑인 학생 9명을 등록시키기로 하였다.

1957년 백인 학교였던 리틀록 센트럴 고등학교(Little Rock Central High School)에 9명의 흑인 학생이 입학했는데, 원래는 17명이었으나 이들 중 8명은 결국 포기했다. 포기하지 않은 9명의 학생들은 리틀록 나인(Little Rock Nine)이라고도 불린다.

리틀록 센트럴 고등학교 이사회는 해당 학군의 교육감이었던 버질 블로섬(Virgil Blossom)의 결정 하에 흑인 학생들의 입학을 만장일치로 허가한 후 점진적으로 흑인 학생들을 받아들이기로 결정했으나(이른바 Blossom Plan), 수많은 백인 학부모들은 이에 동의하지 않았다. 그리고 이런 인종차별주의자들 중에는 당시 아칸소주의 주지사였던 오벌 포버스(Orval Faubus, 1910~1994년)도 포함되어 있었다.

(다) 전개

① 주 방위군의 봉쇄

1957년 미국 연방대법원에서는 리틀록 학구(School District)가 흑인 학생들의 입학을 허가해야 한다고 선고했다. 하지만 아칸소주의 오벌 포버스 주지사는 이를 거부하고 주 방위군(National Guard)을 학교로 보내 흑인 학생들의 접근을 원천 봉쇄했다. 주지사는 '평화에 대한 침해와 폭동, 그리고 소요의 즉각적 위험이 있으며, 사람들 및 재산에 해를 끼칠 상당히 유력한 근거가 있기 때문'이라고 주장했지만 이에 대한 근거를 제시하지는 못했다.

주 방위군은 지휘관인 주지사의 명령에 철저히 따랐으며, 마리온 존슨 육군 중령(Marion Johnson) 휘하의 주 방위 육군과 인근 리틀록 공군 기지에서 출동한 주 방위 공군 병력이 흑인 학생들의 접근을 봉쇄했다. 이로 인해 1957년 9월 4일 등교한 흑인 학생은 엘리자베스 엑포드뿐이었다. 흔히 그녀가 이에 저항하기 위해 혼자 등교했다고 알려져 있지만 실제 이유는 집에 전화가 없어서 아무도 그녀에게 학교에 가지 못한다는 사실을 알려주지 못했기 때문이었다고 한다.

이 상황을 보고받은 당시 드와이트 아이젠하워 미국 대통령(제34대 대통령/공화당)은 3204호 명령을 내렸다.

② **연방군 투입**

3204호 명령의 요지는 '정의의 실현을 방해하는 사람들은 즉각 해산할 것이며, 그렇지 않을 경우 연방군을 투입하겠다'는 것이었다. 이에 대하여 오벌 포버스 주지사가 끝까지 흑인 학생들의 접근을 막자 드와이트 아이젠하워 대통령은 실제로 연방군을, 그것도 당시 최정예였던 미합중국 육군 제101공수사단(*1944.6.6. 인류 역사상 최대 규모의 상륙작전인 노르망디 상륙작전에 참가한 공수부대로, D-1일에 당시 유럽 연합군 총사령관이었던 드와이트 아이젠하워 장군이 제101공수사단의 낙하산 부대를 직접 방문하여 장병들을 격려했다*) 병력을 투입했다. 그 결과 연방군과 주 방위군이 남북전쟁(1861~1865년) 이래 처음으로 대치하는 상황이 벌어지게 되었다. 물론 아이젠하워 대통령이 연방군 투입과 동시에 대통령의 권한으로 주 방위군의 통수권을 아칸소주의 주지사로부터 회수해서 주지사를 주 방위군의 지휘계통에서 배제시키고 대통령 명령으로 주 방위군 병력들을 복귀시켰기에 대치 상황이 오래가지는 않았다.

당시 상황을 보면 제101공수사단 같은 최정예 부대를 투입할 필요는 없었지만 아이젠하워 대통령이 사태의 심각성을 부각시키고 대통령의 강한 의지를 보여주기 위한 정치적 결단으로 제101공수사단이 투입되었고, 상징적인 의미를 더하기 위해 출동한 제101공수사단 병력은 전원 백인 장병들로만 구성되었다.

제101공수사단 병력 투입 이틀 만에 포버스 주지사는 백기를 들고 흑인 등교 금지 조치를 철회했다. 그러나 흑인 학생들의 등교를 반대하는 시위대가 여전히 학생들을 위협하고 있었기 때문에 제101공수사단 병력과 대통령의 지휘를 받는 아칸소주 주 방위군 병력이 계속 흑인 학생들을 호위하고 시위대를 해산시켰다.

(라) 이후

리틀록 나인(Little Rock Nine) 멤버 중 가장 유명한 어니스트 그린은 1958년 리틀록 센트럴 고등학교를 졸업함으로서 최초의 흑인 졸업생으로 이름을 올렸으며, 이는 흑인의 인권과 자존심을 크게 고양시켰다. 졸업식 당일 학교장은 어니스트 그린에 대한 공공연한 린치 시도가 재학생들 사이에 오르내리던 상황이라 그의 안전을 우려해 졸업식에 오지 말고 집에서 우편으로 졸업장을 받으라는 제안을 했지만 어니스트 그린은 이를 거절하고 졸업식에 참석했는데 린치 등 불미스러운 사태는 없었다. 졸업 후 어니스트 그린은 미시간주립대학교에 입학해 학사 학위와 대학원 학위를 받았고, 1981년에는 특출한 이글 스카우트 상(Distinguished Eagle Scout Award)을 받았다.

미국 헌정사상 최초의 흑인 대통령인 제44대 대통령 버락 오바마는 2009.1.20. 취임식 날, 리틀록 나인(Little Rock Nine) 멤버 9명 중 2010년 사망한 제퍼슨 토머스를 제외하고 생존해 있던 8명 전원을 초청했다.

이 사건을 일으킨 오벌 포버스 아칸소주 주지사는 1958년 갤럽지 앙케이트 조사에서 멋진 미국인 남성 10에 들어가면서 이름을 알리기도 했다. 그는 1967년까지 주지사를 역임했지만 이후에는 번번히 낙선하고 정계에서 물러나 이킨소주에서 살다가 1994년 전립선암으로 사망했다. 그는 살아생전 남부연합 깃발 앞에서 인터뷰하는 등 흑인 차별을 지지한 인종차별주의자였다. 다만 1962년경부터는 백인 우월주의 단체인 백인시민위원회와의 관계를 끊는 등 점차 온건파로 돌아섰고 주지사 임기 후반기에는 유화적인 자세를 취하면서 1964년 주지사 선거에서는 흑인 유권자의 81퍼센트나 되는 지지를 받기도 하였다.

이 사건 당시 어느 백인 여성이 흑인 학생들에게 화를 내는 사진이 유명하다. 이 여성의 이름은 헤이젤 브라이언(Hazel Bryan)인데 그녀는 1997년 오프라 윈프리 쇼에 출연해 자신의 행동을 참회했고 리틀록 나인(Little Rock Nine) 멤버 9명 중한 명인 엘리자베스 엑포드와 직접 만나 사과하고 화해했다.

리틀록 나인(Little Rock Nine)이 재학한 리틀록 센트럴 고등학교는 1998년 교정 전체가 사적지로 등록되었고, 현재도 학교로 계속 사용되고 있다.